Como salvar um herói

Suzanne Enoch
Como salvar um herói

tradução
Thalita Uba

Rio de Janeiro, 2021

Copyright © 2004 by Suzanne Enoch. All rights reserved.
Título original: England's Perfect Hero

Todos os personagens neste livro são fictícios. Qualquer semelhança com pessoas vivas ou mortas é mera coincidência.

Direitos de edição da obra em língua portuguesa no Brasil adquiridos pela Editora HR LTDA. Todos os direitos reservados. Nenhuma parte desta obra pode ser apropriada e estocada em sistema de banco de dados ou processo similar, em qualquer forma ou meio, seja eletrônico, de fotocópia, gravação etc., sem a permissão do detentor do copyright.

Direitos exclusivos de publicação em língua portuguesa cedidos pela Harlequin Enterprises II B.V./S.À.R.L para Editora HR Ltda.

A Harlequin é um selo da HarperCollins Brasil.

Contatos: Rua da Quitanda, 86, sala 218 — Centro — 20091-005
Rio de Janeiro — RJ
Tel.: (21) 3175-1030

Diretora editorial: *Raquel Cozer*
Editor: *Julia Barreto*
Copidesque: *Marcela Oliveira*
Revisão: *Rayssa Galvão*
Capa: *Renata Vidal*
Tratamento de imagem: *Weslley Jhonatha*
Diagramação: *Abreu's System*

CIP-Brasil. Catalogação na Publicação
Sindicato Nacional dos Editores de Livros, RJ

E51c

Enoch, Suzanne
  Como salvar um herói / Suzanne Enoch; tradução Thalita Uba. – 1. ed. – Rio de Janeiro: Harlequin, 2020.
  320 p.

  Tradução de: England's perfect hero
  ISBN 9786550990602

  1. Romance americano. I. Uba, Thalita. II. Título.

20-62926   CDD: 813
                                        CDU: 82-31(73)

Meri Gleice Rodrigues de Souza – Bibliotecária CRB-7/6439

*Para Nancy Bailey, Sheryl Law,
Sally Wulf e Sharon Lyon —
o melhor grupo de apoio da hora do almoço do mundo.
Obrigada, meninas.*

Prólogo

A CHUVA COMEÇOU A BATER na janela com mais força, como se estivesse tentando se fazer ouvir em meio à discussão que se desenrolava no salão de visitas de Lucinda Barrett.

— Deveríamos colocar tudo isso no papel — disse Lucinda, erguendo a voz para ser ouvida mesmo com o barulho da chuva e o debate corrente.

Ela e as amigas, bastante exaltadas no momento, concordavam que a maioria dos homens não fazia ideia de como se portar feito um cavalheiro, mas chegar a essa conclusão não causara outra coisa além de frustração e um bocado de irritação. Era hora de agir.

Ela pegou várias folhas de papel em branco de uma gaveta e retornou à mesa, distribuindo-as.

— Nós três exercemos bastante influência, especialmente sobre os tais *cavalheiros* a quem essas regras se aplicariam — continuou.

— E estaríamos fazendo um favor a outras mulheres — emendou Georgiana Halley, sua expressão irritada ficando mais reflexiva.

— Mas uma lista não ajudará ninguém além de nós mesmas — contrapôs Evie Ruddick, mesmo tendo aceitado o lápis de Lucinda. — Se é que de fato nos ajudará.

— Ah, ajudará, sim… Quando colocarmos nossas regras em prática — retrucou Georgiana. — Proponho que cada uma de nós escolha um homem e lhe ensine o que ele precisa saber para impressionar uma dama adequadamente.

Aquilo fazia sentido.

— Sim, por favor — concordou Lucinda, batendo a mão na mesa em concordância.

Georgiana riu quando começou a escrever.

— Poderíamos mandar publicar nossas regras. *Lições de amor*, por Três Distintas Damas.

Lista de Lucinda

1. *Ao falar com uma dama, um homem deve prestar atenção no que ela diz, e não ficar examinando o recinto durante a conversa, como se estivesse procurando por alguém mais interessante.*
2. *Em um baile, um cavalheiro deve dançar e interagir. É rude comparecer a um evento com o único propósito de marcar presença ou de ser visto — sobretudo quando algumas damas acabam desacompanhadas.*
3. *Um cavalheiro não deve limitar seus interesses às últimas tendências populares. Uma mente arguta é mais interessante que um nó de gravata bem-feito.*
4. *O mero fato de um cavalheiro estar cortejando uma dama não significa que ele precisa concordar com tudo que o pai dela diz — embora ainda deva ser respeitoso, mesmo quando o pai não está presente.*

— Isso é divertido — disse Evelyn, assoprando o papel para remover o excesso de grafite.

— Eu tenho uma dúvida — anunciou Lucinda, examinando o que havia escrito. — Se criarmos três homens perfeitos, estaremos fazendo um favor à sociedade ou arruinando as chances de todos os outros homens de encontrar uma parceira?

Georgie riu.

— Ah, Luce. A questão aqui é se algum homem tem a capacidade de aprender a se comportar para ganhar a admiração e o respeito de uma dama.

— Sim, mas, se treinarmos esses homens hipotéticos, deveríamos ao menos ter uma ideia do que fazer com eles depois — retrucou Lucinda.

— Afinal, preciso presumir que teremos êxito.

— Você tem mais confiança que eu, Luce, mas, por outro lado, eu e Georgie temos irmãos homens. — Evie sorriu. — O que não é, necessariamente, motivo de se gabar.

— E meu pai é general.

— Declaro que nós três estamos devidamente preparadas para o desafio. — Georgiana deslizou seu papel pela mesa no sentido horário, pegando o de Lucinda. — Boa lista.

Todas se alternaram para ler as listas umas das outras. Lucinda, ao menos, ficou perplexa ao perceber como eram... pessoais. E como remetiam às autoras.

— Então, quem será a primeira? — perguntou Evelyn.

As três se entreolharam, então caíram na gargalhada.

— Bem, de uma coisa eu sei — declarou Lucinda. — Não nos faltam potenciais alunos para escolher.

Capítulo 1

Jamais vi um homem em condição tão deplorável.
— Robert Walton, *Frankenstein*

Catorze meses depois

— NÃO, NÃO ACHO QUE você tenha trapaceado, Evie, e gostaria que parasse de dizer isso.

Lucinda Barrett lançou um olhar exasperado à amiga, afundando ainda mais no assento da janela.

— Eu sei — respondeu Evie —, mas eu só pretendia ensinar uma lição a um canalha. E acabei casada com ele. — Fazendo uma careta, ela se levantou, foi até o refúgio de Lucinda e voltou. — Quero dizer, pelo amor de Deus, menos de dois meses atrás eu era apenas a medíocre e entediante Evie Ruddick, agora sou a Marquesa de St. Aubyn. Não consigo nem acreditar...

— Você nunca foi medíocre ou entediante, Evie — interrompeu Georgiana enquanto entrava no salão de visitas e gesticulava para que o mordomo fechasse a porta. — E, já que estamos nos desculpando, me perdoem, em primeiro lugar, por estar atrasada para meu próprio chá e, em segundo, porque parece que também me casei com o alvo da *minha* lição.

Lucinda sorriu.

— Nada disso é uma ofensa pela qual você precise se desculpar, Georgie.

Sorrindo, Georgiana conduziu Evie para o sofá e se acomodou cuidadosamente ao lado dela.

— Talvez, mas, pouco mais de um ano atrás, eu teria dado um tiro em qualquer pessoa que sugerisse que eu me casaria com Tristan Carroway. E, agora, cá estou, Lady Dare, e a dois meses de colocar mais um Carroway no mundo.

Evelyn riu.

— Talvez seja uma menina.

Georgiana se remexeu, claramente desconfortável.

— Isso seria apenas o começo de uma reparação, para mim. Jamais entenderei como a mãe de Tristan conseguiu ser corajosa o suficiente para ter outros quatro garotos, depois do exemplo do primeiro filho. Se não fosse por suas tias, eu estaria em enorme desvantagem. E no momento elas me abandonaram para desfrutar as fontes termais de Bath.

— Por falar nos irmãos Carroway — disse Lucinda, sabendo que estava enrolando de propósito, uma vez que tinha finalmente decidido contar às amigas sobre seus planos —, ouvi você dizer que o Tenente Carroway está de volta a Londres...

— Sim. O navio de Bradshaw deve chegar a Brighton no final da semana. Ele espera ser alocado para uma missão nas Índias Ocidentais, imagine só. — Georgie estreitou os olhos. — Por que quer saber de Shaw? Você decidiu usá-lo para sua lição?

— Meu Deus, não. — Lucinda sentiu suas bochechas esquentarem. — Pode imaginar a reação do meu pai se eu voltar a atenção a um homem da Marinha? Não que ensinar uma lição signifique um casamento iminente, é claro.

Evie bufou.

— Mas as chances parecem grandes.

O olhar de Georgie era mais especulativo.

— Não é uma possibilidade que você deveria ignorar. — Ela bebericou o chá, fitando Lucinda por cima da xícara, como uma cigana vidente de cabelos louros. — Você escolheu seu aluno.

— Ah, eu sabia! — exclamou Evie, batendo palminhas. — Quem é o vilão?

Hesitando, Lucinda olhou de uma amiga casada e bem-sucedida em sua missão para a outra. O que diriam se soubessem que ela observara seus manejos com uma combinação crescente de interesse e inveja? Será que tinham percebido que, desde que Evie se casara com St. Aubyn, Lucinda estava se empenhando mais na busca de um aluno para si própria? E não apenas um aluno que precisasse de uma lição, mas alguém com quem quisesse se casar.

Lucinda suspirou. É claro que tinham percebido. Elas eram suas amigas mais próximas, afinal.

— Bem, eu reduzi o número de possibilidades...

Sim, ela havia reduzido. A um.

— Conte-nos — pressionou Georgiana. — Muito dessa ideia de dar uma lição nos homens veio de você, de toda forma. Chega de adiar, minha querida.

— Eu sei, eu sei. É só que...

— E chega de desculpas — interrompeu Evie.

— Está bem. — Lucinda respirou fundo. — É Lorde Geoffrey Newcombe.

Ela se calou, observando a reação das amigas.

Lorde Geoffrey, o quarto filho do Duque de Fenley, era, possivelmente, o homem mais bonito que já tinha visto. Outras mulheres que compartilhavam dessa opinião referiam-se a ele simplesmente como "Adônis". Cabelo louro encaracolado, olhos verde-claros, ombros largos e um sorriso capaz de encantar uma naja — não era de se admirar que as mulheres se jogassem a seus pés com uma regularidade quase calculada.

E esse era o problema. A escolha era obviamente direcionada mais ao matrimônio do que à lição a ser dada. Chovia cavalheiros solteiros de péssimo comportamento em Mayfair. John Talbott, por exemplo. De que importava se ele ostentava uma monocelha que ia quase de orelha a orelha? Ou então Phillip R...

— Lorde Geoffrey — repetiu Georgiana lentamente. — É uma escolha esplêndida.

— Sim — disse Evie, abrindo seu sorriso travesso. — Concordo.

O alívio fez Lucinda relaxar os ombros.

— Obrigada. Eu realmente pensei muito nisso. Quer dizer, ele é um herói de guerra, algo que meu pai com certeza aprovaria, e é bastante bonito, mas, ao mesmo tempo, poderia muito bem aprender umas lições. Ele é arrogante, insensível... — Ela se interrompeu. — Receio estar sendo terrivelmente óbvia com relação ao motivo de tê-lo escolhido.

— Não, não está — garantiu Evelyn. — Você está sendo brilhante, como sempre. Quer dizer, como poderia ignorar o fato de que tanto Georgie quanto eu nos apaixonamos por nossos alunos e acabamos casadas? Você *precisa* levar isso em consideração.

Georgie concordava.

— E também não pode ignorar que você e seu pai são bastante próximos e que o General Barrett precisa ter certo apreço pela pessoa que você decidir tomar como aluno, independentemente de você estar cogitando qualquer coisa além das lições.

— Exato — disse Lucinda, feliz com o esforço das amigas para justificar sua escolha. — Até onde sei, meu pai tem Lorde Geoffrey em grande estima, e sei que teme que eu fique sozinha quando bater as botas, como ele mesmo diz.

Georgiana deu risada e se levantou, desajeitada, para levar a chaleira até Lucinda.

— Eu nunca a vi dar um passo em falso, Luce. Como podemos ajudar?

— Ah, acho que consigo li... — A xícara transbordou, derramando chá no pires e no vestido de Lucinda. — Georgie!

A viscondessa deu um pulo, endireitando a chaleira e desviando o olhar da janela.

— Ah! Perdão! É só que... Vejam!

Na via de entrada da casa, o cunhado mais novo de Georgiana, Edward, de 10 anos, estava se empoleirando no banco de uma carruagem de corrida. Quem o ajudava era o novo marido de Evie, o Marquês de St. Aubyn.

— Santo! — exclamou Evie, correndo até a porta. — Edward vai perder um braço! Santo!

Georgie estava logo atrás.

— Edward! Não ouse...

Rindo, Lucinda depositou com cuidado a xícara cheia na mesinha.

— Não se preocupem comigo — murmurou, levantando-se. — Só levei um banho de chá quente.

No decorrer do último ano, passara a conhecer a Residência Carroway quase tão bem quanto a própria casa. Dando uma última olhada para ter certeza de que ninguém estava matando ninguém lá fora, subiu as escadas até um dos quartos vagos.

Não sabia como Georgiana lidava com Dare, os quatro irmãos mais novos e as duas tias, mas a amiga parecia se regozijar no caos — bem como Evie, diante das traquinagens ininterruptas de Santo. É claro que, desde os seus 5 anos, os moradores da Residência Barrett eram apenas ela e o pai, o

General Augustus Barrett. Lucinda estava muito mais acostumada com a quietude do que com a algazarra que Georgie enfrentava.

Mergulhou um pano numa tina cheia e esfregou a mancha de chá do vestido.

— Droga, droga, droga — murmurou, franzindo a testa para a mancha cada vez mais escura no corpete do vestido de musselina verde.

Um movimento fugaz no reflexo do espelho chamou a sua atenção. Olhos azuis, de um tom tão intenso quanto lagos sem fundo refletindo no verão, fitavam-na. Ela se virou assustada.

— Minha nossa! Lamento muito! Eu não queria...

Era um dos irmãos Carroway, é claro. *O* Carroway, pelo que diziam os rumores. Ele estava sentado em uma poltrona perto da janela, com um livro aberto na mão.

Robert. O irmão do meio. O que havia sido ferido em Waterloo. Aquele que as más-línguas diziam "não bater muito bem da cabeça". Lucinda podia contar nos dedos de uma mão o número de vezes que o vira em público desde que ele retornara da guerra. E nunca chegara a trocar duas palavras com ele desde então, nem mesmo no casamento de Georgie e Tristan.

Lentamente, Robert fechou o livro e se levantou.

— Culpa minha — disse, em uma voz baixa e rouca. — Perdoe-me.

— Não vá — pediu ela, abaixando, com certo atraso, o pano que segurava contra o peito. — Estou apenas limpando o vestido. Receio que seu irmão Edward esteja decidido a aprender a dirigir uma carruagem de corrida, a despeito das objeções de Georgiana.

Robert parou na metade do caminho até a porta.

— Ele jogou chá em você?

— Ah, meu Deus, não! Foi Georgie quem derramou, quando o viu pela janela conspirando com St. Aubyn. — Rindo, ela esfregou o pano novamente, em um local mais digno. — Pelo visto, eu deveria ter me esquivado.

Como ele sabia que era chá? Ela se lembrou dos cochichos que diziam que aqueles olhos azuis percebiam tudo. *Bobagem*. Devia ter sentido o cheiro ou algo assim.

O olhar azul-escuro a analisou por mais um instante. A magreza de seu rosto havia diminuído naqueles últimos três anos, desde que ele voltara para casa, mas o corpo ainda era esguio e circunspecto — *como um lobo,* pensou Lucinda. E, independentemente dos rumores, aquele olhar era demasiado... inquietante.

Robert trincou o maxilar, então, fazendo um esforço visível, relaxou os ombros.

— Já escolheu?

Ela o encarou sem entender.

— Escolheu o quê?

Aquele olhar cobalto pareceu estremecer, então parou de fitá-la.

— Nada. Boa tarde.

Com alguns poucos passos levemente mancos de suas pernas longas, ele saiu.

Lucinda ficou olhando para a porta por um instante, então voltou-se para o livro que ele tinha deixado no peitoril da janela. *Frankenstein ou o Prometeu moderno*, por Mary Shelley. As bordas das páginas estavam gastas e a capa partida, como se ele — ou alguém — tivesse lido até quase despedaçar a brochura.

— Luce?

— Estou aqui.

Um instante depois, Georgie entrou no aposento.

— Eu afoguei você em chá? Está conseguindo limpar?

Lucinda balançou a cabeça de leve e voltou a se limpar.

— Não, não me afogou. Como está Edward?

Lady Dare suspirou.

— Descendo a rua em disparada com St. Aubyn segurando as rédeas. Desculpe por ter derramado chá em você.

— Não se preocupe. — Lucinda hesitou. — Georgie, você contou a alguém sobre as nossas lições?

A viscondessa franziu o cenho.

— Apenas para Tristan, e falei apenas de mim. Por quê?

Por quê? Será que era disso que Robert Carroway estava falando? Hum. Não, a menos que ele *realmente* pudesse ler mentes.

— Por nada. Estava apenas pensando. Pronto. Não vai ficar melhor que isso.

Lucinda seguiu Georgiana de volta para o corredor. Quando começaram a descer as escadas, olhou para trás bem a tempo de ver ombros largos sumirem quarto adentro.

— Georgiana — continuou, baixinho, quando chegaram à base da escadaria —, como anda o irmão do Tristan? Falo de Robert.

— Bit? — A viscondessa deu de ombros. — Ele parece estar se sentindo bem. Quase não manca mais. Por quê?

— Ah, por nada. É só que... Eu o vi lá em cima. Ele...

— Ele causa certo impacto, eu sei — complementou Lady Dare delicadamente. — Espero que não a tenha assus...

— Não! É claro que não. Ele só me pegou de surpresa.

Mesmo assim, já de volta ao salão de visitas, Lucinda não conseguiu evitar olhar para o andar de cima. O que ele queria dizer com aquela pergunta? E, se fosse o que ela suspeitava, como ele sabia?

Robert Carroway foi até o topo da escadaria enquanto Georgiana e a Srta. Barrett reencontravam a amiga Evelyn e retornavam ao salão de visitas. Georgie se explicava em seu nome. Ele já tinha presenciado aquilo antes, mas ela nunca havia chegado tão perto de pedir desculpas. Ele sabia que Tristan, Georgie, Shaw, Andrew, as tias — todos tinham uma resposta pronta se alguém por acaso perguntasse dele ou, mais provavelmente, de sua ausência.

Ao menos Tristan o chamara para acompanhá-lo ao Tattersalls aquela manhã. Tristan sempre o convidava para acompanhá-lo; se não convidasse, Georgiana o fazia. Robert se perguntava quanto tempo levaria até que as recusas contínuas os desencorajassem. Às vezes, só concordava para que não desistissem completamente.

Talvez sua família não entendesse, mas eles permitiam que ele permanecesse sentado em silêncio quando desejava e que se afastasse quando se sentia sufocado pelas paredes. Visitas ou multidões, contudo, eram sinônimo de conversas educadas sobre o tempo, a moda e qualquer outra idiotice insignificante que as pessoas conseguissem arranjar para perder tempo. Robert estremeceu só de pensar.

Pegando seu livro, retornou mancando pelo corredor até o quarto de visitas. Sentia-se mais confortável em seu próprio quarto, mas gostava da brisa fresca da tarde. Além disso, podia ouvir quando as três moças riam, lá no salão de visitas. Podia ouvir quando Lucinda ria. Ele se perguntou o que ela diria se percebesse que ele fazia questão de estar por perto sempre que ela passava por ali para visitar Georgiana.

— E de que diabos isso importa? — resmungou em voz alta, automaticamente olhando para a porta aberta ao falar.

Pare com isso. Estava em casa, na Inglaterra. Em Londres. Ninguém iria privá-lo de comida ou de água ou espancá-lo até desmaiar se ousasse falar. Ninguém fazia isso havia três anos. Ele estava livre, estava a salvo.

— Pare com isso — insistiu, forçando o olhar a permanecer fixo no livro, recusando-se a reconhecer que estava aliviado por ainda estar claro lá fora ou que queria desesperadamente desaparecer em seu quarto e trancar a porta. — Pare com isso. Pare...

— Eu já escolhi o quê?

Robert se encolheu, erguendo a cabeça de supetão e virando-se outra vez para a porta. Com a mesma rapidez, ele se levantou, antes mesmo que a mente pudesse registrar o que estava fazendo.

— Srta. Barrett.

Ele sempre pensara que o cabelo dela era castanho, até o dia em que a vira caminhando sob o sol do fim de tarde que se derramava pelo chão. Madeixas ruivas reluziam em meio ao alvoroço de cachos. Um cacho havia escapulido e acariciara a maçã de seu rosto. Sua pele parecia lisa e macia como creme.

— Desculpe — disse ela. Sua pele clara enrubesceu. — Não quis assustá-lo.

Vários segundos se passaram até Robert perceber que encarava a moça e que ela esperava uma resposta.

— Eu deveria ter ouvido você se aproximando.

Olhos cor de mel gentis o estudaram, enquanto ele esperava pelo comentário inevitável sobre o tempo. Geralmente, àquela altura de uma conversa — se Robert permanecesse por tanto tempo —, ele percebia desconforto, desdém, medo ou, o pior de tudo, pena. Lucinda Guinevere Barrett, no entanto, deu um pequeno sorriso.

— O general anda lendo um estudo sobre a tática dos índios americanos, os iroqueses, especificamente. Ele admira muito a furtividade deles, então tenho treinado técnicas para pegá-lo de surpresa. Pelo visto, sou melhor nisso do que imaginava.

O General Augustus Barrett — outro motivo pelo qual Robert raramente comparecia a eventos sociais. Com certo esforço, afastou o pensamento do espectro abrupto de mosquetes, fumaça e gritos, retornando para a jovem alta e esguia ainda parada à porta que, para a sua infelicidade, era filha de Barrett. *Diga alguma coisa.*

— Seu aluno — soltou ele, cerrando os dentes tarde demais para impedir que tal idiotice escapasse de sua boca.

Ela piscou.

— Perdão?

Esclareça, gritou para si mesmo. *Pelo amor de Deus, você sabe compor uma frase completa.*

— Quer dizer, você já escolheu seu aluno?

Aquele belo rubor desapareceu de seu rosto.

— Como... O que... Como você sabe disso?

A expressão perplexa de Lucinda acabou servindo para deixá-lo mais confortável. Era uma expressão com a qual ele havia se familiarizado nos últimos três anos — embora, geralmente, também costumasse pontuar o momento em que ele dissera algo rude e direto e deveria bater em retirada. Naquela tarde, no entanto, Lucinda estava bloqueando a porta, e parecia que ele teria que permanecer ali. Para falar a verdade, parte dele queria ficar pelo tempo que ela ficasse. Robert deu de ombros.

— Eu presto atenção. Georgiana escolheu Tristan, e sua amiga, a Srta. Ruddick, optou por St. Aubyn, o que deixou você e minha cunhada preocupadas.

— Nós... não fomos tão óbvias assim, fomos?

Robert gostou do fato de ela não tentar negar a trama.

— Não. Não foram.

— Você... — Lucinda pigarreou. — Você não contou nada disso a qualquer outra pessoa, contou?

Robert sentiu a boca se curvar para cima, em um movimento tenso e não muito natural.

— Eu não costumo falar nada para ninguém, Srta. Barrett.

A expressão dela suavizou, e Lucinda abriu um sorriso que devia superar com folga o dele em termos de elegância e simpatia.

— Obrigada. Seria... constrangedor para todas nós se houvesse rumores de que andamos fazendo listas e escolhendo alunos.

Listas. Robert não sabia nada sobre listas. Perguntou-se o que haveria na dela. Com a tranquilidade proporcionada pelo longo tempo de prática, ele se absteve de franzir a testa. Ela provavelmente precisava de alguém que fosse bom de prosa — ou ao menos alguém que conseguisse proferir mais de duas frases.

— Seu segredo está a salvo. — Ele esperou um instante. — Mas e você?

— Eu o quê? — indagou ela, então abaixou a cabeça, constrangida. — Ah. Se eu escolhi um aluno, você quer dizer. Sim, escolhi.

Ele hesitou novamente. Será que sua voz parecia tão inadequada, distante e desesperada quanto ele se sentia ao tentar levar uma conversa civilizada? Isso costumava ser tão fácil...

— Posso perguntar quem é?

Embora ele estivesse parabenizando a si mesmo por ter sido polido, educado e gramaticalmente correto, o rosto de Lucinda se contraiu, e ela deu um passo para trás. *Maldição*. Depois de três anos de volta à Inglaterra, Robert deveria ter percebido que não fazia ideia de como se comportar de maneira civilizada, na mesma medida em que não sentia vontade alguma de fazê-lo. Geralmente. Até aquela tarde, quando Lucinda Barrett o procurara para continuar uma conversa.

— Descul...

— Lorde Geoffrey Newcombe — disse ela, interrompendo seu pedido de desculpas.

— Você quer se casar com Geoffrey Newcombe? — indagou ele, surpreso com a escolha. — Meu Deus, mas por quê?

Lucinda corou novamente, não de forma tão bela dessa vez.

— Decidimos dar lições para ensinar os homens a serem cavalheiros. A ideia é ver se consigo convencê-lo ou persuadi-lo a agir conforme os itens da minha lista. Apenas isso.

— Então o resultado final não é o casamen...

— Não! Espero que você não pense que eu tentaria ludibriar alguém para que se casasse comigo.

— Eu...

— Não tenho necessidade alguma de me rebaixar a esse nível, senhor. E não aprecio tal implicação.

Dando as costas para Robert, ela se afastou. Um instante depois, descia as escadas com passos pesados. Evidentemente, não estava mais tentando ser furtiva.

Robert ficou um instante parado, então abaixou-se para pegar o livro que deixara cair sem perceber. Inferno. Obviamente, ele não estava mais preparado para retornar à Sociedade do que três anos antes. E até cinco minutos antes, à exceção de alguns devaneios fugazes que envolviam a mulher que tinha acabado de insultar, não teria se importado.

Robert reabriu o livro, olhando distraído para a página. O sorriso de Lucinda o fizera sentir-se quase... humano. Era uma sensação à qual poderia se acostumar. Recostando-se, ergueu o olhar para a janela. É claro que, se um dia esperava que ela sorrisse outra vez em sua presença, precisaria se desculpar. E logo, enquanto ainda faria alguma diferença.

Capítulo 2

Ele deve ter sido uma criatura digna em seus melhores dias, uma vez que, mesmo agora, nesse estado deplorável, é uma pessoa tão cativante e amável.
— Robert Walton, *Frankenstein*

Lucinda chegou ao sarau dos Wellcrist acompanhada pelo pai. Um ano e meio antes, o General Barrett teria afirmado que os festejos eram um tédio e optado por ir a um clube com seus amigos políticos. Um ano e meio antes, no entanto, sua filha tinha companhia para os eventos da Temporada.

Na época, ela, Georgiana e Evelyn eram praticamente inseparáveis — as Três Irmãs, como muitos membros da alta sociedade as chamavam. Agora, contudo, por mais que continuassem muito afeiçoadas umas às outras, Georgie e Evie haviam encontrado o amor — e, com isso, obrigações em outros lugares. O general percebera isso antes quase da própria Lucinda e, como um bom estrategista militar, mudara de tática para se adequar à nova situação. Obviamente se preocupava com a filha; sua presença naquela noite indicava isso. E a preocupação do pai, por sua vez, preocupava a filha.

Aí entrava Lorde Geoffrey Newcombe.

As lições davam a ela uma desculpa, uma justificativa, ainda que apenas em sua cabeça, para se aproximar de Geoffrey. Mesmo assim, sabia muito bem por que o escolhera. O general queria vê-la feliz e bem cuidada, e Lucinda queria tanto tranquilizá-lo quanto zelar por ele. Esse era o dever que impusera a si mesma — e que havia sido interrompido apenas quando o pai fora para a guerra — desde que tinha 5 anos.

Após uma análise cuidadosa, decidiu que se casar com o quarto e mais jovem filho do Duque de Fenley era a solução quase perfeita. Lucinda gostava dele, o pai gostava dele, e a combinação de seu dote com o estipêndio de Geoffrey os deixaria em uma situação bastante confortável. Além disso, ele não parecia sofrer com vícios ou dívidas de jogo. Era seguro, estável, aprazível e descomplicado — e provavelmente não acrescentaria mais um fardo à sua agitada vida nem se ressentiria dos seus afazeres ou da sua afeição pelo pai.

— Ah, ali está o Almirante Hunt, com aquele Carroway presunçoso — disse o general, um lampejo bélico reluzindo nos olhos cinza-aço. — Hora de afundar a Marinha.

Bradshaw Carroway conseguira retornar mais cedo para Londres. Não que sua engenhosidade surpreendesse Lucinda. Para falar a verdade, se não fosse por sua carreira naval, talvez o charmoso tenente estivesse no topo de sua lista de candidatos. Casar-se com um homem da Marinha, no entanto, faria seu pai sofrer uma apoplexia.

— Seja gentil com o almirante, papai — pediu ela, meio de brincadeira.
— Sem brigas.
— É claro que não. Apenas abuso verbal, minha querida. — Ele hesitou.
— A menos que você prefira...

Ela o dispensou, sem esperar que ele se oferecesse para lhe fazer companhia a noite toda.

— Vá.

Dando um beijo rápido em sua bochecha, o general se afastou para confrontar seu mais velho amigo e maior rival. O pobre Tenente Bradshaw estava prestes a ficar encurralado em meio ao fogo cruzado. O sorriso em seus lábios aumentou quando Lucinda olhou para a mesa de bebidas. Partiu na direção de Evelyn, mas desacelerou quando Lorde St. Aubyn apareceu ao lado da esposa com duas taças de vinho. Lucinda suspirou. Três costumava ser um bom número. Agora, no entanto...

— Srta. Barrett — chamou uma voz atrás dela.

Com um sobressalto, Lucinda se virou e deparou com o rosto redondo e sorridente de seu pretendente mais determinado.

— Sr. Henning — cumprimentou, com um meneio da cabeça.

Lucinda não saberia dizer o que era pior: ser o terceiro membro de um casal feliz ou o segundo membro de um casal indesejado.

— Por favor pode me chamar de Francis. Não há necessidade de formalidades entre nós, não acha? — Ele olhou para o programa de baile que Lucinda segurava antes que ela pudesse escondê-lo. — Ah, vejo que ainda tem uma valsa livre. Esplêndido. Me daria a honra? Minha avó está presente, você deve vir cumprimentá-la. A velhinha morre de amores por mim, sabe, e ver-me com uma moça tão adorável quanto você, bem, certamente a agradará.

A última coisa que Lucinda queria fazer aquela noite era ficar emboscada em uma conversa com a tirânica Agnes Henning, mas assentiu mesmo assim.

— Permita que eu me organize, depois certamente irei cumprimentá-la — respondeu, dando um sorriso encantador para Francis e escapulindo antes que ele pudesse lembrá-la da valsa.

— Essa foi por pouco — disse uma voz grave, menos familiar, atrás dela.

Hum. Ao que parecia, a noite tinha começado a melhorar.

— Lorde Geoffrey — respondeu ela, fazendo uma reverência, contente com o leve tremor que sentiu descer pela espinha.

Olhos de um verde-esmeralda deslumbrante, admirados por muitas moças, escorregaram pelo decote profundo de seu vestido marrom e subiram até seu rosto.

— Lucinda Barrett. Permita-me cumprimentá-la pela brilhante estratégia usada contra Henning. Cá estava eu, prestes a resgatá-la, mas a senhorita conseguiu evitar colocá-lo em seu programa de baile por conta própria.

Ela corou, desejando, para seu próprio bem, que Henning tivesse escolhido um local menos visível para abordá-la. Certamente não queria envergonhá-lo.

— Ah, eu não...

— O que quer dizer, se não estou enganado, que a senhorita ainda tem uma valsa em aberto. Posso? — Ele estendeu o braço, pegou o programa e o lápis da mão de Lucinda e escreveu seu próprio nome. — Este é nosso objetivo da noite — continuou, indicando com a cabeça um grupo de jovens que rodeava a debutante Elizabeth Fairchild —, manter Henning longe da pista de dança. Aquele homem é um perigo para tudo que ande sobre duas pernas.

— Bem, talvez o Sr. Henning pise mesmo em alguns dedos — respondeu ela, contendo uma careta quando avistou Georgie sorrindo para ela do outro lado do salão —, mas certamente não é o único...

— Um bestalhão por vez, Lucinda. Quando ele aprender a lição, passamos para o próximo. — Lorde Geoffrey abaixou a cabeça por cima da mão dela, um cacho louro ocultando um dos olhos brilhantes. — Até a valsa.

Quando Geoffrey se afastou, o grupo de amigos dele a cercou, o que a deixou com apenas uma dança disponível para o pobre Francis Henning. Ainda que não gostasse de dançar com o Sr. Henning, ela detestava ainda mais a ideia de alguém sendo boicotado nos bailes — ainda mais quando trouxera a avó de Yorkshire para o festejo.

Ela olhou para os ombros largos de Lorde Geoffrey enquanto ele se elencava no programa de baile de outra jovem. Hum. Um comportamento ruim do homem que Lucinda havia escolhido para ensinar uma lição. Ao menos assim podia citar uma razão legítima por tê-lo escolhido.

— Luce — chamou Georgiana, arrastando o marido, Lorde Dare, consigo. — Teve um bom começo, não é? — sussurrou, cumprimentando-a com um beijo no rosto.

— Shhh.

— Está bem. — A viscondessa se endireitou. — Vi o general conversando com o Almirante Hunt. Precisamos intervir?

— É claro que não — retrucou Dare. — Shaw parece estarrecido. Um pouquinho de pavor fará bem ao meu querido irmão.

Lucinda riu.

— Papai prometeu que não haverá derramamento de sangue. — Ela olhou mais atentamente para Georgiana, observando as bochechas rosadas e o quadril redondo saliente da amiga. — E eu pensei que você fosse ficar em casa esta noite — repreendeu. — Está frio demais lá fora.

— Foi o que eu disse a ela — corroborou Dare, erguendo a mão da esposa para dar um beijo em seus dedos. — Mas Georgie insistiu em passar cada segundo possível dançando comigo.

— Meu pobre e iludido Tristan — disse Georgiana com um sorriso divertido, colocando a mão no braço do marido. — Estou aqui pelas sobremesas.

A expressão dele amainou.

— Sobremesas, é? Para falar a verdade, sei de uma bem saborosa... — Ele parou de falar, enquanto olhava por cima do ombro da esposa. — O que é que *ele* está fazendo aqui?

Lucinda virou-se para entender sua expressão séria e surpresa. Ainda perto da porta do salão de baile, vestindo um traje cinza-escuro elegante e com uma expressão fria e atormentada, estava Robert Carroway.

— Minha nossa — sussurrou Georgiana. — Será que aconteceu algo em casa?

— Vou descobrir.

Mas, antes que Dare pudesse se mover, Robert os avistou e desapareceu na multidão com tamanha destreza que Lucinda ficou perplexa. Ainda estava se perguntando por que o irmão do meio da família Carroway aparecera por ali apenas para sumir novamente, sem uma única palavra, quando ele passou por entre Lorde Northrum e Lady Bryce e se juntou a eles.

— Bit — chamou Dare, baixinho, obviamente não tão surpreso com a furtividade do irmão como Lucinda. — Está tudo bem?

Robert assentiu.

— Eu fui convidado, sabe.

— Eu sei, mas...

— Bit! — Bradshaw atravessou o mar de convidados. — Fez-se o navio em pedaços! Que diabos você está fazendo aqui?

— "Fez-se o navio em pedaços"? — repetiu Dare, um pouco mais bem-humorado. — Muito náutico da sua parte.

— Eu...

— Eu queria trocar uma palavra com a Srta. Barrett — interrompeu Robert.

Lucinda observou a sobrancelha erguida de Dare e a perplexidade nos rostos de Bradshaw e Georgiana. Ao mesmo tempo, o desespero evidente no olhar de Robert a fez responder.

— É claro, Sr. Carroway.

— Bit, se você...

— Depois — retrucou ele bruscamente, gesticulando para que Lucinda o acompanhasse.

— Não é de se admirar que as pessoas digam que você é um fantasma — comentou ela. — Isso foi muito impressionante, em termos de furtividade.

Robert não respondeu nem lhe ofereceu o braço, mas aquilo não a incomodou. Estar ao lado dele já a deixava inquieta o suficiente. Tocá-lo provavelmente queimaria sua pele.

Olhares dos mais curiosos os seguiram, até Robert desacelerar e lançar seu próprio olhar, furioso, para trás. Abruptamente, eles se viram sozinhos na base da escadaria principal. Ele se virou para Lucinda e a encarou por um bom tempo, os olhos azul-escuros brilhando sob a luz fraca do candelabro.

— Eu vim para me desculpar — disse, por fim. — Por ontem.

Seu primeiro impulso, de dizer que um pedido de desculpas não era necessário e que ela mal havia pensado naquela breve conversa, nunca saiu de seus lábios. Aquilo o perturbara, obviamente, caso contrário jamais teria ido até ali para procurá-la.

— Obrigada — respondeu ela lentamente. — Você foi direto, mas, tendo em vista quanto sabe sobre nosso desafio das lições, sua conclusão foi completamente lógica.

— Eu fui rude.

Lucinda não pôde evitar dar um leve sorriso para aquele homem alto, magnífico e inquietante que insistia em se repreender diante dela.

— Você me pegou de surpresa, como qualquer bom soldado faria.

O corpo dele estremeceu de leve.

— Eu *não sou* um bom soldado. — Com um aceno brusco de cabeça, ele finalmente voltou a olhar para a multidão murmurante. — Boa noite.

— Ainda tenho uma quadrilha livre no meu programa de baile — disse ela para as costas dele —, se quiser me acompanhar.

Ele parou.

— Ofereça a Henning — murmurou por cima do ombro. — Ele está sendo boicotado.

— Eu sei, era o que eu ia fazer. Só pensei que talvez você quisesse...

Antes que ela pudesse terminar, ele tinha sumido de novo. Se bem que, até onde sabia, poderia estar parado bem atrás dela. Lucinda olhou para trás. Nada.

— Hum.

No debute de Lucinda, em Londres, seis anos antes, Robert Carroway, então com 21 anos de idade, dançara a quadrilha com ela. Talvez ele nem se lembrasse mais do episódio. Naquela época, ele aparecia apenas ocasionalmente em Londres, quando voltava para casa durante as férias da Universidade de Cambridge. Ela se lembrava dele como um bom dançarino, um jovem devastadoramente bonito e popular, com muita perspicácia e um futuro promissor. Entretanto, havia se juntado ao Exército para ir à guerra contra Napoleão Bonaparte.

— Lucinda? — chamou Georgiana, parando ao seu lado. — Está tudo bem?

— Sim, é claro. — Ela estremeceu. — Ele pensou que tinha me ofendido ontem e queria se desculpar.

— E tinha? Ofendido você, quero dizer.

— Céus, não. Apenas uma divergência de opiniões.

— "Opiniões" — repetiu Georgiana.

Lucinda pegou o braço da amiga, sorrindo.

— Sim. E, agora, eu gostaria de uma taça de vinho da Madeira. Conversei com Robert Carroway duas vezes em uma semana, e nós deveríamos tratar a situação com o máximo de mistério possível. — Ela riu, preparando-se para o barulho e a multidão do salão de baile, quando tudo que realmente queria era alguns instantes em silêncio. — Talvez até deixe Lorde Geoffrey com ciúmes.

— Por falar nele... — murmurou Georgie, indicando Geoffrey com o queixo.

O Adônis louro emergiu da multidão e a separou da amiga.

— Nossa valsa está começando — anunciou, transbordando charme e bom humor.

— Ah! Perdoe-me. Eu não tinha percebido.

— É compreensível, levando em consideração...

Ele envolveu sua cintura com o braço, e Lucinda escondeu o leve sorriso. Estava apenas brincando com Georgiana quanto a deixar qualquer um com ciúmes, embora Robert Carroway *fosse* um colírio para os olhos de toda mulher.

— Levando o que em consideração?

— Bem, primeiro a aparição do mudinho, depois o fato de ele ter falado. E com você — esclareceu Geofrey, segurando a mão dela enquanto começavam a dançar. — Eu até cheguei a pensar que ele talvez tivesse morrido e sido enterrado por Dare no porão, ou algo assim.

— Mas que besteira — retrucou ela, sentindo-se irritada até perceber que a insensibilidade, ainda que compartilhada por boa parte da alta sociedade, apenas lhe proporcionava mais um exemplo da necessidade de suas lições. — Ele é apenas um soldado ferido.

— Eu mesmo levei um tiro no braço, em Waterloo — comentou Geoffrey, dando um sorriso radiante. — Uma dor tremenda. Devo contar sobre meus feitos heroicos?

Lucinda sabia que ele havia sido baleado. Na verdade, todo mundo sabia. Até já tinha ouvido a história. Mesmo assim, enquanto ele dava aquele seu sorriso exuberante, ela decidiu que permitir que Geoffrey a regalasse com uma de suas divertidas histórias de heroísmo seria uma boa forma de avaliar sua estratégia inicial... e de esquecer o olhar atormentador de um soldado bem diferente.

— Sim, por favor.

Robert fez um desvio na volta para a Residência Carroway, parando por um bom tempo na entrada do Hyde Park. Nenhum ser humano de respeito estaria por ali depois da meia-noite. Soltando um leve suspiro que esfumaçou o ar gelado, afrouxou as rédeas de seu cavalo e deu uma batidinha em suas costelas. Os músculos se contraíram sob o pelo lustroso do baio e, com um salto, eles arrancaram.

Tolley lançou-se em um galope enlouquecido pela trilha pouco iluminada ao luar, e Robert inclinou-se para a frente, sobre o lombo do animal, estreitando os olhos por causa do vento no rosto. Tudo ao redor ficou imóvel e silencioso — o ranger do couro, os bater dos cascos e o grunhido da respiração de Tolley pareciam ser os únicos sons do mundo.

Em noites como aquela, quando deixava a casa silenciosa e escura e ia para o parque silencioso e escuro, Robert conseguia esquecer. Podia ser apenas um cavaleiro solitário em um cavalo veloz, com o vento no rosto e o mundo escancarado ao redor. Nada de paredes, nada de barras de aço, nada de choramingos contidos, gritos ou morte. Nada disso podia alcançá-lo. Em uma noite como aquela, nada podia encontrá-lo.

Finalmente, quando sentiu que a respiração de Tolley tinha se tornado mais pesada e seus passos mais curtos, desacelerou e tomou o rumo de casa. Os cavalariços estavam dormindo, mas ele preferia assim. Em silêncio, escovou o cavalo, deu-lhe uma maçã e o devolveu à baia. A porta da frente estaria destrancada, aguardando o retorno de Tristan, Georgiana e Shaw, então Robert entrou sem fazer barulho.

— Onde é que você estava?

Ele se encolheu todo, forçando os músculos tensos a relaxar novamente quando reconheceu a vozinha familiar.

— O que é que você está fazendo fora da cama? — retrucou, virando-se para a escadaria e para a figura esguia sentada no primeiro degrau, que agora se endireitava.

— Eu perguntei primeiro — declarou Edward, com cada gota de autoridade que seus 10 anos de idade conseguiam exprimir. — Fique sabendo que estou sentado aqui há mais de uma hora, enquanto você ia para sabe-se lá onde, para fazer sabe-se lá o quê.

Se fosse Tristan ou Bradshaw que o estivesse interrogando, Robert já estaria no andar de cima, com a porta do quarto trancada. Mas Edward, tremendo em seu pijama e segurando um soldadinho de metal que quase desaparecia em seu punho, era outra história.

— Eu tinha algo para resolver, Nanico — disse, puxando o garoto para um abraço, erguendo-o do chão quando sentiu aqueles bracinhos finos envolvendo seu pescoço.

— Eu estava preocupado. Não tenho idade para ser o homem da casa, você sabe, mas todo mundo saiu.

Robert jogou o irmão por cima do ombro e subiu as escadas, recusando-se a ceder à dor adicional no joelho ruim. Um irmão ainda não o via como quebrado, e ele comeria o pão que o diabo amassou para impedir que isso mudasse. No fundo, sabia que comeria o pão que diabo amassou *se* isso mudasse.

— O que acordou você?

— Sonhei que o navio do Shaw afundava.

— Shaw está dançando no baile dos Wellcrist neste exato momento. Chegou hoje de manhã. Brigue com ele amanhã por não ter acordado você para avisar.

— Vou brigar — garantiu o menino, sonolento, quando chegaram ao seu quarto. — Você não vai sair de novo?

Robert colocou-o na cama e puxou as cobertas enquanto o garoto se acomodava nos travesseiros.

— Não. Boa noite, Nanico.

— Boa noite, Bit.

Enquanto fechava a porta e atravessava o corredor até o próprio quarto, Robert se perguntou por que o caçula tinha escolhido ele, entre todas as pessoas, para ser seu porto seguro. Sim, Robert estava ali boa parte do tempo, mas certamente não se via como uma pessoa confiável. De toda forma, os outros irmãos provocavam Edward por causa de seu medo de ficar sozinho em casa — afinal de contas, como ele podia pensar que estava sozinho em uma casa cheia de criados, além das tias, quando elas estavam na cidade?

Cinco anos antes, Robert não sabia ao certo se conseguiria responder a essa pergunta. Por outro lado, cinco anos antes, ainda não tinha ouvido falar em Château Pagnon — ou em *le comte*, o General Jean-Paul Barrere.

Enquanto tirava o casaco, caminhou até a janela para abri-la. O fogo quase apagado brilhou com mais força na lareira de pedras, então minguou novamente com o vento gelado, mas ele ignorou o frio repentino. A menos que estivesse nevando, sempre mantinha a janela aberta. Precisava do ar fresco para dormir — mesmo que esse ar "fresco" fosse o de Londres.

Pouco tempo depois, deitou-se na cama macia, os braços cruzados atrás da cabeça. Então Lucinda Barrett estava falando sério quando disse que havia escolhido Lorde Geoffrey Newcombe. Robert ficara para observar. Os dois formavam um casal formidável, dançando a valsa no sarau dos Wellcrist. *Ela* estava formidável, sorrindo e conversando com as muitas amigas, um diamante em meio às pedras preciosas.

Robert suspirou. Não deveria ter ridicularizado a escolha dela, falando como se ainda tivesse alguma noção do que tornava uma pessoa aceitável. Ela fora gentil em aceitar seu pedido de desculpas e até pedira para ele ficar no baile. O mero fato de ele ter conseguido se forçar a ir ao sarau e conversar com Lucinda com certo decoro o surpreendia.

Ele se virou de lado, olhando para a janela. Um dia antes, não teria conseguido se imaginar comparecendo voluntariamente a uma perda de tempo sem sentido e lotada de pessoas como aquela. Tinha sido difícil, muito difícil, mas conseguira. E sabia por quê.

Ele não estava pensando nas paredes fechadas, na multidão, no calor ou no falatório fútil. Estava pensando na Srta. Barrett. E, no momento, pensava nela de novo. Ele a observava por detrás dos portões de seu inferno particular por três anos, mas agora tinham conversado. Lucinda não tinha percebido, é claro, mas o puxara um pouquinho na direção da luz. E agora tudo parecia... diferente.

Pela primeira vez em três anos, Robert dormiu pensando em calma, serenidade e um sorriso discreto, em vez de horrores, morte e se acordaria para ver a luz do dia.

Capítulo 3

Você tem esperança e o mundo todo diante de si e não tem motivos para desespero. Mas eu... Eu perdi tudo e não tenho como recomeçar a vida.
— Victor Frankenstein, *Frankenstein*

Lucinda apoiou-se no batente da porta do escritório do pai.
— Não, papai, não acho que Lorde Milburne seja um anarquista. Por quê?
O General Augustus Barrett a encarou com uma expressão grave, mas os olhos cinza brilhavam de divertimento, em vez da brasa e dos trovões que apavoravam muitos recrutas e os faziam reconsiderar a escolha de carreira.
— Olhe para ele, Lucinda — insistiu o general, gesticulando para que a filha se juntasse a ele na janela. — Casaco vermelho, colete branco e calça verde. Ou é um anarquista, ou é a bandeira do País Basco.
Rindo, Lucinda parou ao lado do pai para olhar para a rua lá embaixo.
— Céus. Ao menos são as cores de um aliado.
— Não seria, se o povo de lá visse um inglês fazendo tamanha troça com suas cores. — Ele fez uma carranca. — Meu Deus, agora está acenando para nós. Ele não é um pretendente, é? Se esse sujeito se aproximar da casa, terei que atirar.
Afastando-se da janela, Lucinda meneou a cabeça.
— Não, ele não é um pretendente. Não vou me casar com bandeira nenhuma. Enfim, o senhor tem mais um capítulo para mim?
Ela foi até a mesa de mogno escuro, repleta de pilhas de anotações aleatórias e montanhas de papel rabiscado.
— Ainda não. Receio que as anotações que fiz em Salamanca estejam um pouco desgastadas. Mas não mude de assunto.

— Que assunto?

Ele bateu a mão no encosto da cadeira que ficava diante da bela mesa.

— Pretendentes.

Maravilha.

— Papai, não volte a convidar seus amigos oficiais para vir aqui em casa. Eu, o senhor e trinta homens de vermelho e branco... *Eu* me senti como a bandeira da França, sitiada. Prefiro negociações em tempos de paz. O senhor me deve um capítulo. Pare de enrolar.

O general desabou de volta na cadeira.

— As anotações estão... bem mais bagunçadas do que eu pensava. É um estorvo. — Ele hesitou. — E minha memória não é mais como antigamente.

— Hum. Considerando as responsabilidades que a Cavalaria e o Departamento de Guerra continuam apinhando sobre o senhor, acho que eles acreditam tanto quanto eu nessa sua suposta incapacidade.

— Um pouco de empatia seria de bom tom, filha.

— Sim, general. — Ela não acreditava que a memória do pai estivesse falhando, mas a alegação podia muito bem lhe conferir uma oportunidade de ensinar sua lição. Uma leve empolgação percorreu sua espinha. — Sabe, acredito que Lorde Geoffrey Newcombe tenha lutado em Salamanca. Ele estará no Almack's esta noite. Talvez eu possa pedir para que ele passe aqui e veja se pode ajudá-lo a decifrar seus registros.

— Ah, Lorde Geoffrey. Jovem impetuoso, cheio de energia. Levou um tiro no braço em Waterloo. Você dançou a valsa com ele ontem à noite.

O general fitou a filha, que fingiu estar ocupada endireitando livros de consulta.

— Dancei com pelo menos uma dúzia de cavalheiros. Como geralmente faço. Lorde Geoffrey mencionou a guerra, e apenas pensei que talvez ele pudesse ser de alguma ajuda.

— Sabe, talvez você tenha razão, Lucinda — acrescentou o pai, após um instante de silêncio. — Para falar a verdade, acho que vou enviar um recado para ele, eu mesmo pedindo.

— Esplêndido.

Pela primeira vez, ele pareceu reparar no velho vestido de musselina azul e no chapéu de palha que ela usava.

— Nós temos um jardineiro, sabia?

— Eu sei. Mas gosto de cuidar das rosas. E, sim, usarei luvas para não me espetar.

O general remexeu em uma gaveta.

— Exatamente como sua mãe — murmurou, subitamente ocupado afiando uma pena. — Marie e suas rosas.

Lucinda sorriu.

— Montarei um buquê para o seu escritório.

Já de posse das luvas pesadas e da tesoura de poda, ela esperou enquanto o mordomo abria a porta da frente.

— Estarei no jardim, Ballow.

— Está bem, Srta. Lucinda.

Worley, o jardineiro, já havia separado um balde para as ervas daninhas, e, cantarolando a valsa da noite anterior, Lucinda deu a volta na casa até o pequeno jardim. A mãe plantara uma rosa nova por ano após o nascimento de Lucinda, e desde que ela morrera, em decorrência de pneumonia, a filha tentava manter a tradição. A vigésima quarta rosa, um belo espécime de pétalas duplas com aroma de canela, havia chegado da Turquia na semana anterior.

— Como você está? — perguntou à flor, ajoelhando-se para checar o solo. — Precisa de um pouco de água, não é mesmo?

Começou a cantarolar enquanto podava algumas folhas destroçadas que não tinham sobrevivido à longa viagem. Usar as memórias do pai como desculpa para que Lorde Geoffrey viesse à casa fora genial, modéstia à parte.

Um regador apareceu ao seu lado.

— Obrigada, Worley. Você lê pensamentos.

Quando foi pegar o regador, ela parou. Worley não estava com suas botas pesadas de trabalho. Em vez disso, usava um belo par de botas de cavalgar. Lucinda foi erguendo os olhos, passando pela calça marrom de pele de cervo, pelo paletó preto, pelo colete marrom, pela gravata branco-neve, pelo maxilar definido, pela boca séria, até chegar ao par de olhos azuis sob o cabelo preto, bagunçado e comprido demais.

— Sr. Carroway! — exclamou ela, levantando-se imediatamente. Em sua pressa para se levantar, pisou na saia e tombou na direção da roseira. — Ah!

Robert se adiantou, segurando-a por baixo dos braços. Assim que Lucinda recuperou o equilíbrio, ele a soltou, recuando e colocando os braços atrás do corpo, como se tocá-la o incomodasse.

— Pelo amor de Deus, eu não mordo — resmungou ela, alisando a saia para dar um momento tanto para si mesma quanto para ele.

— Eu sei.

Seja gentil, lembrou a si mesma. Se Robert tinha ido até lá para vê-la, devia ter um bom motivo. Georgiana havia falado pouco sobre o homem, mas tanto a amiga quanto a ausência pública dele nos últimos três anos deixavam claro como era difícil para ele aventurar-se fora de casa.

— Desculpe minha rispidez. É que você me assustou.

— Eu estava praticando a furtividade — respondeu Robert, naquele tom grave. — Você pareceu apreciar essa habilidade.

Lucinda o fitou com olhos pungentes. A expressão dele permanecia inabalável, mas o azul de seus olhos exibia uma fagulha minúscula. Então o homem ainda tinha senso de humor.

— Bem, você é, obviamente, muito melhor nisso do que eu. Acho que precisamos fazer um pacto de não aparecer mais sorrateiramente um para o outro, antes que o dano seja irreversível.

— De acordo. — Ele se remexeu e desviou o olhar para a casa. — Estive pensando, ontem à noite — disse, as palavras saindo lentamente, como que com grande relutância.

— E?

Ele respirou fundo.

— Você está perdendo seu tempo com Geoffrey Newcombe.

Lucinda ergueu a sobrancelha.

— É mesmo? Em que sentido?

Robert analisou seu rosto.

— Eu a ofendi.

Bem, se ele podia ser direto, ela também podia ser.

— Sim, ofendeu. Mas, por favor, explique.

— Ele é arrogante e mimado.

Lucinda não conseguia definir se sentia curiosidade ou irritação.

— Daí a necessidade de ensinar-lhe uma lição. Eu não poderia escolher um aluno conhecido por suas maneiras impecáveis, não é mesmo?

Ele não pareceu muito impressionado pela lógica dela.

— Eu...

— Além disso, pensei que os cavalheiros não falassem mal uns dos outros na presença de uma dama.

Robert assentiu.

— Não falam. Mas não sou um cavalheiro, e você é amiga de Georgiana. Apenas pensei que você deveria levar em conta que, embora Tristan e St. Aubyn talvez fossem arrogantes e insensatos, nenhum deles era mimado. Qualquer que sejam as lições que você planeja dar, duvido que ele vá ouvir, a menos que seja beneficiado com isso. Ele acha que o mundo deveria se curvar à sua vontade.

— Para alguém que rejeita seus pares, você parece achar que sabe muito sobre os outros — alfinetou ela, migrando definitivamente da compreensão para a irritação. — Quais conclusões tirou sobre mim, afinal?

Aquilo o deteve.

— Sobre você?

— Sim, sobre mim. Se você analisou a personalidade de Lorde Geoffrey, de St. Aubyn e de seu próprio irmão, certamente pode me contar sobre mim mesma.

Lucinda se abaixou para pegar a tesoura de poda que havia derrubado, surpreendendo-se ao perceber que estava curiosa para ouvir o que Robert Carroway tinha a dizer sobre ela. Talvez estivesse sendo um pouco direta demais, mas não o chamara para ir até lá e declarar sua opinião sobre seu possível, potencial, futuro esposo.

— Você merece alguém melhor que Newcombe — respondeu ele, baixinho. — Isso é algo que sei sobre você.

— Bem, obrigada pela preocupação — disse ela, endireitando-se —, mas precisaremos concordar em discor...

Ele se fora. Lucinda deu uma volta. Ele tinha desaparecido completamente, como se não tivesse passado de um espectro criado pela imaginação dela.

— Francamente — resmungou, arrancando uma folha errante. — Eu poderia falar umas coisas sobre a *sua* personalidade, seu homenzinho rude.

— Falando sozinha?

Seu pai apareceu e se juntou a ela em meio às fileiras de rosas.

A furtividade deveria ser uma prática proibida, Lucinda decidiu.

— Não. Eu só estava... conversando com o novo botão de rosa — respondeu, gaguejando e sentindo as bochechas esquentarem.

— Ah. E ele respondeu?

— Acho que é tímido.

— *Se* um dia ele responder, você vai me informar, não vai?

— Muito engraçado.

O general estendeu a mão. Havia uma carta entre seus dedos.

— Chegou para você por um mensageiro.

Ela pegou o bilhete.

— E o senhor decidiu trazer para mim porque todos os criados estão com as pernas quebradas, suponho? Sei que não pode ser porque está procrastinado e não sabe como terminar o capítulo três.

— Não, na verdade eu não sei nem como começar o capítulo três, obrigado por lembrar. — Ele esboçou um sorriso. — Estou descobrindo que fazer campanha era fácil. Já escrever, assim como a política, é difícil.

Lucinda riu, afastando a visita perturbadora de Robert Carroway da mente — ou ao menos tentando. Depois de três anos vivendo recluso, algo o fizera ir atrás dela três vezes em três dias. Ela se recompôs.

— O senhor parece estar se saindo bem nos dois âmbitos. Mas pode me ajudar a podar, se quiser.

— Não, minha querida. Acho que reverenciarei suas habilidades superiores e voltarei para os meus rabiscos.

— Uma estratégia sábia, general.

Depois que ele se foi, Lucinda deu uma última olhada em volta para checar se mais alguém pretendia aparecer de supetão, então abriu o bilhete. Já havia reconhecido a letra e não ficou surpresa ao ver que Evelyn estava perguntando se ela e o general gostariam de comparecer ao pequeno jantar que Lorde e Lady St. Aubyn planejavam para a noite de sábado. Lucinda começou a sorrir, até ler o *postscriptum* no pé da folha. Segundo a bela letra de Evie, Lorde Geoffrey Newcombe receberia o mesmo convite.

Lucinda enfiou a carta no bolso da peliça. Obviamente, as amigas queriam ajudá-la, mas não conseguia evitar pensar que o plano das lições — que já tinha começado a pôr em prática, afinal de contas — se tornara uma farsa total. Ao menos Georgie e Evelyn tinham escolhido seus alunos com a intenção genuína de ensinar uma lição a eles. Agora, quando chegara sua vez, todas as três — e até mesmo um eremita como Robert Carroway — sabiam que as lições eram apenas uma desculpa esfarrapada. E pior ainda: as amigas pareciam perfeitamente dispostas a entregar Lorde Geoffrey para ela em uma bandeja de prata, sem nem fingir que não estavam bancando o cupido.

— Maldição — resmungou, usando um dos impropérios mais leves que aprendera com o pai e seus colegas do Exército.

Franzindo a testa, regou a terra ao redor da rosa com a água que Robert trouxera. Não era assim que ela queria que fosse, embora, obviamente, se fingisse que as coisas estavam acontecendo de outra forma, estaria apenas enganando a si mesma — e, talvez, Lorde Geoffrey.

Bem, já tinha posto a mesa, não restava nada a se fazer a não ser sentar-se para o banquete. E, se Robert Carroway achava que ela precisava de conselhos, estava muito enganado. Lucinda também não precisava se explicar — ainda mais para um quase-ermitão, que nem sequer se preocupava em pedir licença antes de fugir de uma conversa. Ah... Robert tinha é sorte de ela ter decidido se concentrar em Lorde Geoffrey, porque o Sr. Carroway também parecia carecer de umas lições.

—⁂—

Robert fez Tolley desacelerar ao se aproximarem dos limites da Residência Carroway. Edward e Bradshaw estavam do lado de fora dos estábulos, inspecionando a nova sela que o caçula ganhara de aniversário. Respirando fundo, entrou na via de casa. Depois de ter arruinado a conversa com a Srta. Barrett, dificilmente as coisas ficariam piores, de toda forma.

— Bit! — gritou Edward, correndo em sua direção para segurar sua bota. — Shaw contou?

— Nanico, não...

— Ele vai ter o próprio navio — continuou Edward, ignorando Bradshaw. — Virou capitão!

— Quase capitão — corrigiu Bradshaw, os olhos azul-claros encontrando os de Robert. — Daqui a dois meses, a não ser que Bonaparte ataque novamente.

Robert assentiu, contendo um arrepio.

— Parabéns.

Ele desceu de Tolley e, com relutância, entregou as rédeas para o cavalariço. Às vezes preferia a Residência Carroway como costumava ser antes de Georgiana tê-los resgatado, na época em que ele mesmo podia cuidar de Tolley e não precisava esperar até meia-noite para escapulir sem ser notado.

— Aonde você foi? — perguntou o mais novo dos Carroway.

— Tinha algo a resolver — disse ele, dando a resposta de costume.

Algo inútil, aliás. Agora, nem sequer sabia ao certo por que tinha ido lá, exceto pelo fato de que gostava de como Lucinda Barrett simplesmente conversava com ele. Não eram muitas as pessoas que faziam isso naqueles dias, mesmo quando ele lhes dava a rara oportunidade. Em algum momento, no entanto, pretendia oferecer ajuda a ela. Ah... Como se pudesse ajudar a si mesmo, quanto mais outra pessoa.

— Você vem cavalgar comigo e com Shaw? — quis saber Edward.

— Tenho que lidar com umas correspondências.

Correspondências e um pavor agudo das multidões que enchiam o Hyde Park àquela hora do dia. Depois de mais um meneio da cabeça, deu meia-volta e foi para a casa.

— Bit, espere aí — chamou Shaw, entregando as rédeas do pônei de volta para o garoto. — Já volto, Nanico.

— Bem, não demore... Quero tomar sorvete de limão.

Robert começou a andar mais devagar quando Bradshaw se aproximou. Ele já podia recitar cada palavra do diálogo antes de qualquer um dos dois ter aberto a boca. Era a mesma conversa que tinha com todos os membros da família toda vez que alguém aparecia depois de um período de ausência.

— Estou bem — adiantou, tentando encurtar o interrogatório.

— Eu só queria contar que tem uma vaga para o terceiro oficial sob meu comando — disse Shaw, seus olhos no mordomo que abria a porta para eles. — Não há motivo para você não...

— Não — interrompeu Robert, incisivo.

Tentou refrear a mente, não pensar no que viria a seguir, mas Shaw o havia pegado de surpresa. Já se imaginava preso em uma cabine lotada e minúscula em um navio solitário no meio do oceano, à deriva por um ano ou mais.

— Só porque você deixou o Exército, não quer dizer que não possa fazer algo útil.

Robert parou abruptamente, encarando o irmão.

— Como se boiar por aí em um barco ao redor do mundo fosse útil.

Shaw fechou a cara.

— Você não tem...

— Deixe-me em paz, Shaw. Não quero a sua vida.

— Por que não? Você não tem mais vida própria mesmo.

Robert empurrou Dawkins para longe da porta e foi mancando até a escadaria.

— Eu sei disso, Bradshaw — grunhiu, seguindo para seu quarto.

— Não precisa ser assim! — gritou o irmão.

— Precisa, sim — murmurou, a respiração ofegante.

Silêncio. Ele só precisava de silêncio e solidão por alguns minutos. Silêncio e mais nenhum pensamento sobre estar preso em um local pequeno, lotado e sem saída.

Dentro do quarto, contudo, com a porta fechada e trancada, as paredes pareciam se fechar cada vez mais ao seu redor enquanto andava sem parar pelo quarto, indo até a janela e voltando. As mãos começaram a tremer, e ele as cerrou em punhos. Agora que começara, sabia que não conseguiria conter o pânico tenebroso e alucinado que irrompia do nada e sem motivo algum. Maldito Bradshaw.

De olhos fechados, desabou no chão debaixo da janela. Robert tinha exagerado, só isso. Duas saídas em público em dois dias, tentando lidar com olhares e sussurros ao mesmo tempo que tentava ter uma conversa civilizada após três anos de solidão e silêncio.

Calma. Mantenha a calma. Não iria a lugar algum. Nada aconteceria com ele. Estava a salvo. A salvo. Silêncio. Calma. Repetiu as palavras para si mesmo até que elas se misturaram umas às outras, transformando-se em um cântico incoerente, bem lá no fundo.

— Bit? Robert?

Tristan bateu à porta. Quando Robert abriu os olhos, a luz não passava mais pela janela, e ele se viu sentado no chão no escuro. Lentamente, esticou os dedos e se levantou, encolhendo-se ao perceber a rigidez dos músculos.

— Bit? Você está bem?

Ele se sentia vagamente zonzo enquanto andava até a porta, mas isso significava que o pior tinha passado. Sua pele parecia apertada demais para o corpo, e ele se sentia com 100 anos de idade. Respirando fundo, abriu a porta.

— Estou bem — grunhiu, olhando para o rosto preocupado do irmão mais velho.

— Posso entrar?

— Não.

— Você está péssimo.

— Tenho consciência disso.

Os lábios de Tristan se contraíram.

— Shaw me contou sobre a oferta dele.

O pavor se espalhou mais uma vez. Céus, não podia passar por aquilo de novo. Não em tão pouco tempo.

— E você acha que eu deveria aceitar? — forçou-se a perguntar.

— Não, acho que o Shaw é um idiota e foi isso que eu disse a ele.

— Ótimo.

O visconde permaneceu em silêncio por um instante.

— Eu gostaria que você conversasse comigo — disse, por fim, baixinho.

— Quero fazer... alguma coisa para ajudar.

Robert deu meio passo para trás, apertando a maçaneta.

— Estou tentando, sabe? — sussurrou ele, sem ter certeza de que sua voz permaneceria estável se falasse mais alto.

— Eu sei. Qualquer coisa de que precise, qualquer coisa ou qualquer pessoa que queira, eu consigo para você.

— Não preciso...

— Sabe no que eu estive pensando? — interrompeu Tristan.

— No quê? — perguntou ele, alongando a conversa, porque ainda não estava pronto para encarar nem o quarto vazio e escuro, nem o restante da família no andar de baixo.

— Acho que você precisa de um passatempo. Eu sei que você lê, e eu... sei que o Tolley parece se exercitar bastante. Não estou falando de bordado, nem nada assim. Para falar a verdade, não sei bem o quê. Só algo pequeno, para começar. Algo para...

— Para me ocupar — concluiu Robert.

— Não fique zangado comigo. Estou...

— Não estou zangado. — Ele inspirou novamente. — Talvez você esteja certo.

— Cer... Certo? Quase nunca ouço isso, sabe. Não se esqueça de contar para Georgie. Ela ficará surpresa.

A surpresa e o alívio no rosto de Tristan fizeram Robert se sentir culpado, e ele forçou um sorriso. Dando mais uma olhada para trás, passou pela porta e foi para o corredor.

— Suponho que vocês não tenham atrasado o jantar por minha causa?

— É por isso que estou aqui. O Nanico está ameaçando comer os talheres.

Robert ergueu a sobrancelha.

— Vocês não precisavam esperar.

— Precisávamos, sim. Mas não se preocupe.

No salão de refeições, Robert manteve os olhos baixos enquanto se sentava. Todos deviam estar o encarando, preocupados com ele, tentando pensar em algo encorajador para dizer. Shaw estaria zangado, tanto consigo mesmo quanto com Robert, pois, afinal de contas, não fizera nada além de oferecer a seu irmão mais novo a chance de ter uma nova carreira.

— Evie e Santo nos convidaram para jantar no sábado — informou Georgiana, em meio ao silêncio.

— Você está falando de *todos* nós ou de todos os adultos? — quis saber Edward.

— *Todos* nós, meu querido. Seremos apenas nós, Luce, o general e Lorde Geoffrey Newcombe.

— Ah, eu gosto do Lorde Geoffrey — disse Nanico. — Ele conta boas histórias. E conhece o Duque de Wellington.

— O Santo também conhece — retrucou Bradshaw.

Robert sentia os vários olhares voltados em sua direção, esperando para ver se ele pretendia participar da conversa. Manteve a cabeça baixa e continuou comendo. Não tinha nada a dizer; logo alguém mudaria de assunto por sua causa e eles continuariam conversando sem ele. Esse era o procedimento, e todos sabiam.

— Bit, você conhece o Duque de Wellington?

Na verdade, todos conheciam, menos Edward. Robert queria ignorar a pergunta, mas isso significaria ignorar Nanico, que então pararia de falar com ele, e a última gota de sanidade se esvairia de sua vida.

— Eu já o vi por aí — respondeu —, e tomamos uísque juntos uma vez, mas não mais que isso.

— Por que vocês tomaram uísque juntos? — continuou o caçula, agitando-se na cadeira.

— Porque eu tinha uma garrafa, estava nevando, e ele pediu um gole, para que suas bolas não congelassem.

— Wellington disse "bolas"?

— Edward! — exclamou Georgiana.

— Bit falou primeiro!

Shaw começou a tossir no guardanapo, ao passo que Dawkins, o mordomo, subitamente avistou algo interessante para observar do lado de fora da janela. Robert olhou para Tristan e Georgiana, que pareciam estar se divertindo.

Robert queria fechar os olhos. Após três horas de terror alucinado e músculos tão contraídos que ele mal conseguia se mover, sentia-se tão cansado quanto se tivesse ido e voltado de Newcastle correndo. Dormir, no entanto, era uma perspectiva que o deixava ainda mais inquieto. Parecia que nunca estava cansado demais para sonhar. Talvez Tristan tivesse razão. Talvez ele precisasse de algo — algo pequeno e inofensivo — para se distrair.

— Jardim — murmurou, sem ter certeza de que havia falado em voz alta até perceber a expressão confusa do irmão mais velho.

— Perdão? — indagou Tristan.

Flores, plantas, coisas que crescem. Coisas que não gritam ou sangram quando morrem. Coisas que não olhariam torto se você não tivesse a menor ideia do que estava fazendo. Por Deus, até que fazia sentido.

— Eu gostaria de cultivar um jardim — explicou ele.

— Que tipo de jardim? — perguntou Bradshaw, a voz deixando transparecer sua hesitação.

Não assuste o mudo, pensou Robert, esforçando-se para desviar a mente desse pensamento, para longe dos olhares cautelosos e dos silêncios calculados. Lucinda tinha um jardim, lembrou. Do que ela cuidava quando ele a encontrou ajoelhada na terra, quando discordara e discutira com ele, como se Robert fosse uma pessoa perfeitamente normal?

— Rosas — grunhiu.

— Rosas — repetiu Georgiana, encarando-o com um olhar compreensivo. — Já estava na hora de um Carroway decidir cultivar algo além de uma reputação ruim.

— Eu não tenho reputação ruim — protestou Edward, parecendo um tanto desconcertado enquanto remexia as batatas doces em seu prato e olhava para Robert. — Rosas? Por que você não sai para cavalgar comigo?

Céus, ele realmente estava sendo tão estúpido e inútil assim? Flores? Podia enxergar a si mesmo, um velho imbecil e desconfiado tagarelando com um punhado de botões moribundos. Mas, se não conseguisse dar esse único passo adiante, significava que acabaria como um velho imbecil e desconfiado trancafiado em um quarto, falando sozinho.

Sentindo-se sufocado, Robert levantou-se.

— Com licença.

— Só me prometa que vai plantar rosas brancas — disse Georgie, enquanto ele saía da sala. — Adoro rosas brancas.

Capítulo 4

*Podes considerar-me um romântico, querida irmã,
mas sinto dolorosamente a falta de um amigo.*
— Robert Walton, *Frankenstein*

— Georgiana — disse Lucinda, correndo escada abaixo para cumprimentar a amiga —, estou sendo estúpida? Pensei que só fôssemos fazer compras amanhã.

— Nós vamos, e não, você não está — respondeu a viscondessa, segurando as mãos estendidas da amiga. — Esta não é uma visita social.

Georgie não parecia preocupada, mas Lucinda não pôde deixar de se lembrar do fim um tanto abrupto de sua conversa com Robert no dia anterior. *Que maravilha.* Tudo de que precisava era que a melhor amiga lhe desse uma bronca por ter abusado verbalmente de seu cunhado inválido.

— Então, o que posso fazer por você? — perguntou ela enquanto guiava o caminho até o salão matinal.

— Bem, isso vai parecer um pouco estranho, mas, por favor, seja complacente comigo, Luce.

— É claro.

Georgiana pigarreou.

— Tristan tem procurado algo para Bit, Robert, fazer, para ajudá-lo a… encontrar um pouco de paz. Sei que parece estranho, mas…

— Não, não parece — interrompeu Lucinda, contendo seu sobressalto ao ouvir o nome de Robert. — Continue.

— Obrigada. Ontem à noite, Bit mencionou que gostaria de cultivar rosas. Eu…

Lucinda piscou, tomada por uma suspeita repentina.

— Rosas?

— Sim. Não sei de onde surgiu a ideia, mas ele não a teria mencionado sem razão. Quero oferecer ajuda nesse começo, mas acho que isso poderia fazê-lo desistir. — Lady Dare fez uma careta, entrelaçando e desentrelaçando os dedos. — Eu não deveria conversar sobre ele com ninguém, mas considero você parte da família, Luce.

— E eu digo o mesmo. — Lucinda inclinou-se para a frente, deixando de lado suas próprias ressalvas quanto a se envolver em uma empreitada aparentemente bastante complicada. Georgie precisava de sua ajuda, e talvez Robert também. Aquele fato a intrigava mais do que queria admitir. — Posso separar umas mudas e tenho alguns livros sobre cultivo de rosas. Talvez eu simplesmente apareça por lá para emboscar o Sr. Carroway.

— Emboscar? — repetiu Georgiana. — Não sei se é uma boa ideia.

— Será mais difícil para ele recusar — garantiu Lucinda, sorrindo. — Ou mudar de ideia com relação a esse projeto.

— Eu... Está bem. Vou arriscar que ele se zangue comigo. Eu... Eu quero que ele melhore. Quero ouvi-lo rir.

Dando um leve sorriso, Lucinda moveu-se no sofá e abraçou a amiga.

— Ele foi baleado o quê, umas cinco vezes em Waterloo? E viu todo o horror lá, Georgie. Como isso não poderia afetá-lo?

Georgiana vacilou, mas logo se recompôs.

— É claro — concordou, virando o rosto para longe do olhar curioso de Lucinda. — Ficarei grata por qualquer coisa que você possa fazer para ajudá-lo.

A reação de Georgie ao comentário fora interessante. Agora, no entanto, não era a hora de titubear. Depois poderia tentar descobrir o que a amiga não estava lhe contando.

— Passarei por lá antes do almoço.

Pouco depois de Georgiana ir embora, o general entrou no salão matinal.

— Parece que sua ideia pode salvar o capítulo sobre Salamanca, minha querida — anunciou ele, enfiando uma carta no bolso. — Lorde Geoffrey escreveu dizendo que ficaria contente em revisar o diário comigo e ver o que conseguimos reconstruir.

— Isso é magnífico.

— Ele virá após o almoço. Se você puder estar presente para fazer anotações, eu ficaria grato.

Ao menos algumas coisas estavam correndo como deveriam.

— Ficarei feliz em ajudar. — Ela se levantou, dando um beijo no rosto do pai ao passar por ele. — Eu estarei em casa até lá.

— Aonde você vai?

— Levar algumas mudas de rosas para Robert Carroway. Ele quer plantar um jardim.

O general segurou seu ombro com dedos firmes, fazendo-a parar e surpreendendo-a.

— Robert Carroway? Ele não é um pretendente, é?

— Não. Apenas um amigo. — Lucinda franziu a testa diante da expressão séria nos olhos dele. — Por quê?

— Ele não é meu tipo de soldado. Nem meu tipo de homem.

— Papai, o...

— Sei que ele é cunhado de Georgiana, mas mantenha o máximo de distância possível. Não seja "amiga" demais, senão a reputação dele refletirá em você. E em mim.

— Que reputação? Ele mal é visto em público há três anos. Ele foi baleado em Waterloo, é um herói.

Seu pai permaneceu em silêncio por um curto instante.

— É o que dizem. Ainda assim, muitos outros foram feridos lá, e você não os vê se escondendo da própria sombra. Lorde Geoffrey, por exemplo. Carroway é um caso perdido, Luce. Não se esqueça disso e mantenha distância.

Ela realmente não achava que seria um problema atender a qualquer um dos pedidos, mas assentiu de toda forma.

— Tomarei cuidado.

— Obrigado. Assim você ajuda um velho a ficar mais tranquilo.

Lucinda sorriu, segurando o braço do pai.

— Que velho seria esse? O senhor precisa me apresentar.

A família Carroway raramente tomava o café da manhã reunida. Todos tinham seus próprios horários, reuniões, visitas planejadas e, no caso de Edward, aulas. Robert não tinha nenhuma dessas coisas e, definitivamente, apreciava a solidão. Às nove e meia, quando entrou no salão de café da manhã, não ficou surpreso por estar sozinho, à exceção dos dois criados. Fora isso que planejara.

Robert gostava das manhãs. O nascer do sol havia se tornado, para ele, uma espécie de milagre diário. Um exemplar fresquíssimo do *The London Times* estava na ponta da mesa, esperando por Tristan, mas ele o ignorou. Não se importava com o que acontecia no resto no mundo — ou mesmo em Londres. Pegou torrada e presunto no aparador e colocou no prato, então se sentou à outra ponta da mesa. Acabara de cortar um pedaço de presunto e colocá-lo na boca quando o mordomo entrou no salão.

— Sr. Robert, o senhor tem uma visita — anunciou Dawkins, parecendo desconfortável.

Nenhum dos criados gostava de conversar com ele, embora, na maior parte do tempo, o próprio Robert garantisse que não tivessem motivo para fazê-lo.

Ignorando a palpitação de seu coração, terminou de engolir.

— Não estou aqui.

O mordomo assentiu.

— Está bem, senhor.

Quando Dawkins saiu, Robert voltou a comer. Ninguém o visitava mais, devia ter sido uma falha de comunicação, alguém procurando por Shaw. O mordomo resolveria tudo.

Dawkins apareceu novamente no salão matinal.

— Senhor, a Srta. Barrett gostaria de saber se deve deixar a caixa aqui ou retornar mais tarde.

Srta. Barrett?

— Que caixa?

— Não sei, senhor. Devo per...

Robert levantou.

— Eu resolvo isso.

Lucinda Barrett estava no saguão com uma pequena caixa de madeira a seus pés. Robert ergueu os olhos da caixa para a moça, observando o moderno *bonnet* amarelo sobre o cabelo castanho e o vestido verde e amarelo combinando. A menos que ele estivesse muito enganado, a expressão nos olhos cor de mel dela era de divertimento.

Robert ficou surpreso. Tivesse ela sido convidada ou não, ainda era uma visita, então ele deveria dizer algo primeiro.

— O que você está fazendo aqui?

Lucinda jogou um par de luvas de trabalho pesadas em sua direção, e ele as pegou por reflexo.

— Pegue isto — instruiu ela, apontando para a caixa — e siga-me.

Ele quase obedeceu, estava começando a se abaixar, mas conteve-se.

— Não — respondeu, endireitando-se.

A Srta. Barrett cruzou os braços diante do colo atraente.

— Você foi ou não foi rude comigo ontem?

— Aonde quer chegar?

— Estou me vingando. — Com um sorriso tranquilo e confiante, ela tocou na caixa com o pé. — Então, venha. São apenas alguns metros, e eu prometo que não há nada que morde aí dentro. — Ela franziu a festa. — Isto é, se você tomar cuidado.

Dawkins tinha retornado ao corredor com dois criados em seu encalço. Pelo menos uma aia espreitava na sacada de cima, bisbilhotando, e ele podia ouvir Edward no andar de cima discutindo com seu tutor sobre Madagascar, dentre todas as coisas. Dando de ombros, ele jogou as luvas na tampa, se abaixando para pegar a caixa.

Lucinda abriu a porta da frente antes que Dawkins chegasse até lá. Em vez de indicar para que Robert fosse na frente, desceu os degraus e virou à direita na via de entrada da casa.

Bem, isso era estranho, mas ao menos o afastou dos olhares curiosos de dentro de casa. Robert a seguiu enquanto ela caminhava na direção do estábulo. Ela ergueu a saia sobre a grama úmida quando saiu da via das carruagens.

— Parece promissor — disse Lucinda, parando para dar uma voltinha perto do estábulo. — Bastante sol, mas com proteção contra o mau tempo. — Ela o encarou enquanto colocava suas próprias luvas. — Pode largar a caixa.

Robert permaneceu onde estava, fitando-a. Assim que a viu com as luvas de jardinagem, tudo começou a fazer sentido. Por um breve instante, ele contemplou ir atrás de Georgiana e agraciá-la com algumas palavras escolhidas a dedo. Mas, independentemente do que a cunhada dissera a Lucinda, tinha sido a Srta. Barrett quem concordara em fazer aquilo.

Cuidadosamente, ele colocou a caixa no chão e deu um passo para trás.

— Boa sorte com sua empreitada — disse —, mas, na próxima vez, peça para um criado carregar seus equipamentos. Bom dia.

— Sr. Carroway — retrucou ela enquanto Robert se afastava —, geralmente, quando alguém dá a outra pessoa algumas mudas de rosas bastante raras e valiosas de presente, recebe um agradecimento.

Ele parou.

— Eu não lhe pedi nada.

— Por isso eu utilizei o termo "presente". Há, também, vários livros sobre cultivo de rosas aí. Para que você não mate planta nenhuma por ignorância, pensei em lhe dar uma introdução rápida e algumas instruções gerais.

Robert caminhou de volta até ela.

— Não quero suas rosas, suas instruções ou sua maldita caridade — rosnou.

Lucinda piscou, e ele percebeu que muito provavelmente a tinha assustado. Ótimo. Ele também não gostava muito de surpresas.

— *Você* veio me ver ontem — ponderou ela, encarando-o. — Quando vi Georgie esta manhã e ela falou sobre as rosas, pensei que, talvez, sua intenção fosse me pedir algumas mudas. Então não considero caridade. Considero como minha resposta afirmativa a um pedido que você não chegou a fazer.

Céus, o que ela estava pensando, dispondo-se a aturar tamanha idiotice dele? Se a deixasse ali sozinha, ele não teria mais motivo ou desculpa alguma para visitá-la ou conversar com ela novamente, sobre o que quer que fosse.

Ao mesmo tempo, aquele "presente", como ela havia escolhido chamar, o deixava em uma situação bastante delicada. Ele precisaria de um posicionamento tático melhor, se um dia quisesse que Lucinda o enxergasse como qualquer coisa além de um aleijado. O mero fato de se preocupar com aquilo já o deixava perplexo.

— Eu, na verdade, pensei em sugerir uma troca — mentiu ele, a mente passando alucinada por vários possíveis cenários.

— Uma troca — repetiu ela, o ceticismo estampado no rosto. — Que tipo de troca?

Robert respirou fundo. Era isso que pretendia dizer no dia anterior. Tinha ido embora ao ouvir o pai dela se aproximando, mas, ainda durante a fuga, já sabia que o General Barrett era apenas uma desculpa. Ele não tinha falado nada porque não sabia ao certo se conseguiria cumprir o que queria propor.

É agora ou nunca, disse a si mesmo. Se pretendia retornar à Sociedade, não poderia usar a família como muleta. Ninguém acreditaria nisso, nem ele mesmo. Mas Lucinda lhe dava outro foco além do pavor. E ela ainda parecia acreditar na concepção equivocada de que Robert era humano.

— Pensei que, se você me ajudasse a plantar um jardim de rosas — começou ele, sentindo-se encorajado pela voz estável —, eu a ajudaria com Lorde Geoffrey Newcombe.

— Lorde Geoff... Como você me ajudaria com ele?

Inferno. Agora precisava de um plano de verdade.

— Esteja você pensando em ensinar uma lição a ele ou... algo mais, com a minha presença qualquer um dos seus encontros pareceria mais espontâneo.

— Eu...

— Você sabe que Georgie e Lady St. Aubyn não podem ser de muita ajuda, agora que estão casadas. Como um cavalheiro solteiro, também tenho percepções com relação a Geoffrey que podem lhe garantir certa vantagem.

A Srta. Barrett inclinou a cabeça, observando-o.

— Então você me aconselharia e, quando necessário, seria meu acompanhante em saídas ou passeios, sendo que meu verdadeiro propósito seria encontrar Lorde Geoffrey.

— Sim.

Até que aquilo o matasse, pelo menos.

Lentamente, Lucinda caminhou até a caixa e pegou as luvas de cima da tampa.

— Vamos começar, então? — propôs, entregando-as de volta para ele.

Tristan não conseguia encontrar a esposa. Georgie saíra bem cedo para resolver algo rápido, e ele sabia que ela já tinha voltado, mas não estava no quarto, nem no salão de visitas do andar superior, nem no salão matinal das tias, nem no salão de café da manhã.

Maldição. Georgie estava grávida de quase oito meses e, se não começasse a desacelerar um pouco, ele precisaria arrastá-la para Dare Park, em Devon, quisesse ela ou não.

— Georgiana!

— Shh — veio a resposta da biblioteca. — Aqui. E faça o favor de ficar em silêncio.

Mais que um pouquinho curioso, o visconde entrou na biblioteca. A esposa estava apoiada na parede, ao lado de uma janela semiaberta, espiando lá fora.

— Que diabos você está...

Ela tapou a boca dele com a mão.

— Olhe — sussurrou.

Seguindo o olhar de Georgiana, Tristan olhou na direção do estábulo... e congelou.

Lucinda Barrett estava parada em meio à grama com um livro aberto nas mãos. Diante dela, gesticulando com um punhado de folhas e espinhos, estava Robert. Enquanto Tristan observava, Bit traçou, mancando, um quadrado de uns quatro metros e meio de lado, então retornou até Lucinda.

— O que está acontecendo? — murmurou Tristan, sem conseguir tirar os olhos do irmão.

— Rosas — respondeu Georgie, no mesmo tom baixo. — Pedi para Lucinda trazer algumas mudas.

— Mas ele está *conversando* com ela.

Georgiana deu o braço ao marido, apoiando-se no ombro dele.

— Sim, está.

Tristan continuou observando. Bit mantinha certa distância de Lucinda, mas sem dúvida estava interagindo. E tinha ido atrás dela no sarau dos Wellcrist.

— Georgie, ele está... Quero dizer, como... — Ele parou, respirando fundo. — Lucinda gosta dele?

— Lucinda gosta de todo mundo — murmurou ela, apertando o braço dele, manifestando a tensão óbvia —, e todo mundo gosta dela.

— Mas...

— Acho que não, Tristan. Não posso dizer mais, mas acredito que ela esteja de olho em alguém. E não, não é em Bit.

É claro que não. *Maldição*.

— Então precisamos descer lá e interromper essa interação.

— Não. — Georgie o sacudiu. — Deixe-os em paz. Se você interferir, Bit se ressentirá. Os dois estão apenas conversando. E você não sabe de nada sobre isso. Nem faz ideia. Entendeu?

Tristan suspirou. Ele queria, com cada fibra de seu corpo, proteger o irmão, queria fazer... alguma coisa para se certificar de que ele estava bem, mas, obviamente, estava melhor agora do que nos últimos três anos. Ao mesmo tempo, sabia que Georgiana tinha toda razão, como de costume.

— Por ora, não sei de nada sobre isso — concordou ele, virando-se para dar um beijo na bochecha macia da esposa. — E nem você. Mas me reservo o direito de ficar sabendo em um piscar de olhos.

— Com sorte, nós dois conseguiremos permanecer abençoadamente ignorantes.

Ele a afastou da janela, puxando-a para seus braços.

— Eu *estava* abençoadamente ignorante, até cinco minutos atrás. E tenho um mau pressentimento quanto a isso, amor.

— Eu sei. Mas ele não estaria ali se não quisesse. E, se ele quer estar ali, talvez isso signifique que quer tentar voltar para nós.

— Espero que você esteja certa.

Enquanto Robert ouvia as instruções da Srta. Barrett quanto a que tipo de peixe era o melhor fertilizante para rosas, olhou novamente para a janela da biblioteca. Tanto Georgie quanto Tristan dariam péssimos espiões. Ele sabia que Georgiana tinha arranjado a visita de Lucinda naquela manhã, mas esperava que aquela espionagem não significasse que a cunhada pretendia controlá-lo. Isso *não* iria acontecer.

Se Robert ainda fosse ele mesmo, o homem de antes da guerra, teria pensado que Georgiana estava bancando o cupido. Naquela época, teria cortejado Lucinda — embora, para falar a verdade, teria sido atraído por sua aparência. Mas, no momento, ela estava de olho em outra pessoa, e era a serenidade e a paz que ela emanava que agora o atraíam como uma brisa quente em um dia frio.

Embora gostasse de estar perto dela, ele resistia, pois tinha plena consciência de que não era mais o velho Robert; era Bit, um pedaço do que um dia fora.

Claro que, mesmo agora, seria tolo negar que a achava linda, quase medieval, com olhos e cabelo escuros e a pele clara e macia. Suas madeixas tinham um aroma agradável de rosas, e ele podia imaginá-la se banhando em uma banheira de pétalas vermelhas aveludadas. Mas, Deus, ele não se relacionava com uma mulher havia anos, e essa calhava de ser a amiga mais próxima de Georgiana, sem contar que era a única pessoa do sexo feminino, que não fosse da família, com quem trocara mais de uma frase no que parecia ser décadas. Robert franziu o cenho. Mesmo que houvesse se tornado um monge em seu próprio monastério, pelo menos sua religião permitia que ele olhasse.

— Sr. Carroway — disse Lucinda, trazendo-o de volta de seu momento de veneração. — Eu disse que peixe demais estraga o solo.

— Entendo.

Ele revirou o galho atarracado de uma *félicité parmentier* branca nas mãos. Segundo Lucinda, ele não deveria ficar surpreso se até metade das mudas que ela lhe dera não vingasse. Os ramos espinhosos, sem raiz alguma, nem sequer pareciam vivos. Será que estavam? Será que estavam despertos ou adormecidos? Será que sentiriam algo se morressem? Se ele os matasse?

— Acho que essa não é uma boa ideia — disse ele, rapidamente colocando a muda de volta na caixa.

Ela o fitou.

— Por quê?

— Não tenho tempo para ficar comprando peixe e arando a terra — alegou, afastando-se, concentrando-se em respirar.

Odiava quando o pânico emergia e o atingia por causa de um pensamento aleatório.

A Srta. Barrett respirou fundo.

— Está bem. O general também não gosta de jardinagem.

Robert cerrou o maxilar quando ela mencionou o pai.

— Não é que eu desgoste...

— Imagino que isso signifique que todo o nosso acordo está anulado. — Colocando o livro no chão, ela tirou as luvas. — Pois bem. Não há prejuízo algum, suponho.

Robert a observou caminhar de volta para a casa.

— E suas mudas?

Ela acenou distraidamente para a caixa.

— Não tenho espaço para plantar mais um jardim inteiro. Pode jogar fora.

Ele ficou um bom tempo ali, parado, vendo Lucinda entrar no coche que a aguardava e desaparecer pela rua. Aquilo tinha sido estranho. As plantas eram, obviamente, seu maior orgulho, e ela havia dito que algumas eram raras. A mulher realmente não se importava com o que ele faria com as mudas? Ou será que tinha lido seus pensamentos, quando nem *ele* mesmo sabia ao certo o que o incomodava?

Suspirando, Robert colocou a caixa na sombra do estábulo e voltou para casa para vestir roupas mais velhas e adequadas para a jardinagem.

Quando terminou de limpar a grama e revirar o solo, estava começando a lembrar que tinha comido apenas duas garfadas do café da manhã e que o almoço também já tinha passado. Relutante, colocou a pá de volta no estábulo.

Àquela hora do dia, jamais encontraria a quantidade necessária de peixe fresco, portanto precisaria descer até as docas do Tâmisa cedinho pela manhã. Lucinda dissera que as mudas sobreviveriam fora da terra por um ou dois dias se o tempo estivesse fresco, então ele fechou a tampa da caixa, pegou os livros que ela abandonara ali e voltou para a casa.

Ele tinha razão com relação a uma coisa: terra e plantas não demandavam conversa. Para falar a verdade, o silêncio parecia mais apropriado. Ele não podia, no entanto, falar o mesmo de sua família.

Em geral, os membros da família que estavam em casa o procuravam várias vezes ao dia para perguntar se ele estava se sentindo bem ou se queria sair para cavalgar, passear ou dar uma volta de coche. Depois de passar boa parte do dia no jardim, não tinha visto ninguém além de alguns criados, o que significava, é claro, que todos os Carroway sabiam o que ele estava fazendo e não queriam arriscar interferir.

Desde que não pedissem explicações, desde que fingissem que nada havia mudado e que ele não estava tentando sair do fundo do poço que habitava desde seu retorno à Inglaterra, ele não se importava com o subterfúgio.

A parte difícil seria decidir se queria admitir para Lucinda que tentaria cultivar as rosas. Porque, quando ela soubesse, ele seria obrigado a cumprir sua parte do acordo — e essa seria a verdadeira prova à sua humanidade. Ele só queria saber o resultado antes de se submeter ao teste. E queria poder convencer a si mesmo de que saber o que Lucinda pensava dele não importava.

Capítulo 5

*Adquirir mais conhecimento só me fazia perceber
com mais clareza o pária miserável que eu era.*
— O Monstro, *Frankenstein*

LUCINDA ENTROU COMO UMA TEMPESTADE na Residência Barrett e subiu as escadas correndo para vestir um traje mais adequado para receber visitas. O general havia dito que Lorde Geoffrey chegaria após o almoço, mas ela ficara além do que pretendia na Residência Carroway e não tinha tempo para comer nada além do pêssego que a aia pegara correndo na cozinha.

Deixara as coisas no melhor estado possível com Robert Carroway e se recusava a se sentir culpada por tê-lo abandonado. Disse a si mesma que era decisão dele, afinal de contas, cultivar ou não o jardim. Também não era tão estúpida a ponto de não perceber que aquilo era mais que um projeto de jardinagem para ele.

O que aquilo significava, precisamente, não sabia ao certo, mas, depois de passar mais tempo em sua companhia, depois de ver as profundezas assombradas por trás daqueles olhos azuis espantosos, esperava que o presente ajudasse. Lucinda se pegou fitando distraidamente o próprio reflexo no espelho da penteadeira e balançou a cabeça para despertar do devaneio incomum.

No momento em que Helena acabou de fechar seu colar, ela ouviu a porta da frente da casa se abrir e a voz melodiosa e grave de Lorde Geoffrey respondendo ao cumprimento de Ballow. Seu coração acelerou. Ele estava ali. Era chegada a hora de iniciar as lições.

Lucinda se demorou no andar de cima mais alguns instantes de propósito, afofando os cachos e definindo sua estratégia. Gostaria de um pouco mais de tempo para planejar, mas o encontro com Robert esgotara toda a sua perspicácia e atenção. Interessante. Ela teria pensado que conversar com alguém que mal respondia seria menos... envolvente. Só que ele *tinha* falado... e *conversado* com ela.

Alguém bateu de leve à sua porta.

— Srta. Barrett? — chamou o mordomo, enquanto Helena abria a porta. — Seu pai solicita que a senhorita o encontre no escritório.

— Sim, é claro.

Concentre-se, Lucinda. Aquela não era uma visita social, como a que fizera a Robert, ao menos em parte. Aquela era a hora de começar a traçar o caminho para seu futuro matrimonial.

Tentando tirar da cabeça os acontecimentos da manhã, seguiu Ballow até o térreo e entrou no escritório do general.

— Boa tarde, papai, Lorde Geoffrey — cumprimentou, fazendo uma reverência.

— Srta. Barrett — respondeu o filho do Duque de Fenley, levantando-se para pegar sua mão. — O General Barrett estava me contando que você concordou em registrar nossos ensaios.

— Sim — confirmou ela, dando a volta para dar um beijo no rosto do pai e indicando que os dois se sentassem. — Estarei perto da janela, para não atrapalhar o trabalho de vocês.

— Besteira. — Lorde Geoffrey puxou a cadeira ao seu lado. — Sempre conto melhor as histórias quando tenho plateia. Especialmente quando a plateia é tão atenta que chega a fazer anotações.

Enquanto Lucinda se acomodava em uma cadeira com lápis e papel, o general abriu o diário roto, manchado e meio queimado que continha suas anotações sobre Salamanca.

— Tudo culpa do maldito incêndio na cozinha do navio que me trouxe de volta à Inglaterra depois que Boney partiu para a Ilha de Elba — grunhiu ele, virando as páginas com cuidado, apesar da indiferença áspera de suas palavras. — Meu diário de Pamplona foi completamente destruído. Tudo por causa de um maldito coronel que queria um pedaço de torrada para a porcaria de seu enjoo.

— Espero que o senhor tenha mandado rebaixá-lo — corroborou Lorde Geoffrey. — Mas, por um acaso, eu também presenciei o que aconteceu em Pamplona. Não tanto quanto o senhor, tenho certeza, mas ficaria feliz em compartilhar minhas recordações, se o senhor achar que podem ser úteis.

— É muita gentileza sua, milorde.

— Geoffrey, por favor. Com três irmãos mais velhos, as chances de eu herdar um título são um tanto impossíveis.

O general sorriu.

— Geoffrey, então. Salamanca foi sua primeira missão, não foi?

— Sim, foi. E uma introdução e tanto ao campo de batalha, se me permite dizer. Uma bala de mosquete de um francês arrancou-me o chapéu dois minutos depois de eu ter pisado no campo.

Lucinda ouviu os dois homens conversarem, anotando datas, condições meteorológicas, movimentação das tropas e observações pessoais. Ela quase conseguia sentir o calor da batalha, ver a fumaça e o fluxo das tropas enquanto Wellington suprimia as tropas do Marechal Auguste de Marmont, o Comandante do Exército de Portugal.

Chegou a arfar quando Geoffrey descreveu a vez em que quase foi arrastado pela correnteza enquanto seu pelotão atravessava o rio Tormes no final de uma batalha.

— Minhas desculpas — murmurou, corando quando os dois homens olharam para ela. — Você descreve bem as cenas.

Geoffrey inclinou a cabeça.

— Só espero que não sejam terríveis demais para uma dama tão delicada como a senhorita.

Ah, uma oportunidade.

— Garanto, milorde, que embora eu nunca tenha presenciado uma batalha, já li todas as anotações e correspondências de meu pai, bem como os rascunhos dos capítulos de seu livro. Também fui voluntária nos hospitais que atendiam soldados feridos vindos diretamente da guerra. Uma filha do General Augustus Barrett não cresce sem entender alguma coisa sobre conflitos e guerras.

— E sobre a maneira apropriada de se contar uma história — emendou o pai, dando um sorriso afetuoso. — Não é de se intimidar, a minha Lucinda.

— Retiro minhas palavras, então — aquiesceu Lorde Geoffrey —, mas, com toda franqueza, acho que seu pai concordaria que há alguns aspectos da guerra que um cavalheiro não comenta com uma dama.

— Eu...

— Afinal de contas, para que lutam os soldados, senão para preservar certa... paz e amabilidade em casa? — continuou ele.

— Muito bem lembrado, Geoffrey — concordou o general. — Importa-se se eu pedir que Lucinda anote isso?

— De forma alguma. — Ele tirou o relógio do bolso e conferiu se o horário era o mesmo do relógio que estava sobre a cornija da lareira.

— Infelizmente, tenho uma reunião com meu contador às quatro horas — avisou.

— É claro. — O general marcou no diário aos pedaços o ponto em que haviam parado e o fechou com cuidado. — Foi um bom começo. — Ele olhou para seu calendário na mesa. — Poderíamos continuar nossa escaramuça na terça-feira no almoço? Minha cozinheira faz um ótimo frango assado.

— Seria um prazer.

Geoffrey lançou um olhar caloroso a Lucinda.

— Meio-dia, então? — sugeriu ela, levantando-se.

— Meio-dia.

Quando Lorde Geoffrey pegou sua mão novamente, não pôde deixar de perceber que ele a segurou por um pouco mais de tempo do que ditavam os bons costumes. Minha nossa, as coisas estavam progredindo bem. E eles teriam uma oportunidade ainda melhor de conversar no jantar de Evie e Santo, dali a dois dias.

— Um rapaz gentil e honrado — declarou o general, enquanto Lorde Geoffrey retornava a seu cavalo e deixava o terreno.

— Ele parece ser, não é?

— E ainda é capitão, embora não na ativa. Se Boney tivesse vencido em Waterloo, o Capitão Lorde Geoffrey a essa altura seria major. Talvez até tenente-coronel. Ele tem a atitude certa para tal. Só lhe falta experiência de guerra.

Por um momento fugaz, olhos azuis atormentados passaram pelo pensamento de Lucinda.

— Acho que basta de guerra. Fico feliz em ver o senhor trabalhando na Cavalaria e escrevendo suas memórias, e não um diário no campo de batalha.

— Sim, sim, minha menina. — O general retornou aos papéis em sua mesa, onde ela sabia que ele passaria a maior parte da noite rascunhando o próximo capítulo de seu livro. — De todo modo, fico contente que você tenha sugerido que eu conversasse com o rapaz.

— Eu também — murmurou Lucinda, dirigindo-se à biblioteca para procurar um mapa da Espanha e da cidade de Salamanca.

Ela ficou pensando se Robert teria lutado lá e se suas recordações seriam parecidas com as de Lorde Geoffrey e de seu pai. E se ousaria perguntar a ele.

—⚘—

Enquanto Robert colocava o sobretudo e as luvas de cavalgar, ouviu Edward descer as escadas ruidosamente. *Maldição*. Era por isso que preferia saídas noturnas.

— Aonde você vai? — perguntou o caçula.

— Resolver uma coisa.

Ele pegou o chapéu que Dawkins estava segurando e o enfiou na cabeça, reparando no olhar de desaprovação do mordomo para seu cabelo longo demais.

— Você sempre diz isso — reclamou Edward. — Também quero ir.

— Vai ser chato — retrucou, esperando, impaciente, que Dawkins abrisse a porta da frente.

— Quero ir mesmo assim. Shaw vai a um piquenique com uma moça, Tris tem o Parlamento e Georgie foi fazer compras.

Compras com Lucinda Barrett, se ele ouvira direito.

— E o Sr. Trost? — perguntou, mesmo sabendo que era o dia de folga do tutor.

— Está visitando a mãe dele. E eu *não vou* estudar sem motivo.

Desejando que seu outro irmão, Andrew, não tivesse mais uma semana de aulas em Cambridge até vir para casa, Robert suspirou.

— Vá pegar seu casaco, então — aquiesceu ele.

— Eba! — Edward começou a subir correndo, mas parou de repente no patamar da escada. — Você não vai sair sem mim, não é, Bit?

A ideia passara por sua cabeça.

— Não. Estarei nos estábulos, selando Tolley e Temporal.

— Já vou descer!

Robert saiu, inspecionando seu pedacinho de jardim enquanto esperava pelos cavalos. O aparente desconhecimento da família com relação a seu quadrado de terra desarraigado persistira durante o jantar e o rápido café da manhã, mas ele duvidava de que qualquer um pudesse impedir Edward de dizer alguma coisa eventualmente.

Tinha ido para a cama cansado e acordara com os músculos dos ombros doloridos, surpreso e grato por ter conseguido dormir a noite toda sem ser atormentado por pesadelos. Só isso já fazia o jardim de rosas valer a pena.

Ele estava subindo em Tolley quando Edward veio correndo da casa.

— Aonde vamos? — quis saber, pisando na mão de John, o cavalariço, e pulando em cima da sela de Temporal.

— Ao rio.

Eles desceram até o rio e seguiram para o sudeste. Ao chegarem à rua Pall Mall, Robert resistiu ao desejo de mandar Tolley galopar. Ainda era cedo, mas Mayfair estava lotada. Vendedores de leite, mendigos, carrinhos de frutas e verduras, criados comprando isso e aquilo, vendedores de lenha e carvão, moças vendendo laranjas e alguns nobres que gostavam de acordar cedo apinhavam as ruas, empurrando, gritando, berrando e cantando.

— Por que vamos ao rio? — indagou Edward.

— Peixe.

— Vamos pescar?

Ele conteve uma careta ao perceber a expectativa na voz do garoto.

— Não. Preciso de peixe fresco para o jardim.

— Não dá para criar peixes em um jardim, Bit. Você não pode me enganar com essas baboseiras, não sou mais um bebê.

— São para fertilização, para ajudar as rosas a enraizar. Na teoria, pelo menos.

O garoto abriu e fechou a boca.

— Ah.

— Ah o quê?

— Não devo falar sobre o jardim de rosas. Não devo nem falar a palavra "rosa".

— Quem lhe disse isso?

— Todo mundo. Primeiro Georgie, depois Tristan e depois Shaw quase me matou de susto quando saiu feito um furacão do salão de visitas para me mandar não falar sobre rosas. Acho que odeio rosas.

— Se tivermos sorte, até o fim da manhã, você odiará peixe ainda mais.

— Você vai me deixar ajudá-lo com o jardim então? Porque Georgie disse que eu também não podia perguntar isso.

Tinham deixado Mayfair para trás, mas as ruas pareciam ainda mais abarrotadas. Robert começou a sentir um aperto no peito e se esforçou para manter a respiração estável. Se desabasse ali, não havia como saber o que aconteceria com Edward. Precisava se distrair enquanto ainda tinha algum controle.

— Você *quer* ajudar com o jardim? Pensei que preferisse cavalgar com Shaw ou Tristan.

— Também gosto de cavalgar com você. Você quase nunca usa as rédeas com Tolley. Quero aprender a fazer isso com Temporal. — Edward franziu a testa. — Mas, como ninguém nem toca no assunto, eu ajudo você com o jardim. Você não precisa fazer isso sozinho.

— Obrigado, Nanico.

Edward sorriu feliz, perfeitamente contente com o mundo. Robert o invejava. Ele já fora assim, já sentira aquilo, mas, de alguma forma, saber que perdera essa capacidade só tornava tudo pior. Jamais poderia contar a qualquer pessoa quanto se afastara daquela luz e como, pelo que havia feito, nunca poderia retornar.

— Aquele homem lá é um peixeiro?

Robert piscou.

— Sim. — Ele desmontou do cavalo e foi mancando até o velho franzino e seu carrinho surrado. — Preciso comprar alguns peixes.

— Muito bem, milorde. Tenho de todos os tipos, muito frescos. Bacalhau, cavala, salmão...

— Preciso de duas dúzias — interrompeu Robert, torcendo para que o peixe cheirasse melhor que o vendedor.

— Duas dúzias? É claro, milorde. De que...

Ele estendeu as mãos a uns vinte e cinco centímetros uma da outra.

— Mais ou menos desse tamanho.

— Alguns desses são muito mais adequados para a mesa de gente bem de vida, como o senhor. É claro que os mais gostosos custam mais.

— São para fertilização — explicou Edward de cima de sua sela.

— Ferti...

— Desse tamanho — repetiu Robert.

— O senhor quer colocar meus belos peixes na terra? — exclamou o velho. — Se começarem a falar por aí que meu peixe só serve para ser enterrado, ninguém vai...

— Todos nós só prestamos para sermos enterrados — rosnou Robert. Ele precisava voltar para casa. E logo. — Quanto?

O vendedor engoliu em seco.

— Dez xelins.

— Oito xelins.

Ele tirou as moedas do bolso.

— Está bem, milorde. Mas não garanto a qualidade.

Assim que eles colocaram os peixes no saco de pano que Robert trouxera, ele montou novamente em Tolley.

— Vamos, Nanico — grunhiu ele, amarrando o saco à sela.

Levou alguns minutos para perceber que Edward estava atipicamente quieto. Olhou para o irmão mais novo. O garoto não tirava os olhos das orelhas de sua montaria e apertava os lábios.

— O que foi, Edward?

— Foi ruim aquilo que você disse — murmurou o Nanico, evitando olhar para ele. — E você assustou o homem.

Robert engoliu sua resposta, surpreso por sequer ter pensado em retrucar. Seria tão mais fácil se Edward o visse apenas como o desastre semi-humano que todos viam. Ou quase todos. Um lampejo fugaz do sorriso de Lucinda Barrett cruzou seu pensamento.

— Desculpe. Não estou me sentindo bem. Preciso ir para casa.

— Eu lembro quando você voltou para casa — contou Edward abruptamente —, da batalha com Napoleão. Shaw disse que você ia morrer, mas eu sabia que não ia.

— Como sabia disso?

— Por causa da carta que você me escreveu, dizendo que ia me ensinar a pular cercas quando eu tivesse idade para isso. Andrew queria me ensinar no ano passado, quando você estava na Escócia, mas não quero que mais ninguém me ensine, só você.

Robert engoliu em seco. Tinha se esquecido daquela carta. Fora a última que escrevera e colocara na sacola do correio, na noite do... Na noite em que tudo havia mudado. Em que o inferno havia começado.

Finalmente, avistou a casa.

— Você deveria deixar que Andrew lhe ensine — murmurou, fazendo Tolley acelerar.

Quando chegaram aos estábulos, ele desceu da sela, pegou a sacola de peixes e a jogou ao lado da caixa com as mudas de rosas. Então, marchou para dentro e escancarou a porta antes que Dawkins pudesse alcançá-la.

— Onde diabos você esteve? — ralhou Tristan, saindo de seu escritório.

— Na rua.

Robert ignorou o olhar zangado do irmão e seguiu para a escada.

— Com Edward.

— Sim.

Ainda no térreo, Tristan praguejou:

— Você não pode sair galopando por aí com Edward sem contar a ninguém aonde está indo.

— Está bem.

— Robert! Eu ainda não terminei!

Para Robert, ele havia terminado, sim. O pânico o assolou novamente, apertando seu peito com as garras enormes até impedi-lo de respirar.

— Maldição — sibilou, entrando no quarto como um temporal e batendo a porta. — Pare, pare, pare.

Então a fé que Edward tinha nele era baseada em uma carta estúpida e ingênua que Robert havia escrito antes de saber de qualquer coisa. A recordação voltou à sua mente. Lembrava-se de comentar do frio enquanto eles atravessavam a fronteira da Espanha para a França e de como estava otimista depois de ter ouvido falar que Bonaparte tinha abdicado. A batalha havia chegado ao fim, era o que todos pensavam. Ele pretendia voltar para casa logo, torcia para que seu regimento não fosse um dos selecionados para permanecer na região e instaurar a paz. No fim, seu regimento tivera que ficar, mas Robert já não estava mais com eles.

— Robert!

Ele ignorou os murros de Tristan na porta. Para falar a verdade, mal os ouvia enquanto caminhava de um lado para outro, tentando escapar da escuridão que o perseguia.

Tinha enviado a papelada solicitando dispensa, que fora aprovada. O que restara de seu regimento pensara, portanto, que ele havia voltado para a Inglaterra, ao passo que sua família achava que ele ainda se encontrava na Espanha.

— Robert! Abra essa maldita porta! Não estou brincando!

A raiva e o medo na voz de Tristan o trouxeram de volta ao presente. Foi até a porta e a abriu.

— Eu jamais deixaria que qualquer coisa acontecesse a Edward — disse ele, com a voz quebrada.

O que quer que Tristan estivesse prestes a dizer morreu em sua boca.

— Céus, Bit, você se machucou? Você está branco feito um...

Robert bateu a porta novamente.

— Vá embora! — gritou, apoiando a testa na madeira fria e pesada. — Só preciso de um pouco de silêncio.

— Está bem.

Poucos instantes depois, ouviu as botas de Tristan se afastando no corredor.

Enquanto Robert inspirava com dificuldade e voltava a caminhar de um lado para outro, seus olhos encontraram as roupas de jardinagem, que havia deixado sobre uma cadeira. Ele precisava enterrar o peixe antes que o cheiro atraísse todos os gatos de rua de Mayfair e, se não plantasse as mudas naquele dia, poderia muito bem fazer o que Lucinda havia sugerido e jogar tudo fora.

As mãos tremiam quando ele tirou o sobretudo, que pendurou na coluna da cama. O paletó e o colete foram os próximos, e ele conseguiu se concentrar o suficiente para pendurá-los com cuidado no closet.

Tristan insistia em encontrar um valete para ele, obviamente sem compreender o quanto era importante que *ninguém* tivesse livre acesso ao seu corpo, seus aposentos pessoais ou suas coisas. Vestir-se sozinho e cuidar das suas coisas era uma das poucas formas de demonstrar a si mesmo que ainda funcionava enquanto homem.

Quando finalmente calçou seu par mais antigo de botas e pegou as luvas que Lucinda havia emprestado, ficou surpreso ao perceber que a palpitação desesperada do coração havia diminuído e que a respiração estava quase normalizada.

Robert abriu a porta, arriscou uma olhada em volta e saiu do quarto. Ainda sentia os efeitos do pânico, o cansaço e o tremor, mas, dessa vez, tinha conseguido controlar. Pela primeira vez, não permitira que a escuridão vencesse. E devia isso às rosas — e à Srta. Lucinda Barrett.

Capítulo 6

*Desse momento em diante, um novo sopro de vida
animou a figura decadente do desconhecido.*
— Robert Walton, *Frankenstein*

LUCINDA NÃO PÔDE EVITAR DESACELERAR o passo quando chegou com o general à escadaria da frente da Residência Halboro. Antes de Evie e St. Aubyn se casarem, ela havia entrado ali uma única vez e, mesmo então, limitara-se ao saguão. Naquele momento, no entanto, ela se via entrando nos confins da casa onde, até poucas semanas antes, as mulheres virtuosas temiam se aventurar. Era convidada de um jantar intimista com familiares e amigos — e um possível futuro esposo.

— Bem-vindos, General Barrett, Srta. Barrett — cumprimentou o mordomo, gesticulando para que entrassem. — Lorde e Lady St. Aubyn estão no salão de visitas.

— Obrigado, Jansen.

A porta do salão estava entreaberta, e, no último instante, lembrando-se de que Evie e Santo tinham se casado havia apenas um mês, Lucinda pigarreou alto.

— Sabe, papai — disse ela, arrastando a voz. — Não pude deixar de perceber que o senhor serviu vinho duas vezes para a Sra. Hull no sarau dos Wellcrist.

— Bem, o calor do salão de baile estava sufocante, e a Sra. Hull havia se esquecido de levar o leque — respondeu o general. — Se...

A porta foi aberta.

— Boa noite — cumprimentou Evie, sorrindo enquanto dava um beijo no rosto de Lucinda e os conduzia para a sala. — Vocês são os primeiros a chegar.

St. Aubyn apareceu atrás da esposa, tocando suas costas possessivamente.

— E chegaram na hora certa. Eu estava prestes a ganhar uma discussão. Evelyn corou.

— Não, não estava.

— Teremos de continuar depois, então — disse ele em sua voz arrastada, os olhos verdes fitando a esposa. — General Barrett, permita-me desafiá-lo para um jogo de bilhar. Imagino que as moças queiram conversar.

O general ergueu uma sobrancelha.

— Considerando a relação de Lucinda e Evelyn, acredito que você deva me chamar de Augustus.

O marquês assentiu.

— Parece mesmo que entrei para uma família maior do que eu imaginava. Por aqui, então, Augustus. Se eu vencer, o senhor pode me chamar de "Santo". Na improvável circunstância de eu perder, insisto que me chame de "Vossa Senhoria Mais Benevolente, Marquês de St. Aubyn".

Augustus riu.

— Não pense que isso me fará desistir, garoto.

Os dois homens desapareceram no corredor, e Lucinda ficou observando por um tempo.

— Ainda não consigo assimilar direito.

— Assimilar o quê? — indagou Evie, sentando-se no sofá.

— Sua senhoria mais benevolente — respondeu Lucinda com um sorriso. — Michael Halboro. Quero dizer, sei quantas barreiras ele transpôs para ganhar o seu coração, mas... Minha nossa, você se casou com o Marquês de St. Aubyn!

— Minha mãe se recusa a acreditar — contou Evelyn, fazendo uma leve careta. — E meu irmão mal fala com nós dois.

— Eu sei. Lamento muito.

— Ah, eu não. Michael também acha que isso me incomoda, mas não mesmo. Eles que aceitem que sou corajosa e independente e que amo Santo tanto quanto ele me ama. Porque não vou mudar agora. Chegar até aqui exigiu muito esforço.

Esforço.

— Você acha que estou trapaceando? — perguntou Lucinda abruptamente. — E por favor, *por favor*, seja sincera.

Evie segurou suas mãos para puxá-la para o sofá.

— Sendo bem sincera — disse ela, olhando com atenção para Lucinda —, não vejo como tomar uma decisão e então dar os passos necessários para atingir seu objetivo poderia ser trapacear.

— Estou me referindo às lições.

— Luce, você não está trapaceando. Independentemente do que achávamos que estávamos confabulando aquele dia, acho que estávamos, na verdade, expressando certa... insatisfação com nossa vida.

— Não preciso de um marido para ser feliz — retrucou Lucinda.

— Não foi isso que eu quis dizer. — Evie suspirou. — Eu *estou* muito mais feliz agora, com Santo. Mas também estou mais feliz porque minha família não está controlando cada passo meu.

— Talvez esse seja o meu problema — comentou Lucinda baixinho. — Não sinto motivação para fazer qualquer coisa que não seja garantir que o general esteja bem e manter o caos o mais longe possível da minha vida.

Evie riu.

— Ainda bem que você não se apaixonou pelo Visconde de Dare, então.

Uma imagem fugaz do irmão mais novo de Dare a fez franzir a testa, mas ela se recompôs antes que Evie pudesse perceber. Para alguém tentando evitar confusão, Lucinda parecia estar passando uma quantidade considerável de tempo pensando em certo par de olhos cobalto.

— Ou por Santo, para falar a verdade, por mais que eu esteja começando a gostar dele.

Evelyn se recostou no sofá.

— Só porque você requer algo diferente de Georgiana ou de mim, não significa que esteja trapaceando.

Por um bom tempo, Lucinda permaneceu sentada olhando para sua amiga.

— Preciso lhe pedir desculpas, Evie — disse, por fim.

— Pelo quê?

— Eu sempre soube que você é uma amiga boa, verdadeira e generosa. Mas não tinha percebido como você se tornou sensata.

— O que foi que eu perdi? — indagou Georgiana da porta. — É culpa do Tristan, ele insistiu em...

— Querida, por favor — interrompeu o visconde, aparecendo atrás da esposa. — Não precisa entrar nesse assunto. Apenas pergunte onde estão os outros cavalheiros.

— Tristan!

Georgiana ficou vermelha feito um pimentão.

Evelyn, no entanto, riu.

— No salão de bilhar.

— Eba! — comemorou Edward, já no corredor. — O Santo vai me ensinar a trapacear!

— Ora, francamente... — resmungou Georgiana, desparecendo novamente em meio ao barulho das botas. — Edward, você não vai...

— Eu, definitivamente, não invejo Georgie — afirmou Evie, ainda rindo.

— E, com Andrew de volta a Londres, ela terá cinco Carroway para administrar.

Lucinda sorriu e se pegou imaginando se um Carroway em particular estaria presente naquela noite, mas afastou o pensamento com determinação. Tinha outras coisas com que se preocupar... Como suprimir qualquer suspeita que Lorde Geoffrey pudesse ter quanto ao motivo de ter sido convidado para o jantar.

Isto é, se viesse.

— Evie, estamos esperando mais alguém? — murmurou ela.

Os olhos cinza da amiga reluziram.

— Sim. Deve chegar a qualquer momento.

Como se aproveitasse a deixa, uma figura alta e sombria preencheu o vão da porta do salão de visitas. Lucinda o fitou, esperando ver Lorde Geoffrey, mas aquele olhar azul intenso que a encarava só podia pertencer a um homem.

— Sr. Carroway — disse ela, surpresa de se ver ofegante.

Ora, não esperava vê-lo ali, afinal de contas.

— Lady St. Aubyn — cumprimentou ele, com aquela voz grave. — Srta. Barrett.

Evie parecia igualmente perplexa.

— Sr. Carroway. Fico muito contente que tenha decidido vir. Quer se juntar a nós?

Ele olhou para Evie, então encarou Lucinda novamente.

— Eu poderia trocar uma palavra com você primeiro, Srta. Barrett?

— É claro.

Evitando o olhar curioso de Evie, ela se levantou e seguiu Robert até o relativo silêncio do corredor. Ele estava todo de cinza, com exceção da gravata branca de nó simples. A cor e a pouca luz escureciam seus olhos e os faziam brilhar. Novamente, Lucinda teve a sensação inquietante de que ele podia ler seus pensamentos.

— Eu plantei as mudas — disse ele subitamente. — E o peixe.

— Ah, sim? Ótimo.

— E nós fizemos um acordo.

Minha nossa.

— Sr. Carroway, você não precisa...

— Robert — interrompeu ele.

— Robert, então. Fico grata pela oferta, mas, realmente, não é...

Devagar, ele estendeu a mão e tocou seu rosto, os dedos roçando em sua pele como se ele esperasse que ela fosse evaporar.

— Eu disse que ajudaria — murmurou ele — e é o que farei.

Um arrepio desceu pela coluna de Lucinda. Tivesse ele aceitado as rosas ou não, ela não esperava que ele voltasse a mencionar o acordo. E não esperava se sentir tão... eufórica com o toque dele. Lucinda encarou seus olhos azuis sérios.

— Rob...

— Boa noite, Lucinda — disse a voz suave de Lorde Geoffrey, vinda do topo da escadaria. — E Carroway. Fico surpreso ao vê-lo aqui.

Robert abaixou a mão. Lucinda se deu conta de que Geoffrey vira o gesto e que aquela tinha sido justamente a intenção de Robert. Olhando para ela e, em seguida, para Geoffrey, Robert virou-se e desapareceu na direção do salão de bilhar.

— Isso foi interessante... — comentou Geoffrey, pegando a mão de Lucinda e fazendo uma reverência.

— Sim. — Lucinda resistiu à vontade de pigarrear. — Ele é... amigo meu.

— Percebi. Você me ajudaria a localizar nossos anfitriões?

— É claro. Por aqui.

Quando ela fez menção de se mover, Lorde Geoffrey se ofereceu para escoltá-la. Envolvendo o braço dele com os dedos, Lucinda o conduziu ao salão de visitas. Como a noite tinha ficado estranha. Cinco minutos antes, apostaria não apenas que Robert Carroway jamais colocaria os pés na Residência Halboro, mas também que, a despeito de sua garantia quanto à ajuda que oferecera, ela seria tanto inútil quanto indesejada. Parecia, contudo, que Lucinda se enganara — com relação às duas coisas.

Disfarçadamente, levou a mão ao rosto e tocou no local que ele havia acariciado. Sua pele estava quente. Muito estranho, de fato.

Inspirando lentamente, Robert empurrou a porta do salão de bilhar e entrou. O estrondo de vozes masculinas o atingiu primeiro; era como se todos estivessem falando ao mesmo tempo. Então, percebeu os tons mais agudos e suaves de Georgiana, que procurava, como de costume, dispersar um pouco do caos. Concentrou-se nela, em boa parte para ter mais um tempinho sozinho antes de encarar o homem nos fundos do salão. Como repetira a si mesmo durante todo o dia, havia feito um acordo com a Srta. Barrett, e não poderia cumprir sua parte do combinado confinado entre as paredes da Residência Carroway — independentemente de quem ele pudesse encontrar no caminho.

— Você está me dando sua palavra, então, Santo — dizia Georgiana.

— Estou lhe dando minha palavra. Só ensinarei minhas habilidades se elas forem consideradas socialmente aceitáveis.

— Georgie, você será minha ruína — reclamou Edward.

— Não, estou me esforçando ao máximo para que isso não aconteça — respondeu ela e, depois de dar um beijo rápido no rosto de Tristan, seguiu para a porta.

Robert deu um passo para o lado para que ela não trombasse nele.

— Georgiana — disse ele, abrindo a porta para a cunhada.

Ela tocou em seu ombro antes de sair do salão. Robert tinha contado a ela um pouco do que lhe acontecera. Ela contara a Tristan, mas ele sabia que nada tinha ido além do círculo familiar mais próximo. Afinal de contas, que família iria querer divulgar que seu bravo soldado não havia sido ferido em Waterloo ou sequer tinha participado da batalha? Que passara sete meses em uma prisão, longe das duas rendições de Napoleão Bonaparte? Que desculpa ele teria para qualquer coisa?

Robert inspirou. E o que sua própria família pensaria se soubesse de tudo sobre aqueles sete meses? Ele estremeceu, deliberadamente direcionando seu olhar ao homem que desejara matar, mesmo que por um tempo.

— Não se preocupe, rapaz — disse o General Augustus Barrett para Edward. — Eu não prometi nada. Fique perto de mim e aprenderá uma coisa ou outra.

Naquele momento, Lorde Geoffrey entrou no salão, e Robert se afastou ainda mais do grupo crescente. Não ficou surpreso quando o general se adiantou para ser o primeiro a cumprimentar Newcombe.

— Geoffrey, você conhece todo mundo, não é? — perguntou Barrett, apertando a mão do quarto filho do Duque de Fenley. — Nosso anfitrião, Lorde St. Aubyn, e...

— Santo — corrigiu o marquês, dando um leve e sombrio sorriso.

— Sim, é claro — respondeu Geoffrey. — Obrigado por me receber. Fiquei muito grato pelo convite, embora tenha sido inesperado.

— Gosto de surpresas — afirmou Santo.

O general se adiantou novamente.

— Todos os demais são Carroway. Tristan, Lorde Dare, e seus irmãos, o Tenente Bradshaw, da Marinha de Sua Majestade, infelizmente, Edward e...

— Pode me chamar de Nanico — disse Edward, cheio de orgulho, estendendo a mão. — Sou o mais novo.

— Nanico — repetiu Geoffrey, solene, cumprimentando Edward.

— E aquele outro ali é Robert — concluiu o General Barrett, mal olhando para ele.

Geoffrey o encarou.

— Sim. Já nos encontramos.

Robert inclinou a cabeça, ainda prestando atenção no general. Então eis o que ele era para Barrett: "o outro ali". Ao menos o desprezo era mútuo.

— Obrigado — disse uma voz grave perto de Robert.

Santo estava apoiado em seu taco de bilhar, os olhos fixos no jogo.

— Pelo quê? — murmurou Robert.

— Por ser uma nova aquisição do grupo, eu estava começando a achar que era a minha presença que você estava evitando em nossas muitas reuniões — continuou o marquês, mantendo o tom baixo. — Mas não sou eu, não é? É Barrett.

— Não sei do que você está falando.

Santo assentiu.

— Acho justo. De toda forma, eu não me importaria em, eventualmente, saber por quê. Eu costumo confiar nas minhas primeiras impressões das pessoas, e vocês dois parecem ter agradado meus instintos. Eu gostaria de saber se estou errado.

— Está — respondeu Robert. — Com relação a nós dois.

— Que interessante. Você não se importa se eu continuar observando, então.

Robert queria dizer a ele para tomar conta da própria vida, mas conhecia bem o marquês e sabia que não seria bom tê-lo como inimigo.

— Faça como lhe convier — respondeu.

— Eu sempre faço. — Santo chamou um dos criados presentes no salão. — Enquanto isso, acho que farei uma mudança na organização dos assentos do jantar. Acredito que Evie o tenha colocado ao lado de Augustus.

Maldição. Ele tinha conseguido chegar até aqui concentrando-se em como poderia auxiliar Lucinda, mas não havia pensando na organização dos assentos do jantar. Quase nunca ficava tempo suficiente para jantar em lugar algum, afinal de contas.

— Obrigado, então.

— Você serviu no Dreadnought? — perguntou Lorde Geoffrey a Bradshaw.

— Sim. Vimos mais de uma dúzia de batalhas durante a guerra.

— Ah! — O General Barrett interrompeu sua lição para Edward e ergueu os olhos. — Uma dúzia de batalhas? Quantas foram contra barcaças francesas tentando romper um bloqueio?

Shaw apenas sorriu.

— Algumas.

— O suficiente para tornar Shaw capitão — anunciou Edward lealmente.

— Meus parabéns, Carroway — disse Lorde Geoffrey. — Talvez eu devesse ter considerado fazer minha fortuna na Marinha.

— Que besteira, rapaz. Há muito mais oportunidades de crescimento no Exército.

— Bit conheceu o Duque de Wellington — contou Edward, enquanto se concentrava em alinhar a próxima tacada.

Olhos cinza se voltaram para Robert.

— Tenho certeza de que conheceu — disse o general. — Sua Graça sempre fez questão de visitar os soldados feridos.

— Foi antes disso. Eles dividiram uma garrafa de uísque.

Geoffrey ergueu a sobrancelha.

— Ora, ora! Conte-nos essa história, Carroway.

Robert o encarou de volta.

— Não.

Tristan e Bradshaw se moveram ao mesmo tempo.

— É a sua vez de novo, Nanico — disse o visconde, posicionando-se casualmente entre Robert e Lorde Geoffrey.

— Eu gostaria de apontar que estou perdendo intencionalmente — alegou Santo, posicionando-se, por coincidência ou não, de modo a bloquear a visão de Robert do General Barrett —, o que faz de mim um anfitrião muito generoso, não é?

O mordomo dos Halboro entrou marchando no salão. Depois de fazer um breve gesto positivo para St. Aubyn com a cabeça, ele abriu a porta.

— O jantar está servido.

Enquanto todos se encaminhavam para o salão de visitas para se juntar às damas, Edward foi atrás de Robert.

— Quem eu devo acompanhar? — sussurrou ele.

Robert fez um cálculo rápido. Com três damas presentes, Newcombe seria o último homem a acompanhar uma convidada do sexo oposto — que seria Lucinda Barrett.

— Você pode me acompanhar — respondeu, baixinho.

— Ótimo — disse o garoto. — Estou feliz por você ter vindo, se não eu teria que acompanhar a mim mesmo.

Bem, ao menos um deles estava feliz. Quando eles se juntaram a Shaw no final da fila que seguia para o salão de refeições, no entanto, ele teve que retificar esse pensamento. Georgie fez questão de sorrir em sua direção, enquanto Tristan e Bradshaw lhe lançaram um olhar significativo ao mesmo tempo que fingiam que não estavam olhando.

Certo, então todos os Carroway estavam felizes por ele ter conseguido durar até o jantar. E talvez Robert dependesse deles para durar a noite toda. Olhou para Lucinda, que analisava o perfil de Lorde Geoffrey. Se fosse Geoffrey, não teria perdido tempo no salão de bilhar. Qualquer comparação sua com o filho de Fenley, contudo, morreu quando percebeu onde St. Aubyn tinha decidido sentá-lo.

— Srta. Barrett — disse, ocupando a cadeira ao lado dela.

Lucinda estava tão elegante e, ao mesmo tempo, perfeitamente tranquila. Aquela era uma emoção de que ele conseguia se lembrar, embora nunca mais esperasse sentir. Robert se perguntou se, a despeito de sua boa vontade em trocar algumas palavras com ele, ela desejava que não tivessem se cruzado naquela tarde no quarto de visitas. Ao mesmo tempo, ela havia prendido a respiração quando ele tocara em seu rosto. Sabia disso, porque a sensação fora como se seu coração tivesse parado de bater. Seria aquilo um sinal de que não estava completamente morto e apodrecido por dentro? Ou apenas que estava ficando obcecado por Lucinda Barrett?

Quem Robert estava ajudando, afinal: ela ou a si mesmo? Independentemente de quem fosse, ele precisava deixar de ser uma sombra muda e se apresentar como rival. Tinha dado início ao processo, mas um único toque, por mais suave e ofegante que tivesse sido, não era o suficiente.

— Ocorreu-me — disse, baixinho, esperando até a conversa ruidosa ser retomada para começar a falar — que eu poderia ser de mais auxílio se soubesse o que consta da sua lista.

— Minha... Não! — sibilou ela, tão baixinho que foi quase inaudível.

Você consegue, gritou para si mesmo, forçando um pequeno sorriso.

— Se não quiser me contar, eu posso tentar adivinhar.

Lucinda tomou um gole um tanto generoso de vinho.

— Sr. Carroway... Robert... Fico grata pela oferta, mas eu realmente não preciso de sua ajuda. As mudas de rosa foram um presente, nada mais.

A voz dele deveria estar transparecendo seu desespero.

— E se eu lhe dissesse — murmurou — que o próprio Geoffrey é quem se considera um herói e que foi essa opinião que convenceu todo mundo?

Ela olhou para ele, depois para Geoffrey, que conversava animadamente com o general ao seu lado. *Ha-ha*. Não era de se admirar que Evelyn estivesse lançando olhares furiosos ao marido. Planejara que Geoffrey se sentasse ao lado de Lucinda, e Santo mudara a organização, colocando o mudo ao lado da Srta. Barrett. Robert, pelo visto, devia uma a Santo.

— Lorde Geoffrey está auxiliando meu pai a recriar partes de seus diários de batalha — disse ela. — Então eu lhe agradeço novamente, mas tenho as coisas sob controle.

— Muito bem, então. Conte-me um item de sua lista, e eu pararei de perturbá-la.

— Eu não... — Ela cerrou os lábios macios. Pelo menos Robert imaginava que fossem macios. — Um item.

— Apenas um.

— Está bem. — Lucinda colocou o guardanapo no colo. — Eu lhe contarei uma coisa se você me contar outra.

Seu peito ficou gelado. E se ela perguntasse algo que não podia responder? E se ele se enfurnasse no silêncio de novo, onde simplesmente não conseguiria falar? Tinha levado um ano para sair daquele buraco — e não iria voltar, por nada nem por ninguém.

— Temos um acordo? — insistiu ela.

Pare, disse a si mesmo. Seu mantra preferido. Lucinda propusera um desafio muito simples, um que esperava apenas que Robert aceitasse ou recusasse. Um desafio que ela poderia fazer a qualquer ser humano normal.

Ele conseguiu dizer, com a voz rouca:

— Fechado.

— Fe... Mesmo?

Por um instante, a expressão dele suavizou e sua boca se abriu em um sorriso fugaz. Lucinda viu aquilo se intensificando em seus olhos. Em resposta, por uma mínima fração de segundo, ela prendeu a respiração. Minha nossa. Se Robert não fosse tão caótico, seria irresistível.

— Você não esperava que eu aceitasse — disse ele.

Lucinda notou Lorde Geoffrey olhando para eles. Aquilo era estúpido. Ficar de joguinhos com Robert apenas retardaria seus planos para Geoffrey e poderia muito bem arruiná-los. Mesmo assim, lá no fundo, Robert Carroway a intrigava.

— Não, não esperava. — Respirando fundo, Lucinda relembrou sua lista de lições. — Está bem. Esta é, mais ou menos, a primeira lição: "Ao conversar com uma dama, preste atenção nela. Não aja como se estivesse apenas fazendo hora até alguém mais interessante aparecer".

Robert a fitou.

— É isso?

Lucinda sentiu as bochechas arderem.

— É apenas a primeira lição, e *eu* acho importante. Não apenas para mim, mas para qualquer mulher. Agora, você tem que me contar uma coisa.

— E o que seria?

Ela pôde perceber a tensão por trás de suas palavras e imediatamente alterou o que estava prestes a perguntar. Sua curiosidade quanto ao que o perturbava podia esperar. Não tinha intenção alguma de magoá-lo.

— Já que você agora cultiva rosas, de onde vêm estas palavras: "Nós estamos na primavera, tempo em que cizânia é fácil de arrancar. Se permitires que viceje, invade ela o jardim todo"?

Robert piscou.

— Como é?

— Você ouviu bem.

Por um bom tempo, ele apenas a encarou, enquanto Lucinda se perguntava se ele iria — ou conseguiria — responder. Não era uma citação das mais conhecidas. Então, um sorriso lento apareceu em seus lábios.

— É de *Henrique VI, Parte II*. De Shakespeare. Mas ele não estava falando de plantas.

— Sei disso, mas me pareceu apropriado. — Aliviada e estranhamente satisfeita por tê-lo surpreendido e por ele saber a origem de uma de suas citações preferidas, ela sorriu de volta. — Então não lê apenas *Frankenstein*.

— Eu leio tu...

— Luce? Lucinda, ouça. — Evie chamou sua atenção. — Lorde Geoffrey está contando sobre a noite em que atravessou o rio Tormes, na Espanha.

— Sim, preste atenção no circo — resmungou Robert, fechando-se novamente e abaixando a cabeça para comer.

— Isso é rude — retrucou ela, no mesmo tom. — Não há nada de errado em ser um herói.

— Heróis não ficam contando a própria história — sussurrou ele de volta. — Mas eu garantirei que ele prestará atenção em você.

Por alguns instantes, Lucinda não prestou muita atenção na história de Geoffrey. Ela o escolhera em parte porque a escolha parecia afável e indolor. O objetivo permanecia exatamente o mesmo, mas, com o envolvimento de Robert Carroway, a empreitada tinha se tornado algo completamente diferente. Lucinda tomou outro gole de vinho, sentindo o calor que radiava do homem alto e rijo ao seu lado. Ensinar aquelas lições *tinha*, no mínimo, se tornado muito, muito interessante.

Capítulo 7

*Seus sentimentos eram de serenidade e paz,
ao passo que os meus tornavam-se cada dia mais tormentosos.*
— O Monstro, *Frankenstein*

ROBERT PAROU DO LADO DE fora do salão de café da manhã. Ele havia se levantado mais cedo que de costume, tanto por causa do barulho da chuva quanto porque os pesadelos, que nunca o deixavam em paz por muito tempo, o haviam assombrado até quase o amanhecer.

— ...não sei por que você sempre acha que estou tramando algo — ia dizendo Georgiana.

— Porque você sempre está — respondeu Tristan. — Não sou totalmente cego, sabe? Você e suas amigas conspiradoras já escolheram outra vítima para suas lições.

— Não faço ideia do que...

— Oras. Levei um tempo para perceber que St. Aubyn era o alvo de Evie, mas como agora só restou Lucinda, é...

— Pare, Tristan — interrompeu ela, seu tom mais surpreso que raivoso. — Você não deveria saber de nada sobre as lições, de todo modo.

— Vocês três são, por um acaso, bastante consistentes em suas estratégias — continuou o visconde. — É difícil não perceber, sabendo onde procurar. Além disso, convidar repentinamente Lorde Geoffrey Newcombe para um de nossos jantares? Só espero, pelo bem de Lucinda, que não seja tão óbvio para Geoffrey quanto foi para mim.

Georgiana riu.

— Minha nossa, você *realmente* se tornou um ser iluminado. Está sentindo empatia por Lucinda.

— Não estou sentindo empatia por ninguém. Mantenha-me fora dessa, por favor. — Ele ficou em silêncio por um instante. — Mas o que tudo isso tem a ver com Bit?

Robert encostou-se na parede. Não importava o que o senso comum alegasse sobre ouvir coisas às escondidas, ele aprendera a apreciar seus méritos havia muito tempo.

— Bit não está envolvido — respondeu Georgiana. — Eu não o intrometeria em algo assim, e Luce também não. Foi você quem sugeriu que ele encontrasse um passatempo. Lucinda é especialista em rosas e não é... ameaçadora.

Não é ameaçadora. Se isso significava o mesmo que serena e perspicaz, Georgie tinha razão. Durante três anos, ele ansiava por ver Lucinda, mesmo que de longe. De perto, interagindo com ela, era como ver a luz do sol após uma noite longa e muito escura. Ele não pôde deixar de abrir um pouco as asas, embora ainda permanecesse nas sombras, com medo de que o sol o queimasse e transformasse em cinzas. Mas fizera um acordo com a moça, e ela continuava tão atraente quanto a luz de uma vela para uma mariposa.

Robert se afastou da parede e entrou no salão de café da manhã.

— Bom dia.

Tristan e Georgiana ergueram o rosto.

— Bom dia — respondeu Georgiana. — Como está se sentindo?

— Com fome. — Ele se encaminhou para a comida no aparador, perguntando-se como coisas que lembrava serem fáceis podiam parecer tão fora de seu alcance agora. Robert inspirou. — Tristan, você vai almoçar no Society hoje?

A troca de olhares entre Lorde e Lady Dare foi quase audível.

— Planejo almoçar lá, sim.

— Posso ir com você?

Silêncio.

— É claro.

— Obrigado.

Seu apetite desapareceu quando ele refletiu sobre o que decidira encarar, mas mesmo assim colocou algumas fatias de pão e frutas frescas no prato. A fome apenas o fazia se sentir pior, e ele precisaria de todas as forças que pudesse reunir.

Enquanto Robert se sentava, Bradshaw entrou no salão com Edward dependurado no ombro.

— Eu peso mais que uma mala de roupas — protestava Edward.

— Você se mexe mais que a maioria das malas, isso eu admito — disse Bradshaw, colocando o irmão no chão.

— Pfff.

Bradshaw riu.

— Bom dia, família. Tris, ainda posso arrastar Perkins conosco para o almoço? Ele está tentando conseguir um padrinho para o Society há séculos.

Dare pigarreou, e Robert fingiu não perceber a hesitação do irmão mais velho. Almoçar com a família em público já seria bastante desgastante; se estranhos fossem se juntar ao espetáculo, ele não sabia se conseguiria.

— Apenas nós hoje, Shaw — respondeu o visconde. — Você, Bit e eu.

— B... Boa ideia. Não quero que outra pessoa apague nosso charme carrowayano.

— Ah, pelo amor... — murmurou Georgiana, rindo.

— Quero ir — afirmou Edward, acomodando-se ao lado de Robert e surrupiando meia laranja do prato do irmão. — Eu tenho charme carrowayano.

— É preciso pesar mais que uma mala de roupas para entrar no Society Club, Nanico.

— Eu *peso* mais...

— Você pode vir almoçar comigo, Lucinda e Evie — sugeriu Georgie.

— Com um monte de mulheres?

— No museu — continuou a viscondessa.

— Será... que nós poderíamos... ver as múmias?

— Certamente. E acredito que Evie levará vários de seus pequenos.

— Os órfãos? — indagou Edward, colocando tanta geleia no pão que escorreu pelas bordas e se acumulou no prato.

— Uma dúzia dos mais novos, sim.

— Então eu serei o mais velho.

Georgiana sorriu.

— Você será o mais velho.

— Está bem, então. Eu vou com você.

— Obrigada, Edward.

Com as tias fora da cidade, Robert poderia ter a Residência Carroway praticamente para si a tarde toda. Costumava ser assim, no entanto, na maioria dos dias, e, para falar a verdade, ele estava ficando cansado da repetição infinita. Se continuaria sentindo o mesmo após o almoço, não fazia ideia. Ele nem sabia se sobreviveria ao almoço.

O que sabia, contudo, era que, se permanecesse recluso, não poderia ajudar a Srta. Barrett de forma alguma — e nem a si mesmo. Se os membros do Society pensassem que ele havia retornado ao seu mundinho pretencioso, certamente reparariam em qual dama ele andava prestando atenção — o que não passaria despercebido a Lorde Geoffrey Newcombe.

Robert deu mais uma mordida em sua torrada. Tentava não pensar muito no assunto, mas, se fosse bem-sucedido naquele dia, talvez até conseguisse sair um pouquinho das sombras. Se o sol entre nuvens não queimasse tanto, quem saberia dizer aonde seu próximo passo poderia levá-lo?

— Preciso me sentar por um instante.

Georgiana encontrou um banco perto da porta de entrada da mostra egípcia no Museu Britânico e desabou com um suspiro pesado.

Lucinda sentou-se ao seu lado, observando Evie, com a ajuda de Edward, explicar as teorias da mumificação. Pelas caretas e grunhidos, as crianças estavam adorando.

— Vou fazer Tristan massagear meus pés por uma hora — anunciou Georgiana, tirando um sapato disfarçadamente.

— Você não deveria nem estar aqui.

— Não comece você também. Ainda tenho três semanas até ele me despachar para Dare Park para meu confinamento. Quem foi que definiu essa palavra, afinal? "Confinamento". Parece que estou indo para a prisão.

— Apenas três semanas? — exclamou Lucinda.

— Pois é. Não é uma boa hora para ninguém. Você está no meio das suas lições, Bradshaw está prestes a conseguir o próprio navio e Robert vai até almoçar no Society Club. Se ele enfim está se sentindo bem o suficiente para... Bem, se ele precisar do meu apoio ou do apoio de Dare, terei, simplesmente, de ficar confinada aqui em Londres.

Lucinda piscou. Robert ia sair em público deliberadamente? Isso só podia ter alguma relação com o acordo deles. *Minha nossa.* Se ele acabasse, de alguma forma, se magoando, seria sua culpa. Ela precisava impedir aquela empreitada — embora a atenção dele fizesse, de uma forma um tanto perversa, sua vida parecer... maior do que era.

Lucinda fez uma careta. Sua vida não era ordinária, era ordenada. Robert perturbava essa ordem. Esse fato não explicava, no entanto, por que ela não o evitava e parecia pensar nele quase o tempo todo.

— Luce?

— Hum? Desculpe. Estava divagando.

— Em alguma direção específica?

Ela olhou para Georgiana. A expressão da amiga tinha se tornado surpreendentemente séria.

— Como assim?

— Robert.

Sem dúvidas, Robert não ficaria contente se ela dissesse qualquer coisa, mas Georgie era sua melhor amiga e preocupava-se genuinamente com o bem-estar do cunhado. E Lucinda estava começando a perceber que ela própria também se preocupava. Era só porque ele era seu amigo, concluiu. Um novo amigo. Um amigo inesperado, quando ela parecia estar com toda a sua vida planejada até o último detalhe.

— Isso precisa ficar entre nós.

— Está bem.

— Estou falando sério, Georgiana. Entre *nós*.

Georgiana abaixou os olhos por um instante, obviamente refletindo.

— Entre nós — repetiu ela, por fim, assentindo.

— Eu me ofereci para ajudar Robert com o jardim de rosas — começou, hesitante — e ele recusou. Acho que sentiu que eu estava lá por... pena, ou algo assim. Então, sugeriu uma troca.

— Uma troca?

— Em troca das minhas mudas de rosas e do meu aconselhamento, Robert propôs me ajudar a compelir Lorde Geoffrey a cumprir os itens da minha lista.

Georgiana levantou-se de imediato, o que não era uma tarefa fácil para uma mulher tão grávida quanto ela.

— Você contou a ele sobre nossas lições? — indagou ela, empalidecendo.

— Não! É claro que não. Ele que tocou no assunto comigo. Ele sabia de tudo sobre as lições, Georgie, e sobre Dare e St. Aubyn.

Lentamente, Georgiana voltou a se sentar.

— Maldição. Eu devia ter percebido. Ele sempre sabe de tudo que está acontecendo.

— Um dos benefícios de ser praticamente invisível.

— Ele não é... Ora. Não sei por que estou discutindo com você; não foi você que espionou nada. Aquele homenzinho furtivo.

— Não acho que ele tivesse qualquer intenção ruim. Apenas parecia curioso. — Lucinda deu o braço a Georgie. — Tentei dizer que as rosas eram um presente, mas ele insistiu em me ajudar com Lorde Geoffrey.

— Então esse é o motivo de toda essa movimentação por parte dele. E Robert sabe de seu interesse por Geoffrey.

Foi mais uma afirmação do que uma pergunta, mas Lucinda confirmou mesmo assim.

— Ah, sabe. Ele parecia pensar, para falar a verdade, que estávamos escolhendo homens com a intenção de nos casarmos.

Georgiana fez uma careta.

— E ele simplesmente chegou até você e falou isso tudo.

— Bem...

A viscondessa levantou-se de novo, enquanto as crianças começavam a sair do salão egípcio.

— Bit e eu teremos uma conversinha esta noite.

— Não, nada disso. Não sobre o que acabei de contar a você. Independentemente do que ele acha que pode ou não fazer para ajudar, não serei responsável por... — Ela procurou as palavras certas. — ...adoecê-lo novamente.

O jovem Edward surgiu no meio do cortejo de órfãos. Lucinda se perguntou como o rapaz deveria se sentir, tendo quatro irmãos mais velhos formidáveis e sendo, basicamente, criado por eles. Não lhe faltava autoconfiança, é claro — como poderia, com aquela família?

E então havia Robert. Não importava o que havia acontecido, o que ele vivera o mudara profundamente. E, por algum motivo, o homem decidira que tinham algo a oferecer um ao outro, ele e Lucinda. Ela suspirou. Não adiantava o que dissesse a si mesma, não estava simplesmente fazendo uma boa ação. Altruísmo ou caridade não explicavam por que continuava reparando que Robert tinha os olhos mais azuis que ela já vira.

— Srta. Lucinda?

Ela se sobressaltou.

— Sim, Edward?

— Quase esqueci. Tenho que entregar isto para a senhorita.

O garoto tirou um bilhete excessivamente dobrado do bolso do casaco.

— Obrigada.

Abriu a folha, revelando a letra surpreendentemente bonita de Robert, como se ele tivesse pensado bem em cada palavra antes de colocá-las no papel. Apenas perguntava se ela gostaria de dar uma volta a cavalo em sua companhia na manhã seguinte. A assinatura era um curto "R.C.".

Lorde Geoffrey chegaria para uma visita na hora do almoço, ao meio-dia, e ela quase recusou. Ao mesmo tempo, seu encontro com Geoffrey lhe dava uma desculpa para uma saída rápida com seu suposto conspirador. *Tudo pela causa.* Ela não precisaria decidir de uma vez se o envolvimento dele era ou não apenas um ato de caridade.

Lucinda tirou um lápis da retícula e anotou sua resposta na parte de baixo da folha antes de dobrá-la novamente.

— Por favor, devolva a ele — instruiu ela, entregando o bilhete de volta a Edward.

Georgiana ficou olhando para ela com expectativa, mas Lucinda fingiu não notar. Se Robert quisesse envolver sua família, já o teria feito.

Então dois cavalheiros a visitariam amanhã; um para ajudá-la com o segundo, que não fazia ideia de que estava sendo manipulado. E ela alegava não gostar de coisas complicadas. *Ha-ha.*

Quando Robert desceu as escadas, Tristan e Bradshaw já estavam no saguão, fingindo não estarem ansiosos. Os dois sabiam tão bem quanto ele próprio que Robert não pisava em um clube de cavalheiros de Londres havia uns bons cinco anos, desde que deixara a Inglaterra para se juntar a seu regimento na Espanha.

— Mandei trazer o coche — avisou Tristan, quando Robert chegou até eles. — A menos que você prefira ir a cavalo.

Não era uma escolha fácil; ficar sentado em um coche apertado e escuro por quinze minutos ou dar a si mesmo a oportunidade de se safar de toda aquela empreitada com Tolley.

— Podemos ir de coche.

— Ótimo. Pronto?

Não! Cada músculo de seu corpo estava tenso, impelindo-o a recuar, mas ele confirmou com a cabeça. A respiração já acelerava, e ele se obrigou a estabilizá-la. Ia conseguir. Seria apenas por uma ou duas horas, e então poderia aguardar ansiosamente o passeio a cavalo na manhã seguinte — com Lucinda. Ou sozinho, se ela tivesse algum bom senso e recusasse seu convite.

Até mesmo o mordomo parecia apreensivo quando abriu a porta da casa. Robert ficou para trás enquanto Bradshaw e Tristan entravam no coche. Sabia que podia voltar para a casa agora e nenhum deles diria coisa alguma sobre isso. Mas também se lembrava do que Bradshaw havia dito, sobre ele não estar fazendo nada da vida.

Respirando fundo, subiu no coche. Os irmãos perceberiam que ele estava relutante e tenso, mas não notariam que estava apavorado — não com receio do coche ou do clube, mas de não conseguir manter a escuridão afastada e de ser atingido por ela quando estivesse em público.

— Estive pensando... — disse Bradshaw, quebrando o silêncio.

— Que incrível — desdenhou Tristan, o tom seco.

— Muito engraçado. Eu só ia dizer que, agora que St. Aubyn faz parte da nossa aliança, poderíamos recrutar ele e o Duque de Wycliffe e solicitar uma readmissão no White's.

Tristan ergueu a sobrancelha.

— Pelo que me lembro, *eu* fui o único banido do White's e a culpa foi *sua*.

— É por isso que estou planejando sua readmissão.

— Não se preocupe com isso, Shaw. Gosto de estar banido. É um lembrete para Georgiana do quanto eu a amo.

Robert sentiu-se tocado pelo humor ácido e grato pela distração.

— Talvez também a lembre do quanto ela estava zangada com você.

— Esse *também* é um dos meus argumentos — emendou Shaw. — Tenho vários.

— Não, esse foi um argumento de Bit, mas continuo sem me interessar. Serei pai em poucas semanas, meus caros, e, por mais estranho que pareça, isso é mais importante para mim do que qualquer outra coisa que eu possa imaginar.

Robert estudou a expressão apaixonada e divertida do irmão. Tristan estava, obviamente, animado e contente com a paternidade. Parecia quase estranho conseguir ansiar por algo com expectativa. Robert passara muito tempo temendo cada noite — e duvidando de que o amanhecer seguinte chegaria.

O coche parou, e um criado uniformizado do Society abriu a porta e baixou a escada. Mais uma vez, Robert ficou para trás, então desceu mancando. Ia conseguir. Era o que *queria* fazer.

— Bem-vindos, Lorde Dare, Sr. Carroway — cumprimentou o funcionário, olhando rapidamente para Robert, então conduzindo-os até o amplo salão de refeições do clube.

— Perto da janela — murmurou Robert, assimilando o lugar lotado, as mesas próximas demais umas das outras e as paredes de madeira escura e pesada. *Respire.*

— Watson, perto da janela, por favor — disse Tristan, naquela sua voz arrastada, acenando com a cabeça para um ou outro conhecido.

Com um músculo contraindo na bochecha, o funcionário mudou de direção.

— Eu não estava esperando... — disse, indicando a dois criados que limpassem e arrumassem uma mesa que acabara de vagar. — Esta serve?

— Bit? — murmurou o visconde.

Robert assentiu, rígido, e os três Carroway sentaram-se. Ele tinha conseguido, estava ali dentro. Só lhe restava comer e ir embora.

— Carroway — chamou uma voz estrondosa atrás dele. — Fiquei sabendo que devo parabenizá-lo. — Alguém estendeu a mão gorducha por cima dele na direção de Bradshaw. — Capitão, não é mesmo?

— Ainda não oficialmente — respondeu Bradshaw, cumprimentando-o —, mas a papelada está sendo processada. Conhece meus irmãos, não conhece, Hedgely? Dare e Robert? Tristan, Bit, este é Lorde Hedgely.

— Ah, eu conheço Dare. Então este é o outro, é? — Hedgely pegou uma cadeira de uma mesa próxima e a arrastou para acomodar sua figura corpulenta ali perto. — Ouvi dizer que você perdeu uma perna, ou algo assim, em Waterloo. Ou enlouqueceu? Não parece um lunático.

Robert desviou o olhar das próprias mãos para Hedgely. Olhos castanhos, em um rosto redondo e gorducho, fitaram os dele, então se desviaram para o lado. Se Hedgely fosse a sua maior adversidade, Robert se preocupara demais por muito pouco.

— Nós nos conhecemos muitos anos atrás, no baile dos Devonshire — disse, sua voz baixa, porém estável. — Você estava cortejando Lady Wedgerton, pelo que me lembro. O marido dela chegou a descobrir sobre seu flerte?

Por um instante, Hedgely permaneceu sentado onde estava, com o queixo caído e o rosto enrubescendo. Uma onda de comentários se espalhou pelo salão, mas Robert permaneceu ali, sem se mexer, aguardando o próximo movimento de Hedgely. De uma forma estranha, era empoderador não ter nada a perder, ter as garras fincadas com tanta força na beira do precipício que nada — *nada* — poderia fazê-lo soltar a rocha.

— Não sei do que você está falando — alegou Hedgely, por fim.

— E eu não sei do que você está falando — retrucou Robert. — Pelo visto temos algo em comum.

— Não há motivo para ser rude. Cá estou, tentando demonstrar um pouco de compaixão a um aleijado e...

— E você não faz ideia de quanta compaixão estou demonstrando a você neste momento — interrompeu Robert, ciente de que Shaw havia começado a se levantar e que Tristan fizera um sinal para que se sentasse novamente. — Como estão suas dívidas de jogos hoje em dia?

Hedgely deu um pulo da cadeira.

— Não ficarei aqui para ouvir isso. Dare, sugiro que controle seu irmão ou o enfie de volta na jaula.

Tristan tirou um charuto do bolso.

— Estou apreciando a conversa, mas, se você está incomodado, bem, tenha um bom dia, Hedgely.

Bradshaw ficou observando Hedgely retornar à própria mesa e se sentar com os parceiros, que deram tapinhas solidários em suas costas.

— Isso foi interessante — murmurou ele, escondendo uma risadinha com a taça de vinho do Porto.

— Foi apenas uma pergunta — afirmou Robert, com uma tranquilidade forçada, relaxando o punho cerrado e sentindo o sangue voltar a correr até os dedos. Os irmãos tinham ficado do seu lado. No fundo, não duvidava de que isso fosse acontecer, mas o pouco de alma que ainda lhe restava ficara aliviada. — Desculpem por isso.

— Não é um dia bem-sucedido se alguém não ameaçar me banir de um clube — respondeu Tristan —, mas essa ceninha me fez questionar por que você quis vir almoçar hoje. Deveria saber que as pessoas ficariam curiosas ao vê-lo.

É claro que *ele sabia*.

— Eles podem olhar quanto quiserem — grunhiu, contendo um tremor —, mas eu preferiria que mantivessem distância. E quis vir almoçar hoje porque quis. Se isso não bastar, en...

— Basta. E, depois de Hedgely, acho que mais ninguém vai querer se aproximar para insultar sua saúde, se serve de consolo.

— Serve.

Shaw pigarreou.

— Não que eu esteja pedindo por um soco no olho, nem nada assim, mas eu não tinha a intenção de chatear você, aquele dia.

Depois de um bom tempo passando o dedo pela taça de vinho do Porto que Tristan colocara à sua frente, Robert deu de ombros.

— Eu nunca sei o que pode... — Ele parou, empalidecendo. *Jesus*. Quase contara a eles sobre o pânico sombrio. Aquilo o classificaria como um lunático antes que pudesse abrir a boca para explicar. — Desculpas aceitas.

Lentamente, empurrou a taça para longe.

— Achei que talvez isso pudesse tornar o dia mais fácil — comentou Tristan, batendo o dedo na taça, fazendo-a tilintar.

As mãos de Robert tremiam, e ele as uniu novamente.

— Faria, mas aí não é real.

— Tem certeza...

— Não vou beber — afirmou ele, inspirando. — Não acho que eu conseguiria parar, se começasse.

Tristan acenou para um criado.

— Cordeiro assado para todos, Stephen — pediu, sorrindo com a careta de Bradshaw. — E limonada.

— Está bem, milorde.

Quando o rapaz desapareceu em direção à cozinha, Tristan acendeu o charuto e se recostou na cadeira.

— Recebi uma carta de Andrew ontem. Ele vai pegar carona no coche de correspondências em Cambridge e deve chegar em Londres amanhã à tarde.

— Ótimo.

Andrew provavelmente se divertia mais na universidade, mas Robert sempre se sentia melhor quando sabia onde todos estavam. Não fazia sentido, mas ele precisava saber que a família estava a salvo, precisava sentir que podia protegê-los. *Ah, isso era engraçado. Como se ele pudesse proteger qualquer pessoa.*

— Você vai para Dare Park conosco, quando eu e Georgiana formos?

Ele voltou a atenção à conversa.

— Vocês levarão Edward?

Tristan assentiu.

— E as tias. Elas insistem que Georgie precisará de ajuda.

Robert deu de ombros.

— Não sei.

Para a sua surpresa, um rosto passou por sua mente — um rosto oval e gentil, com olhos cor de mel e cabelo que reluzia como bronze sob o sol. Lucinda ainda estaria em Londres, dando prosseguimento à sua caçada a Geoffrey Newcombe. Não que fosse da conta de Robert, mas ela era o motivo pelo qual estava no Society Club naquele momento.

— Você não precisa decidir agora.

— Eu já estarei de volta no mar — comentou Bradshaw —, então me reconfortarei com a certeza de que você dará meu nome à criança.

— Não acho que "Pateta" vá passar pelo crivo de Georgie, mas eu a informarei da sua sugestão.

A comida chegou, e Robert se viu calmo o suficiente para sentir fome. Aquilo, por si só, parecia uma vitória — tão pequena que requereria o uso de um microscópio bem potente, mas uma vitória, mesmo assim.

O primeiro indicativo de que ele estava confiante demais surgiu apenas quando Tristan resmungou uma obscenidade. Robert ergueu os olhos e viu o irmão mais velho franzindo a testa, então voltou o olhar para a direção da porta de entrada do salão.

Em meio à movimentação da multidão, avistou o motivo para a carranca de Dare: o Duque de Wellington, acompanhado por alguns oficiais da Cavalaria, encaminhava-se para uma mesa a poucos metros da deles. O General Augustus Barrett olhou torto em sua direção, assentindo para Tristan enquanto se sentava à direita do duque.

O primeiro pensamento de Robert foi levantar-se e ir embora — imediatamente, antes que qualquer um daqueles oficiais cobertos de medalhas começasse a contar histórias sobre as glórias da guerra. Olhou para os irmãos, que tinham voltado a comer em silêncio, claramente esperando para ver o que ele queria fazer.

Se decidisse ir, eles o acompanhariam. Mas ir embora menos de um minuto após a chegada de Wellington poderia ter repercussões políticas graves. *Só ignore*, ordenou a si mesmo, deliberadamente enfiando uma garfada de cordeiro assado na boca. *Você é invisível para eles, de toda forma.*

— Bit — sibilou Bradshaw.

— Estou b...

— Capitão Robert Carroway — disse a voz de Wellington diretamente atrás dele. Ao mesmo tempo, o duque colocou a mão em seu ombro.

— Vossa Graça — cumprimentou ele, surpreso com a estabilidade da própria voz.

Pela primeira vez, ocorreu-lhe que isso não era nada em comparação com o que tinha acontecido na Espanha.

— Acredito que ainda lhe devo uma garrafa de uísque — disse o duque.

— Não há ne...

— E o agradecimento de uma nação — continuou Wellington, sorrindo.

— Suas contribuições no campo de batalha de Waterloo foram imensuráveis.

Ele não sabia. Wellington não sabia de absolutamente nada.

— Obrigado, Vossa Graça.

Aplausos ecoaram pelo salão, gentis, voltados mais ao duque do que ao alvo do elogio, graças a Deus. Se o duque pedisse que ele se levantasse e apertasse sua mão, iria vomitar. Em vez disso, depois de dar outro toque em seu ombro, Wellington voltou a seu lugar.

— Robert? — sussurrou Tristan.

O pânico sombrio estava em seu encalço. Robert poderia perder-se nele, afogar-se, e ninguém saberia. Nem mesmo seus irmãos. Se queria permanecer na superfície, precisava agir por si só. Lutando para respirar, meneou a cabeça.

— Coma.

Quinze minutos. Se ficasse por mais quinze minutos, poderia ir embora sem ofender ninguém — ou melhor, Tristan e Shaw poderiam ir embora sem ofender ninguém.

Ele contou cada segundo de cada minuto. De segundo em segundo, poderia sobreviver. Chegou a doze segundos; a três minutos e vinte e oito segundos; a nove minutos. Vivera sete meses contando segundos. Não era fácil, mas possível, e, se ele estivesse contando, não sucumbiria. Além disso, no dia seguinte passearia a cavalo com Lucinda Barrett, e ela tinha o dom de transformar segundos em minutos.

Finalmente, chegou a quinze.

— Estou indo — anunciou, afastando-se da mesa.

— Vamos todos — disse Tristan, pedindo a conta.

Ele rapidamente indicou que o valor fosse incorporado à sua conta pessoal, e os três se levantaram.

— Aquele foi um belo gesto da parte de Wellington — comentou Shaw, entrando no coche que parara ao lado deles. — Duvido muito que ele agradeça a todos pela contribuição em Waterloo.

Robert fechou a porta depois de entrar, sentindo-se, pela primeira vez, grato por trocar a multidão por um local pequeno.

— Ele não sabe de nada — rosnou ele, cruzando os braços para que os irmãos não vissem suas mãos tremendo.

— Não se subestime, Bit. Se ele o agradeceu, foi porque você mereceu...

— Shaw — alertou Tristan —, deixe para lá.

— Eu não estava em Waterloo — emendou Robert, fechando os olhos para não ver o choque no rosto de Shaw.

Ah. Agora mais um irmão poderia se juntar à decepção geral daquilo que ele chamava de vida.

Capítulo 8

Tu te alegrarás em saber que o início de uma empreitada a que dispensaste tantos maus presságios deu-se sem incidentes desastrosos.
— Robert Walton, *Frankenstein*

— Meu pai disse que Wellington encurralou você ontem.

Lucinda colocou as luvas de cavalgada, olhando para Robert de canto do olho enquanto ele caminhava pela via de entrada da casa. O cavalo dele andava um passo atrás, calculando os movimentos do dono com perfeição, embora as rédeas estivessem enroladas sobre a sela e nada os conectasse.

— Ele o agradeceu por seu serviço em Waterloo — continuou ela quando ele não respondeu. — Foi gentil.

— O que foi gentil? — grunhiu Robert, voltando a caminhar de um lado para outro enquanto o cavalariço de Lucinda trazia Isis dos estábulos.

E pensar que ela podia estar arrancando as ervas daninhas do jardim.

— Costuma-se considerar uma gentileza quando alguém lhe agradece por seus esforços.

Robert olhou para o cavalariço, então adiantou-se, mancando, para oferecer a mão e ajudar Lucinda a subir na sela.

— O duque estava enfatizando que *ele* estava no comando em Waterloo e que a nação, na verdade, deve um agradecimento a *ele* — afirmou, com sua voz grave. — Imagino que esteja preparando o terreno para se tornar primeiro-ministro. Onde eu estava e o que estava fazendo não têm nada a ver com isso.

Lucinda pisou nas mãos dele e permitiu que ele a ajudasse a subir.

— E você sabe disso tudo ou está apenas supondo?

Enquanto Robert se afastava e subia de volta no próprio cavalo em um único movimento fluido, Lucinda pensou que ele não responderia. Supunha que não importava o que dissesse; o acontecimento mais marcante do dia anterior parecia ser o fato de que o pai mencionara o nome dele sem fazer careta.

— Raciocínio dedutivo — respondeu ele, por fim, indo até seu lado com o cavalo. — Quer cavalgar um pouco ou quer ir ao Hyde Park?

Lucinda entendeu o que ele quis dizer; àquela hora da manhã, conseguir até mesmo caminhar a pé pelo parque seria um milagre. Uma cavalgada, no entanto, significaria que eles iriam para o norte, para fora de Londres. Significaria passar mais tempo com Robert e arriscar se atrasar para a visita de Lorde Geoffrey à tarde.

Olhos azul-escuros a observavam. Ele provavelmente sabia da reunião que o pai agendara com Lorde Geoffrey, pois sabia de tudo, e estava a desafiando a tomar uma decisão. Faria sentido, se ele fosse um pretendente, mas seu objetivo deveria ser ajudá-la *com* Geoffrey. Mesmo assim...

— Eu gostaria de cavalgar — respondeu ela.

Algo brilhou brevemente em seus olhos antes de ele assentir.

— Eu a trarei de volta para o almoço.

Batendo o joelho em sua montaria, ele se encaminhou para o portão.

— Hum, Robert?

Ele parou.

— Mudou de ideia?

— Você trouxe algum acompanhante?

Robert a encarou por um tempo, confuso. Então, ele sorriu. A mudança em sua expressão era notável, com olhos brilhantes enrugados nos cantos e uma franqueza no sorriso que a fazia querer suspirar e sorrir de volta para ele. *Ah, céus.*

— Não trouxe... — começou ele, parando para pigarrear. — Peço desculpas. Não pensei nisso.

Lucinda se virou para a casa.

— Benjamin? Por favor, sele um cavalo e acompanhe-nos.

— Sim, Srta. Lucinda.

O cavalariço correu de volta para os estábulos.

— Não foi muito cavalheiresco da minha parte, não é? — comentou Robert, o divertimento ainda bailando em seus olhos.

Lucinda sorriu.

— De certo modo, é lisonjeiro.

— Em que sentido?

— Bem, um acompanhante protegeria esta frágil e indefesa dama do homem forte e mau. Opto por pensar que você nos enxerga em pé de igualdade.

— Uma forma gentil de dizer que me falta virilidade.

Para surpresa de Lucinda, ele não pareceu ofendido. Lorde Geoffrey, se um dia se oferecesse para levá-la a qualquer lugar, muito provavelmente faria algum comentário sobre ela precisar de um acompanhante para proteger sua virtude de donzela da depravação masculina.

— Não é isso. Eu acho que você é viril. Mas também é honrado.

Ele a encarou por um instante, o bom humor em seus olhos esmaecendo.

— Você está errada quanto a isso, mas obrigado.

Benjamin veio trotando de trás da casa. Com o cavalariço alguns metros atrás, eles desceram até o rio e seguiram para o norte.

— Georgiana sempre disse que você cavalga bem — comentou Lucinda, depois de um longo silêncio. — Estou vendo que ela tinha razão.

Para falar a verdade, Robert e seu cavalo pareciam tão conectados que ela duvidava de que ele sequer precisasse usar as rédeas.

— Gosto de cavalgar. Quando retornei da Espanha, não tinha certeza se Tolley me reconheceria, mas reconheceu. — Ele fez um carinho no pescoço do baio, demonstrando afeto tanto no gesto quanto em seu tom de voz. — Melhor do que eu mesmo — continuou, em um tom mais baixo.

Lucinda engoliu em seco. Pela primeira vez, parecia que aquele homem reservado e solitário tinha deixado transparecer um pouquinho de seu interior. E, subitamente, ela não teve certeza de que era digna de estar ali. Aquilo fazia tudo parecer... diferente. Não estava fazendo um ato de caridade; um homem muito reservado estava lhe concedendo a honra de espiar um pedacinho de sua vida.

— Como estamos trabalhando em ensinar Lorde Geoffrey sua primeira lição — prosseguiu Robert, em um tom mais casual —, talvez você possa me contar qual é a segunda.

Ela engoliu em seco. De volta aos negócios. Era inquietante demais pensar que talvez esse relacionamento fosse mais do que uma troca de favores.

— Espere aí. Como faremos Lorde Geoffrey prestar a devida atenção em qualquer mulher com quem ele conversar?

— Quer dizer prestar atenção em *você*.

Bem, ela jamais admitira para ele que estava planejando se casar com Lorde Geoffrey, mas negá-lo, àquela altura, não parecia fazer muito sentido.

— Está bem, em mim — aquiesceu. — Como você vai fazer isso?

Robert hesitou.

— É complicado.

— Sou bastante inteligente — disse ela secamente, tentando tranquilizá-lo. — Experimente.

Ele pigarreou.

— Peço desculpas. Eu... É de se pensar que eu seria melhor com as palavras, considerando quão pouco costumo utilizá-las.

O riso escapou dos lábios de Lucinda antes que ela pudesse se conter. Aquele senso de humor era bastante inesperado. Já tinha vislumbrado um relance antes, e Georgie também o mencionara, mas Lucinda simplesmente assumira que ele nunca exibia esse seu lado para estranhos. Mais uma vez, sentiu-se honrada. E surpresa por perceber que estava gostando de conversar com ele.

— Não se desculpe — disse ela, sorrindo. — Eu avisarei quando me ofender. E não mude de assunto. Como estamos trabalhando na lição número um?

— Olhe à sua direita — murmurou ele, aproximando-se com Tolley.

Ela olhou. Eles estavam passando pela entrada da frente do estabelecimento de boxe de John Jackson. Quando passaram, o conde Clanfeld e William Pierce, que conversavam na escadaria, viraram-se para observá-los.

— Lorde Clanfeld e Sr. Pierce?

— São bons amigos do seu Lorde Geoffrey e, coincidentemente, estão indo encontrá-lo no White's.

— Como sabe disso?

Robert deu de ombros.

— Eu presto atenção.

Extraordinário. Lucinda se perguntou se o homem tinha a agenda de todo mundo memorizada e quantas coisas conseguia descobrir com sua habilidade de se tornar praticamente invisível. Não era de se admirar que algumas pessoas alegassem que ele podia ler pensamentos.

— Certo, então vão todos se encontrar no White's agora pela manhã. De que isso nos serve?

— Eles sabem que Lorde Geoffrey encontrará você e seu pai para o almoço hoje. Seu nome será mencionado durante a conversa, bem como o fato de que você passou a manhã com outro homem. Também faremos com que você chegue em casa um pouquinho atrasada, para que ele o veja na porta da frente comigo.

— Então estamos provocando ciúmes? É um pouco cedo para essa tática, não acha?

— Não estamos tentando provocar ciúmes. Estamos nos certificando de que, aos olhos dele, você não seja apenas a moça que anota os pensamentos do pai em um pedaço de papel. Você é uma dama com admiradores.

Admiradores. Será que Robert se incluía nessa categoria? Ou estava apenas "pagando" pelas mudas de rosas? Lucinda fixou o olhar nas orelhas de Isis. Não importava quais fossem os motivos dele. Aquilo era um acordo. Fim.

— E se eu tivesse decidido ir ao Hyde Park? — questionou ela.

— Eu sabia que você não o faria.

Lucinda ergueu uma sobrancelha.

— É uma suposição e tanto. Como podia ter certeza?

— Você é gentil e atenciosa e sabe que eu odiaria ir ao Hyde Park no meio da manhã. — Seu pequeno sorriso surgiu novamente. — Na remota chance de você optar pelo Hyde Park, no entanto, a cunhada de Lorde Geoffrey, a Marquesa de Easton, coordena um cortejo pelo parque às terças e quintas. Era apenas um plano de contingência, contudo, pois ela não verá Geoffrey e o resto da família Newcombe até a noite de depois de amanhã.

— Você é tão insidioso! — exclamou ela. — Só a título de informação, eu mesma desgosto do Hyde Park.

— Manterei isso em mente.

E com certeza o faria. Lucinda meneou a cabeça, tentando fingir que o tom baixo da voz dele não continha um indício de intimidade que deixava sua garganta seca e seu coração acelerado.

— Há mais alguém que precisamos impressionar esta manhã?

— Não, acho que não. Podemos ser tão desagradáveis quanto quisermos.

— Isso é reconfortante, embora eu tenha descoberto que é mais fácil ser agradável quando não há tanta necessidade.

Quando eles deixaram as edificações para trás e entraram em uma região de prados e pradarias, Robert desacelerou, olhando novamente para ela.

— Conversar é assim para mim — confessou, enunciando as palavras devagar. — Eu... perdi o costume, acho, e agora fico tanto tempo pensando no assunto que, às vezes, a chance de falar passa sem que eu perceba.

— Você conversa comigo.

— É fácil conversar com você.

As bochechas de Lucinda enrubesceram. Ela não estava procurando elogios, ora essa. Antes que pudesse pensar em algo para responder, Robert bateu no cavalo com o joelho, acelerando para um meio-galope pelo prado. Aliviada por não precisar falar, ela acelerou também.

Lucinda cavalgava muito bem. Obviamente passava mais tempo passeando a cavalo do que galopando, mas tinha habilidade suficiente para conhecer suas limitações. Após alguns instantes observando-a, Robert estava razoavelmente certo de que ela não cairia do cavalo e quebraria o pescoço.

Para ele e Tolley, cavalgar durante o dia também era uma boa mudança. Sob a luz do dia, a sensação de desconexão com o mundo não era tão forte, mas a brisa e a luz do sol eram uma boa compensação.

Passaram duas horas passeando e competindo e, como bônus, não conversaram muito. Aquela foi a experiência mais libertadora dos últimos três anos, e o sorriso que estampava seu rosto quando ele pegou o relógio de bolso parecia fácil e natural.

Robert abriu a tampa do relógio, então o guardou. Fez um círculo pequeno com Tolley ao redor de Lucinda e de sua égua, Isis.

— Precisamos voltar.

O cabelo castanho dela, com suas nuances de vermelho e dourado, havia se soltado sob o chapéu de cavalgada, e uma mecha longa e desordenada acariciou sua bochecha quando ela sorriu para ele.

— Hora da segunda parte do nosso plano?

Ele confirmou, guiando o caminho de volta para a estrada. *Não olhe para ela desse jeito*, disse a si mesmo. Ela era uma amiga, uma raridade para Robert na atual circunstância. Além disso, havia deixado dolorosamente claro tanto que o achava inviril quanto que já escolhera outra pessoa.

Ela nem sequer tentou coagi-lo a conversar no caminho de volta para a Residência Barrett. Se sua teoria estivesse correta, contudo, Geoffrey Newcombe estaria aguardando o retorno deles. Então, respirando fundo e desejando que pudessem ter passado o dia todo fora da cidade, ele se aproximou dela.

— Você ia me contar sobre a lição número dois da sua lista.

— Não ia, não — retrucou ela, rindo. — Você ainda não me provou nada com relação ao suposto sucesso da lição número um.

— Mas preciso preparar uma estratégia para o próximo passo. Você certamente compreende a complexidade disso tudo. Conspirar, planejar, maquinar, essas coisas.

As bochechas dela coraram.

— Agora que parei para pensar, é bastante bobo, para falar a verdade. E essa não é especificamente para mim, é para todas as damas.

— Conte-me — insistiu ele, reparando que estavam quase na casa dela.

Lucinda soltou o ar, exasperada.

— Está bem. A lição diz apenas que, quando um cavalheiro se dá ao trabalho de comparecer a um baile, ele deveria dançar. Especialmente quando houver mais moças que rapazes presentes. É embaraçoso ser a única moça que não está dançando enquanto há vários homens parados conversando.

— Geoffrey já dançou com você.

— Sim, mas... ele dança a seu bel-prazer. Toda jovem dama deveria ser tirada para dançar ao menos uma vez. Tenho certeza de que a maioria dos homens bonitos e populares nem sequer percebe quem está sentada com as costas na parede ou tentando parecer ocupada na mesa de bebidas.

— Mas *você* repara. — Fazia sentido; Lucinda também tinha reparado nele. Dançar... Essa era uma lição em que Lorde Geoffrey com certeza tinha vantagem. No entanto, Robert havia dito que a ajudaria, então encontraria uma maneira de fazê-lo. — Pensarei em um plano — prometeu ele, gesticulando para que ela fosse na frente para entrar no terreno da casa e subitamente desejando que não precisasse devolvê-la a ninguém.

Para sua surpresa, no entanto, Lucinda parou, por sorte entre dois arbustos grandes e fora do alcance de visão de quem estava na casa, e colocou a mão em seu braço.

— Robert, a lição, definitivamente, não se aplica a você — disse, com uma expressão solene.

Antes que pudesse se convencer da idiotice de seu impulso ou pensar onde o acompanhante deles poderia estar, Robert se aproximou e encostou os lábios nos dela. Por um segundo, por um instante fugaz, o tempo parou. Mas então ele se obrigou a se endireitar, antes que ela pudesse se afastar.

— Eu sei — disse ele baixinho, quando conseguiu respirar novamente. — Você não estava pensando em mim quando fez a lista.

Lucinda parecia corresponder a perplexidade dele. Robert deu um tapa nos flancos de Isis, e a égua arrancou. Ele a seguiu pela via de entrada da casa, reparando que as cortinas se mexeram em um cômodo do andar superior. *Ah, sua plateia.*

Desceu de Tolley e caminhou, mancando, para oferecer a mão a Lucinda.

— Peço desculpas novamente — disse, forçando um sorriso enquanto a ajudava a descer. — Depois me conte como se desenrolou a lição número um.

Antes que ela pudesse responder, ele voltou para Tolley e o montou. Por um instante, Lucinda o observou se afastar.

— Eu avisarei se você me ofender — murmurou ela, passando os dedos pelos lábios.

—∞—

Robert pegou o caminho mais longo para casa. Não pretendera beijar Lucinda, não pretendera fazer nada parecido. Lá estava ele, alegando ser seu amigo, alegando não ter nenhum motivo inconfesso, e então a necessidade de tocá-la simplesmente o dominara. É claro que poderia culpar o fato de que não tocava em ninguém havia muito tempo, mas isso não justificava coisa alguma.

— Idiota — resmungou, e Tolley abanou as orelhas para o dono.

Ele provavelmente tinha posto um ponto final em qualquer acordo que tinham. Ela seria estúpida se permitisse que continuassem conversando depois daquilo, e Lucinda Barrett não era nada estúpida. Será que tinha valido a pena trocar sua melhor chance de retornar à Sociedade por um beijo? Por um interlúdio macio, doce, hesitante e momentâneo do inferno?

Sim.

Quando desmontou, John, o cavalariço-chefe, surgiu do estábulo para se encarregar de Tolley. Robert tirou uma última cenoura do bolso e a deu ao baio. Apesar de tudo, havia sido uma ótima manhã.

Àquela altura do dia, sua família já estaria ocupada com seus inúmeros encontros, almoços e outros eventos sociais. Até mesmo Nanico e seu tutor, o Sr. Trost, tinham optado por passar a tarde no Zoológico de Londres.

— Senhor Robert — cumprimentou Dawkins ao abrir a porta da frente. — Devo pedir à Sra. Haller que prepare algo para o almoço?

— Apenas um sanduíche. Estarei na biblioteca.

— Está bem, senhor.

Entre o saguão e a biblioteca, contudo, ficava o escritório de Tristan. Robert hesitou ao passar pela porta, mas entrou. Todos os convites para eventos aceitos pela família estavam empilhados em um canto da mesa do visconde. Independentemente de ele ter arruinado sua amizade com Lucinda ou não, não podia negar que queria vê-la de novo. Ele provavelmente deveria pelo menos oferecer sua cara a um tapa. Além disso, a segunda lição envolvia dançar. Era preciso comparecer a um evento para dançar.

Dançar. Além da dor constante no joelho esquerdo, ele nem sabia se lembrava os passos até mesmo das danças mais simples. Seria uma cena e tanto, Robert Carroway coxeando pela pista de dança com a caridosa Srta. Barrett e então caindo de cara no chão. Ele se encolheu. Pelo menos assim talvez encorajasse os outros homens presentes a tirar as moças para dançar, nem que fosse para protegê-las dele.

Analisou a pequena pilha de convites duas vezes, de toda forma. Saber o que estava acontecendo na cidade não faria mal algum. Como Tristan e Georgiana compareceriam a esses eventos, era provável que Lucinda também fosse. Por sorte, dois ou três pareciam razoavelmente pequenos e menos formais, embora preferisse saber o nível de aversão que Lucinda estava sentindo por ele antes de ir a qualquer um.

A porta da frente se abriu. Robert rapidamente empilhou os convites de volta e se encaminhou para a porta do corredor, mas parou ao ouvir algo pesado atingir o chão do saguão.

— Sr. Andrew! — exclamou Dawkins. — Nós só o esperávamos à noite.

— Consegui carona com um amigo. Quem está em casa?

— Apenas o Sr. Robert, no momento. Na biblioteca.

— Muito obrigado, Dawkins. E se a Sra. Haller puder preparar um almoço, não serei forçado a comer nenhum móvel.

O mordomo riu.

— O almoço será preparado, Sr. Andrew.

Robert fez uma careta quando Andrew começou a atravessar o corredor. não conseguiria sair do escritório para ir à biblioteca sem ser visto, então, naturalmente, Andrew pensaria que ele estava se escondendo. Ele parecia se esconder bastante, mesmo quando não tinha a intenção. Suavizando a careta, saiu no corredor.

— Bit!

O jovem de 18 anos praticamente derrapou até parar. Ergueu os braços para um abraço, então os abaixou de novo, como se tivesse lembrado de repente quem era o irmão diante dele.

— Você está mais alto — observou Robert, estendendo a mão.

A surpresa brilhou nos olhos azul-claros de Andrew, que apertou a mão estendida.

— Quase cinco centímetros. Acho que passei Shaw.

Os olhos dele migraram de Robert para o escritório de Tristan e retornaram para ele.

Robert lembrou a si mesmo de que não tinha nada a esconder.

— Eu estava olhando os convites de eventos — explicou. — Venha até a biblioteca e me conte sobre seu semestre.

— Você quer...? Está bem. — Com um sorriso contente, Andrew voltou a atravessar o corredor. — O que é aquela área que alguém desmatou perto dos estábulos?

— É meu jardim de rosas.

Aquilo o lembrava de que precisava regar as mudas. Lucinda o instruíra a fazê-lo diariamente no primeiro mês.

— Seu... — Andrew desacelerou o passo, então se virou para ele. — Você saiu para cavalgar — observou, apontando para o casaco de Robert.

— Saí com uma amiga.

Embora ele ainda aguardasse o veredito da continuidade dessa amizade.

— Com... Minha nossa. — Andrew pulou para a frente e envolveu Robert em um abraço apertado.

O primeiro instinto de Robert foi dar um passo para trás, afastando-se dos braços que o prendiam. *Acalme-se*, gritou para si mesmo, forçando-se a respirar fundo. *É só o Andrew.* Ele até conseguiu afagar as costas do irmão brevemente.

— Desculpe — disse Andrew, soltando-o. — Você está bem?

Robert assentiu.

— Você me pegou de surpresa.

— E *você* me pegou de surpresa. — Andrew o encarou com atenção, a preocupação passando novamente pelos olhos azul-acinzentados. — Mas eu o alertarei na próxima vez.

Os dois se acomodaram na biblioteca, e durante quase uma hora Andrew o regalou com uma narrativa ininterrupta dos pontos altos de seu segundo semestre em Cambridge. Depois de passar a manhã na companhia de Lucinda e da idiotice subsequente de suas ações, Robert precisava desesperadamente de alguns minutos de silêncio solitário. Mas Andrew estava tão obviamente satisfeito com seu "progresso", como tinha ouvido Tristan falar, que não conseguia tolerar a ideia de decepcioná-lo.

Mesmo assim, o esforço da sociabilidade contínua, de ter que ouvir histórias de uma vida feliz e tempestuosa, tão diferente da dele, tinha começado a fazer suas mãos tremerem. Pegou um livro e abriu, cerrando os punhos no colo para esconder do irmão sua fraqueza. Pouco depois, no entanto, as paredes começaram a se fechar, e sua pele parecia estirada sobre os músculos. *Maldição*. Se ficasse mais um segundo ali, não conseguiria impedir a escuridão.

Robert se levantou de supetão, surpreendendo Andrew, que se calou.

— Preciso ir — grunhiu, já se encaminhando para a porta.

— Você precisa de alguma coisa? — perguntou Andrew atrás dele.

— Não. Vejo você no jantar.

Robert conseguiu chegar até o quarto e bateu a porta.

— Respire — ordenou a si mesmo. — Apenas respire.

Por alguns minutos, limitou-se a fazer isso, forçando-se a caminhar devagar até a janela e de volta, em vez de marchar a passos largos, e manter a respiração lenta e estável. Para sua surpresa, o ritmo ficou mais tranquilo e, finalmente, ele parou para olhar pela janela.

O fim da tarde se estendia pelo quintal do estábulo, e seus olhos pousaram em seu pequeno jardim. Lembrou que ainda precisava regar as plantas. Sair do quarto, contudo, significaria encarar os criados e quaisquer membros da família que já tivessem voltado para casa, e conversas, e gentilezas, e…

— Pare.

Aquilo era ridículo. Tudo o que precisava fazer era regar umas plantinhas. Determinado, foi até a porta. *Será fácil*, disse a si mesmo, abrindo-a. *Desça as escadas, atravesse o corredor*. Mantendo-se de olho no próximo objetivo, ficava mais fácil. *Saia pela porta da frente, dê a volta na casa*. Dawkins abriu a porta para ele, aparentemente interpretando bem o momento, visto que o fez sem falar nada.

Pegue um balde, vá até o poço e encha-o. Assim que saiu da casa, os movimentos se tornaram mais fáceis, e ele permitiu que sua mente pensasse além de cada instante. Encheu o balde no poço atrás do estábulo e regou cada muda com cuidado. Depois, seria necessário arrancar as ervas daninhas que tinham conseguido brotar em três dias e arar o solo onde ele havia pisado e compactado a terra.

— Bit?

Com um susto, virou-se e deu de cara com Tristan a alguns metros do limite do jardim.

— O que foi?

— Você vem jantar conosco?

Piscando, Robert olhou para o céu. Não havia mais nenhum raio de sol no horizonte poente. Se não fosse pela lua quase cheia, ele estaria trabalhando no escuro completo.

Com esse tipo de escuridão, contudo, ele não se importava. Pela segunda vez consecutiva, havia afugentado a sua particular.

— Andrew chegou — avisou, apoiando o rastelo na parede do estábulo.

— Eu sei. Ele não para de anunciar que Edward é o único irmão Carroway menor que Shaw.

Robert sorriu.

— Aposto que Shaw não está muito feliz com isso.

— Não, mas *eu* estou gostando, e é isso que importa. — O visconde hesitou. — Você esteve no meu escritório.

— Sim.

Robert começou a andar na direção da casa.

— Não se zangue com Andrew, ele só mencionou isso ao contar como chegou em casa.

— Eu estava olhando os convites.

— Ele contou também. Foi por isso que pensei em avisar que a família comparecerá ao baile dos Montrose amanhã à noite, se quiser nos acompanhar.

— E Edward?

Robert não abandonaria a única pessoa que parecia confiar nele.

— Ele ficará bem por algumas horas. Pedirei ao Sr. Trost que fique até mais tarde com ele. Edward está precisando praticar um pouco de matemática, de toda forma.

— Desde que Trost fique. O Nanico não gosta de ficar sozinho.

— Então você vai?

— Todos vão?

O visconde o encarou por um instante.

— Todos de casa, além de Evie e Santo, Lucinda e o general, e também Wycliffe e Emma.

Se até mesmo o Duque de Wycliffe e a esposa iriam, então o evento não seria pequeno como ele gostaria. Ao mesmo tempo, quanto antes descobrisse quão zangada Lucinda estava com ele, melhor.

— Eu vou.

Capítulo 9

*Um ser humano que almeja a perfeição necessita preservar
a mente sempre calma e em paz, sem jamais permitir
que a paixão ou um desejo passageiro perturbem sua tranquilidade.*
— Victor Frankenstein, *Frankenstein*

COM A MÃO JÁ DOLORIDA, Lucinda ficou contente em largar a caneta e assoprar a última página de anotações para secar a tinta. Lorde Geoffrey e o general bebericavam conhaque, e a conversa havia evoluído para os méritos — ou deméritos — dos vários oficiais britânicos com quem haviam servido.

— Major Scoggins? — indagou Geoffrey, rindo. — Não é aquele que precisava ser amarrado à sela toda manhã?

— Sim, ele mesmo. Nunca soube ao certo se essas medidas eram necessárias por ele não saber cavalgar ou por causa de sua predileção ao álcool. — O general olhou para o pequeno relógio na mesa. — Minha nossa. Você fica para jantar, Geoffrey?

— Eu adoraria, mas, infelizmente, já tenho um compromisso. — Ele largou a taça. — Para falar a verdade, preciso me despedir.

Augustus Barrett levantou-se para apertar a mão do jovem.

— Obrigado, novamente, por sua ajuda.

— Não precisa agradecer, Augustus. Qualquer oportunidade para eu me gabar de meus feitos heroicos é bem-vinda. — Ele olhou mais uma vez para Lucinda. — E a plateia é, certamente, muito apreciada.

— E apreciadora, também. Eu o acompanho até a porta, milorde.

— Geoffrey, por favor.

Ele gesticulou para que Lucinda saísse na frente, e ela o conduziu pelo corredor até o saguão. Durante toda a tarde, o lorde pareceu fazer questão de incluí-la na conversa. Duas vezes, chegara a se levantar para ficar a seu lado e observá-la escrever suas anotações.

— Obrigada, novamente, por ser tão generoso — disse ela, parando ao lado do mordomo, diante da porta. — Eu nunca tinha visto o general tão entusiasmado em relação ao livro.

— Fico feliz em ajudar. — Ele pegou sua mão, tocando os lábios em seus dedos. — Talvez eu possa um dia vê-la sem caneta e papel na mão. — Belos olhos verdes a fitaram. — Impressão minha, ou você gosta de cavalgar?

Então Robert tinha razão. Ou Geoffrey os vira chegando, ou seus comparsas o haviam informado quanto às atividades de Lucinda. Ou ambos.

— Gosto, sim.

— Eu ficaria honrado se me acompanhasse em um passeio no Hyde Park, então. Amanhã de manhã, talvez?

Minha nossa.

— Tenho um almoço marcado, mas...

— Dez horas?

— Está bem.

Ele sorriu, apertando seus dedos de leve antes de soltá-los.

— Eu virei buscá-la, então. Até amanhã.

— Boa noite, Lorde... Boa noite, Geoffrey.

— Lucinda.

Ela o observou montar o cavalo e sair trotando pela via de entrada da casa, então retornou ao escritório do pai, que já estava folheando suas anotações e acrescentando comentários nas margens.

— Estive pensando — disse ele, sem erguer os olhos. — Seria abuso pedir que Geoffrey revise todos os meus diários comigo? Ele realmente tem o dom de atiçar minhas lembranças de determinados eventos e conversas.

Lucinda sentou-se diante do pai.

— Ele me convidou para andar a cavalo amanhã de manhã.

O general colocou os papéis de volta na mesa.

— Você aceitou?

— Sim. Então, se o senhor está prolongando o envolvimento dele com o livro por minha causa, pode cessar fogo e recuar.

Olhos cinza-aço a encararam, em uma tentativa de parecer austeros e inflexíveis.

— Está me acusando de cultivar a amizade de Lorde Geoffrey Newcombe para encorajá-lo a cortejá-la?

Lucinda o encarou de volta, inabalada.

— O senhor é o estrategista-mestre, meu caro.

Ele riu.

— Foi você quem sugeriu que eu o contatasse.

— Também sou estrategista — respondeu ela, recusando-se a se deixar enganar para admitir qualquer coisa.

— Bem, suponho que ele seja genuinamente útil. Suas lembranças ao menos confirmam as minhas.

— Então, use-o a seu bel-prazer, general.

— Obrigado. — O sorriso dele desapareceu, e ele se inclinou para a frente, apoiando os dois cotovelos nas pilhas de anotações e nos diários. — Você também foi andar a cavalo com Robert Carroway.

Lucinda assentiu, suprimindo com firmeza o pensamento do beijo suave e atordoante dele.

— E o senhor também não precisa encorajá-lo ou encorajar suas lembranças de guerra por minha causa.

— Não o farei. — O general fez um carinho na mão da filha. — Sei que você cresceu em meio a militares e suas histórias. Mas, pelo amor de Deus, Lucinda, não há motivo algum para você se contentar com alguém como Robert Carroway. Não com tantas opções melhores à disposição.

Ela desvencilhou a mão.

— Fomos andar a cavalo, papai. Ele é cunhado da minha melhor amiga e, às vezes, é... difícil, para ele, conversar com as pessoas. Ele não é um pretendente e certamente não me regala com histórias da guerra, sejam elas fascinantes ou não. E eu jamais me acomodaria, sob qualquer circunstância.

Suspirando, o general se levantou.

— Continue com seu ato de caridade, então. Apenas espero que, pelo bem dele, você tenha deixado clara sua falta de interesse.

— É claro que deixei.

Lucinda permaneceu sentada por um bom tempo depois de o pai ter saído do escritório. O beijo que Lorde Geoffrey dera em sua mão fora galanteador e frívolo, sob hipótese nenhuma deveria ser levado a sério. Robert Carroway, no entanto, não brincava em serviço. Ou melhor, simplesmente não brincava.

Ela tocou os lábios, mas logo colocou as mãos de volta no colo. Pelo amor de Deus, aquilo mal tinha sido um beijo. Lucinda franziu a testa. Breve ou não, o beijo indicava que ela precisava encerrar o acordo imediatamente, antes que as coisas se tornassem ainda mais complicadas. Já tinha percebido que o prazer que sentia ao ver Robert não tinha nada a ver com caridade. Mas jamais poderia considerar o soldado ferido e destroçado como um pretendente, muito menos como um potencial marido. Seu pai jamais o aceitaria, e, mais que isso, qualquer relacionamento que mantivesse com Robert complicaria sua vida uma centena de vezes. Milhares de vezes.

Tudo o que queria era um marido gentil, atencioso e descomplicado, que ajudasse a cuidar do pai quando ele envelhecesse e não ressentisse a atenção que Lucinda dedicava ao general. *Tranquilidade*. Era muito a pedir?

— Porcaria.

Se era tranquilidade que buscava, provavelmente não deveria estar pensando nem em Robert, nem em seus beijos.

Depois de procurar por um tempo, Robert encontrou três caixas de música — duas no sótão e a terceira no salão matinal das tias. Ele as colocou debaixo do braço e se encaminhou para o salão de café da manhã.

— Bom dia — cumprimentou Georgiana, erguendo os olhos do prato para encará-lo.

— Bom dia.

Ao vasculhar a sala, Robert franziu o cenho. Ele estava procurando por Georgiana, então sua presença era bem-vinda, mas Tristan também estava ali, comendo. Hum. Uma ajuda extra até que viria a calhar, mas não de seu maldito irmão.

— O que você tem aí? — perguntou o visconde.

— Nada. — Ele ajeitou as pesadas caixas. — Já terminou de comer?

Imediatamente, Tristan empurrou o prato.

— Sim. Do que você precisa?

— Preciso que saia — respondeu Robert.

— Sair daqui?

— Sim.

Georgiana riu, antes de dizer:

— Tenho que responder algumas correspondências mesmo.

— Não, você não — emendou Robert, sentindo uma vontade incomum de sorrir. — Apenas Tristan.

— Apenas eu.

A viscondessa fez um carinho no braço do marido.

— Sinto muito, Dare. Dê-me um beijo e vá embora.

— Então é assim? — protestou Tristan de leve, levantando-se. — O patriarca da família. Banido sem cerimônia.

— Adeusinho — respondeu Georgiana, rindo.

— Bem, sei quando não sou bem-vindo. — Ele olhou para os dois criados parados perto da janela. — Se estou sendo forçado a sair, vocês não podem ficar. Fora.

Dando um beijo no rosto de Georgie, Tristan pegou uma laranja no aparador e saiu logo atrás dos criados.

— E o que *eu* posso fazer por você, Bit? — perguntou Georgie.

Então vinha a parte difícil. Soltando a respiração, Robert colocou as caixas de música na mesa.

— Preciso saber se consigo... dançar sem parecer um idiota completo. — Como a viscondessa não gritou nem se contorceu de rir, ele abriu as caixas de música, uma após a outra. — Encontrei uma valsa e duas canções folclóricas. Você...

— Acho que devemos migrar para o salão matinal — interrompeu ela. — Seus irmãos ainda não tomaram café da manhã e não queremos que eles nos interrompam.

Ela pegou uma caixa de música, deixando duas para ele, e saiu da sala.

Tristan ainda estava pelo corredor e fingiu inspecionar um vaso de íris roxas quando eles passaram. Robert já tinha começado a pensar que aquela era uma má ideia, mas tentou ignorar o calafrio que se espalhava pelo corpo. Aparentemente, acordar pela manhã após uma boa noite de sono, repleta de sonhos tranquilos, de passeios a cavalo, era o suficiente para enlouquecê-lo.

Ele só precisava saber se ainda conseguia dançar, disse a si mesmo. Determinar se ainda tinha a habilidade e as competências necessárias para fazê-lo não significava que havia decidido dançar em público.

— O que vocês vão fazer? — quis saber Edward, que surgira no corredor da ala oeste da casa.

— Limpeza — respondeu Georgiana. — Vá tomar café da manhã.

Eles chegaram ao refúgio ladeado de cortinas cor-de-rosa das tias sem encontrar nenhum outro Carroway. Robert colocou as caixas de música no parapeito da janela e se virou para a cunhada.

— Preciso alertar — disse, trincando o maxilar — que não sei se consigo...

— Sem desculpas — interrompeu Georgiana. — Vamos começar com a valsa?

Antes que ele pudesse responder, ela abriu a tampa da caixa de música, ergueu os braços, posicionando-os, e esperou.

Georgiana era confiável, lembrou a si mesmo, dando um passo adiante. O mais próximo que Robert tinha de uma irmã. A cunhada compreendia ao menos parte do que o atormentava, e ele confiava o suficiente nela para ter lhe contado uma para do que acontecera. É claro que podia dançar com ela.

Engolindo em seco, ele pegou a mão dela, posicionando a outra em sua cintura. Sorrindo encorajadoramente, Georgiana segurou o ombro dele.

Ela era quente, vivaz e feminina, mas a repulsa — não por ela, mas por si mesmo — o inundou. Com um grunhido sufocado, Robert se afastou, cerrando os punhos com tanta força que as articulações ficaram brancas.

— Bit?

— Peço desculpas — ele conseguiu dizer, encaminhando-se para a porta. — Isso foi um erro.

— Não foi um erro — respondeu Georgiana com firmeza. — Estarei aqui quando quiser praticar.

Dessa vez, a escuridão o atingiu em cheio, e o pânico quase o derrubou antes mesmo que pudesse chegar ao quarto. Ele cambaleou para seu santuário e bateu a porta.

Minha nossa. Onde estava com a cabeça? Achava que poderia voltar a ser quem era, que poderia dançar, rir e achar uma mulher atraente como se nada tivesse acontecido? Ele não tinha direito algum. Pelo amor de Deus, deveria estar morto. E os mortos não conheciam nada além da escuridão.

Ele se agachou em um canto, balançando-se para a frente e para trás. *Pare, pare, pare.*

—ɷ—

— Que diabos você fez com ele? — ralhou Tristan, caminhando de um lado para outro diante da porta de Bit.

— Não fiz nada — respondeu Georgiana, mantendo a voz mais baixa que a do marido. — Ele tentou uma coisa e foi mais do que estava preparado para aguentar. Só isso.

— Mas...

— Fale baixo, Tristan. Robert não precisa saber que estamos falando dele, pelo amor de Deus.

— Mas ele estava melhorando — sibilou Tristan.

— Ele *está* melhorando. Eu acho. — Ela suspirou. — Já fazia quase duas semanas que não tinha um ataque tão... violento.

— Isso não está ajudando. — Dare ficou andando de um lado para outro em silêncio. — Já sei o que as pessoas fazem quando as mulheres estão histéricas.

— Tristan? Tristan! Ele não é uma mulher e não está histérico!

Robert levantou-se de repente, cambaleando até a porta para ouvir, tentando controlar o tremor ao menos para conseguir segurar a maçaneta. Aquilo não diminuía a vontade de vomitar, mas não queria ser encontrado encolhido no chão.

Pense em outra coisa, berrou para si mesmo. Tinha funcionado antes. Uma distração. Algum outro pensamento que não a realidade de que não eram apenas os sete meses de privação, dor e terror que o assombravam. Nem os cinco tiros que tinha levado. Era o que havia se passado quando ele desistira — quando se despedaçara.

E por não poder contar nada a ninguém. A maneira como o olhavam já era ruim o bastante. Se descobrissem o que realmente tinha acontecido...

Robert abriu a porta.

— Vá em...

Uma baldada de água gelada o atingiu em cheio no rosto.

O choque o atordoou por uma fração de segundo. Agindo por instinto, ele arrancou o balde da mão de seu agressor e o arremessou com força na parede oposta.

— Bit! Robert! Sou eu! — gritava Tristan, empurrando as mãos que o irmão apertava em sua garganta.

Robert piscou para eliminar a água dos olhos.

— Eu sei que é você — grunhiu, soltando-o e fazendo uma careta que esperava demonstrar repugnância. — Não faça isso de novo. — Ele sacudiu o cabelo molhado, dando um passo para trás. Suas roupas estavam encharcadas até a barra da calça, e ele podia jurar que a água chegara a empoçar suas botas. — Que droga, Tristan.

— Eu falei para ele não fazer isso — disse Georgiana, torcendo a água da ponta de seu xale. — Vamos ao menos tirar essas roupas molhadas de você.

Robert afastou-se dela.

— Eu cuido disso.

Começara a perceber, no entanto, que, embora o coração ainda estivesse acelerado e a respiração ofegante, a sensação era... normal. Quase tinha se afogado, ora essa. E parecia ter funcionado. O pânico sombrio ainda espreitava nos confins de sua mente, como sempre, mas algo o afugentara depressa.

Robert olhou para Tristan, que ainda parecia sem fôlego, a gravata encharcada e toda torta, depois de quase ter sido enforcado pelo próprio irmão. O visconde não aparentava estar nem um pouco zangado, contudo — na verdade, parecia preocupado e até estar achando um pouco de graça.

— Retiro o que disse — aquiesceu Robert lentamente.

— O quê?

— Quando pedi para não fazer isso de novo. Mudei de ideia.

— Ah. Bem, achei que poderia ajudar você a...

— Vou me trocar.

Robert bateu a porta, voltando para dentro do quarto.

Lentamente, tirou o casaco e desabotoou o colete, largando-os no chão. Concluiu, enquanto buscava uma camisa limpa no roupeiro, que os eventos da manhã haviam deixado duas coisas claras. Um: ele tinha muito trabalho a fazer se quisesse dançar com Lucinda à noite. E dois: aprendera uma segunda forma de distrair a mente e manter o inferno longe. Pensar em Lucinda e em jardins de rosas era, certamente, menos prejudicial para suas roupas, mas supunha que um balde d'água funcionaria em casos de emergência.

— Que maravilha — resmungou, arrancando a gravata ensopada e jogando-a na pilha de roupas molhadas. — Agora só preciso encontrar uma maneira de levar baldes comigo o tempo todo.

―᠁―

— ...e então decidi que talvez fosse prudente recuar.

Lucinda riu.

— "Talvez fosse prudente" — repetiu ela.

Lorde Geoffrey ergueu a sobrancelha.

— Poderia ter sido um erro.

— Cem homens da cavalaria francesa montaram acampamento a seis metros de onde você se sentou para almoçar. Eu diria que a retirada foi, sem sombra de dúvidas, *extremamente* prudente.

O passo lento que eles foram forçados a acatar em meio à multidão por fim os levara de volta ao limite leste do Hyde Park. E Lucinda precisava, novamente, dar o devido crédito a Robert Carroway pela percepção apurada — Geoffrey só tirara os olhos dela para escolher as trilhas de cavalgada.

Lucinda fizera sua parte para encorajar o interesse dele, é claro, tendo decidido usar seu conjunto de casaco de cavalgada e saia carmesim em estilo militar. Ser encantadora e atenciosa na presença dele era fácil, e, a menos que estivesse redondamente enganada, a atenção de Geoffrey se devia a mais que apenas boas maneiras.

Por mais divertida que a manhã estivesse sendo, algo a incomodava. Lucinda odiava admitir, até mesmo para si própria, mas não era possível um passeio tranquilo pelo Hyde Park com um galope de embaraçar os cabelos no campo. E, embora ela gostasse de pensar que ser encantadora era parte natural de sua personalidade, o esforço para ser agradável o tempo todo também a deixava um pouco insegura. Com Robert, nem precisava falar, se não quisesse.

Lucinda piscou. Quanta bobagem. Poder galopar e ficar em um silêncio confortável não era o que se esperava de um pretendente aceitável. Ela precisava se concentrar. Tinha um sobrenome de respeito e uma fortuna considerável, mas Geoffrey era de uma das famílias mais auspiciosas da cidade. Um casamento honraria todos os envolvidos. Além disso, ele era tão encantador quanto bonito, e parecia que havia outra centena de jovens damas lutando por sua mão.

— Você comparecerá ao baile dos Montrose esta noite? — perguntou ele.

— Pretendo.

— Diga que reservará uma valsa para mim, Lucinda.

Ela sorriu.

— Eu reservarei uma valsa para você.

— E uma quadrilha.

Dançar duas vezes com o mesmo cavalheiro na mesma noite não era incomum, embora fosse transmitir à alta sociedade o recado de que ele a tinha em alta estima.

— E uma quadrilha.

— E uma dança folclórica.

— Você está correndo o risco de privar todos os outros de sua companhia — disse ela, contendo-se para não franzir o cenho.

Três danças poderiam arruinar sua reputação.

— Fui longe demais — aquiesceu ele. — Peço desculpas.

— Ora, francamente, Geoffrey. Você sabia que eu negaria e está apenas tentando me bajular.

Geoffrey riu.

— Ao menos diga se fui bem-sucedido.

— Você teria sido bem-sucedido se não tivesse me atrasado para meu compromisso no almoço.

Ele pegou o relógio de bolso, fez uma careta, então gesticulou para seu cavalariço, que estava ali como acompanhante.

— Suponho que você não permitirá que eu mande Isaac adiante para avisar que você se atrasará um pouquinho?

— Acho que não.

— Hum. Talvez seja melhor eu levá-la para casa, então.

Ela riu novamente.

— Sim, talvez seja.

Diante da porta de casa, ele insistiu em ajudá-la a descer de Isis. Se Lucinda fosse uma debutante de 18 anos, provavelmente desmaiaria com toda aquela atenção, mas nunca fora mulher de desfalecer. Seis anos após seu debute, sentia-se lisonjeada, sim, porém mais que isso, sentia uma satisfação quase presunçosa.

Tudo estava progredindo exatamente como planejara: o general aprovava Geoffrey; ela gostava dele; ele definitivamente parecia interessado; e não parecia haver perspectiva alguma de traições, dores de cabeça ou euforia indevida. Se não fosse pela distração de certos olhos azuis, tudo estaria perfeito.

— Foi uma manhã maravilhosa, Geoffrey. Obrigada.

Ele levou sua mão até os lábios.

— Eu que agradeço, Lucinda. Espero que esta seja a primeira de muitas manhãs que passaremos juntos.

Ela apenas sorriu. Ora essa, não sucumbiria diante de um homem loquaz, embora seu esforço certamente fosse apreciado. Era bom ouvir aquilo, mas não era o motivo de sua escolha.

— Vejo você esta noite.

— Até lá.

Só quando entrou em casa que Lucinda percebeu que suas parceiras para o almoço já estavam lá, esperando por ela.

— Estou atrasada? — perguntou, seguindo o mordomo até o salão matinal.

Evelyn se adiantou, os olhos cintilando.

— Nós é que estamos adiantadas.

— E esperamos que esta seja a primeira de muitas — acrescentou Georgiana, com uma expressão excessivamente meiga.

— Muito engraçado — grunhiu Lucinda, corando. — Na próxima vez, mandarei Ballow fechar as janelas.

— As coisas parecem estar correndo bem — observou Evie, dando um beijo em seu rosto. — Vamos? Eu trouxe a carruagem.

— Vocês se importam se eu me trocar primeiro? — perguntou Lucinda. — Vai levar só um minuto.

— É claro que não. Ficaremos aqui fofocando sobre você.

Lucinda correu para o andar de cima, chamando Helena no caminho. Dentro do quarto, tirou o chapéu e o casaco de cavalgada. O vestido que escolhera para o almoço já estava em cima da cama, esperando por ela.

Quando alguém bateu à porta e a abriu, não era a aia. Georgiana entrou no cômodo, parecendo desconfortável.

— Deixe-me ajudar com isso — disse, após um instante.

— Helena já está vindo...

— Não, não está. Eu vou substitui-la.

— Ah. Por quê?

— Porque quero conversar com você e não quero que mais ninguém ouça. Nem mesmo Evie.

Lucinda soube na hora que era sobre Robert. Lentamente, largou a escova de cabelo.

— Eu gosto de Robert — confessou ela baixinho. — Como amigo. Mas, com o general, minha vida é... complicada o bastante. Parece egoísta, mas quero um marido que torne as coisas mais fáceis. Não mais difíceis.

Georgiana respirou fundo.

— Não é egoísta, Luce. É prático. *Você* é prática. E não estou tentando casar ninguém. Mas Bit está sofrendo há muito tempo e parece enxergar você como alguém com quem ele pode conversar.

— Eu discuto com ele — contou Lucinda. — Ou melhor, não me esquivo da discussão.

Georgiana assentiu.

— Talvez esse seja o segredo. Ficamos todos preocupados demais em afastá-lo ainda mais se dissermos algo errado.

— Georgie, ficarei feliz em brigar com Robert sempre que ele quiser.

— Obrigada. — Ela sorriu de leve. — Certo. Isso é extremamente complicado e não vou envolvê-la contra sua vontade.

Ah, a culpa. Se fosse apenas isso, ela teria simplesmente mudado de assunto. Se ele não a tivesse beijado, e se o beijo e a presença dele não fossem mais interessantes do que gostava de admitir, não teria falado mais nada. Lucinda suspirou.

— Eu tenho, de fato, me perguntado por que já o vi mais vezes nos últimos dez dias do que nos últimos três anos.

— Acho que ele está tentando voltar — explicou Georgiana, ajudando Lucinda a colocar o vestido de musselina azul. — Só sei um pouquinho do que aconteceu, mas... — Ela parou, engolindo em seco. — Foi terrível, Luce. Então ficarei grata por qualquer coisa que você puder fazer por ele.

Bem no fundo, Lucinda queria muito saber por quais coisas terríveis ele havia passado. Se perguntasse, contudo, se descobrisse, tudo mudaria. As coisas já tinham começado a mudar, mas ela certamente ainda conseguia conter seu interesse por Robert.

— Farei o possível — prometeu.

―☞―

Andrew estava passando pela biblioteca quando Robert o pegou pelo braço e o puxou pela porta.

— Mas que di...

— Preciso da sua ajuda — disse Robert, falando rápido, antes que pudesse mudar de ideia. — Mas se você contar para alguém, eu vou...

— Não direi uma palavra — prometeu Andrew, cambaleando enquanto tentava recuperar o equilíbrio.

— Erga os braços.

Parecendo desconcertado, Andrew obedeceu. Sem dar a si mesmo tempo para considerar se conseguiria ou não, visto que ambas as possibilidades o incomodavam, Robert pegou a mão do irmão e colocou a outra em seu ombro. Segurando a cintura de Andrew com a mão livre, deu início a uma valsa.

— Saia de cima do meu pé — ralhou Andrew, tropeçando de novo.

Robert fechou os olhos, tentando sentir a música e se lembrar dos passos.

— Pare de tentar conduzir.

— Ah. Certo.

Embora jamais pudesse confundir Andrew com uma mulher — um dos principais motivos para a escolha —, o irmão era um bom parceiro de dança. Após alguns instantes, Robert pôde sentir o corpo relaxar, os passos se tornaram mais fáceis e mais fluidos. Seu joelho doía, mas não mais do que de costume e parecia resistente o suficiente. A sensação inquieta e debilitada do ataque da manhã ainda persistia, mas sabia como escondê-la.

Ele abriu os olhos de novo quando Andrew começou a cantarolar algo no ritmo certo, mas terrivelmente fora de tom.

— Pareceu... estúpido? — perguntou Robert, parando e soltando o irmão.

— A despeito da sensação de que eu estava indo na direção errada, não notei nada de impróprio. — Ele abriu aquele sorriso fácil e carismático dos Carroway. — Para falar a verdade, você não dança nada mal.

— Obrigado.

Subitamente, o sorriso desapareceu.

— Você não vai fazer eu me vestir como uma moça hoje à noite para dançar com você, vai? Porque é verdade, você é muito bom, e duvido que qualquer garota teria objeções em...

— Não, não farei você usar vestido — respondeu Robert, sorrindo de alívio com seu sucesso. — Eu só queria ter certeza de que me lembrava dos passos.

— Ah. Você lembra. E... — Andrew olhou para a porta fechada do salão. — Eu preciso encontrar uns amigos meus para al...

— Já terminei com você — interrompeu Robert. — Pode ir.

— Certo. Obrigado.

Depois que Andrew saiu, Robert fechou a porta e praticou alguns giros e reverências enquanto se encaminhava para a janela. Ele conseguiria, embora achasse seus passos um tanto enferrujados, mesmo depois da aprovação de Andrew. Mas, considerando como havia começado a manhã, não podia deixar de sentir certa satisfação.

A sensação agradável durou quase trinta segundos, até perceber que não poderia esperar simplesmente ir até Lucinda, dançar a valsa com ela e escapulir. Não, para ajudá-la com a lição número dois, para continuar com um pretexto para lhe fazer companhia, precisaria dar o exemplo — e, nesse caso, isso significava dançar com outras moças, *todas as músicas da noite*.

Robert desabou no peitoril da janela. Aquilo seria impossível. Ele soltou um palavrão, dando um soco no caixilho de madeira. Ficou sentado por vários minutos, odiando a si mesmo e tudo que havia de errado com ele, até se lembrar de algo que a própria Lucinda dissera. Sua lição pretendia ajudar as moças que ficavam junto à mesa de bebidas ou nos cantos do salão — as que não tinham dotes, as que não tinham boa aparência, charme, inteligência ou graça em seu favor. As sem esperança.

Uma dama que tivesse que escolher entre permanecer sentada durante mais uma música ou dançar com ele ao menos hesitaria antes de recusar. E, se havia alguém capaz de entender uma pessoa sem esperanças ou perspectivas, esse alguém era ele. Com sorte, as moças não esperariam muito dele, e Robert ainda teria uma pequena chance de permanecer invisível a todos, à exceção de Lucinda — e de Geoffrey Newcombe, é claro, que seria um tolo se não ficasse de olho em um inesperado, embora improvável.

Um rival. Ele. Aquilo era inimaginável, a não ser pelo fato de que Robert *conseguia* imaginar. Lucinda Barrett. Gostava dela, apreciava sua companhia, mas era mais que isso. Ele a desejava, desejava sua serenidade, sua independência, sua confiança — ela era como esperança para um homem que perdera a fé fazia muito tempo.

Por esse motivo, sabia que deveria ficar longe, nem que fosse para o bem da própria Lucinda. Não podia evitar querer vislumbrar o paraíso, mas tentar trazer um anjo para seu mundo era outra coisa... Um deles — ou ambos — pegaria fogo e queimaria até virar cinza.

Não, ela os enxergava como amigos e, portanto, amigos eles deveriam permanecer — mesmo que aquilo o matasse. Essa parte deveria ser fácil. Estava morto havia anos.

Capítulo 10

*Ganhei esperança de que minhas tentativas atuais pudessem,
ao menos, lançar os alicerces de um sucesso futuro.*
— Victor Frankenstein, *Frankenstein*

— É COISA DA MINHA cabeça — comentou o General Barrett — ou todos os residentes de Mayfair estão presentes esta noite?

— Não acho que seja impressão sua — respondeu Lucinda, segurando o braço do pai. — Céus. Aquilo é um malabarista?

A cena não a surpreendia tanto assim. Lady Montrose havia anos tentava firmar seus bailes como o evento da Temporada. Até então, ela fracassara.

— Vejo que Geoffrey fez questão de chegar pontualmente — observou o general.

— Para ser sincera, ele não foi o único, papai — ponderou Lucinda. — O senhor acabou de comentar que toda May...

— Você entendeu o que eu quis dizer, menina. Não o monopolizarei esta noite, então essa tarefa caberá a você.

— Não monopolizarei ninguém. — Seus olhos avistaram uma conhecida do outro lado do salão e Lucinda sorriu. — Ah, veja. Parece que a Sra. Miller retornou de sua excursão para ver as pinturas de Veneza.

— Lilian? Onde?

Lucinda o virou na direção da viúva e soltou seu braço.

— Lembre-se de que o senhor me prometeu uma valsa — lembrou ela.

— Eu a reservarei para você, mas posso abrir mão da minha dança, se necessário.

O fato de seu pai estar disposto a sair de seu lado era um grande indicativo do que pensava quanto às suas perspectivas com Lorde Geoffrey. Lucinda sorriu quando o Adônis da Temporada se aproximou.

— Boa noite, Geoffrey.

Ele deu um beijo em sua mão.

— Lucinda. — Ele a olhou de cima a baixo. — Você está linda.

— Obrigada.

O vestido azul-escuro com bordado prateado era um de seus preferidos, e era bom saber que ele também gostava.

— E você reservou duas danças para mim em seu programa?

— Com exceção de meu pai, você foi o primeiro cavalheiro a pedir por uma dança.

Geoffrey pegou o programa e lápis e marcou o próprio nome na valsa e na quadrilha de sua preferência.

— É uma pena que não haja cavalheiros suficientes para manter Francis Henning longe da pista de dança esta noite — comentou. — Tem certeza de que só me concederá duas danças?

Por um instante, Lucinda ficou irritada por Geoffrey e seus amigos ainda estarem sabotando o pobre Francis, mas então concluiu que talvez fosse só provocação. Além disso, ele tinha razão quanto a uma coisa: o número de damas era muito maior que o de cavalheiros naquela noite, e várias acabariam sentadas a noite toda.

— Duas danças — repetiu ela, sorrindo para suavizar a recusa. — Mas não se desespere, duvido que lhe faltarão parceiras.

— Nenhuma se comparará a você.

Ele pediu licença para cumprimentar seu pai. Em um período que pareceu durar menos de um minuto, todas as suas danças foram requisitadas. Por fim, em meio à aglomeração de pessoas, ela avistou as figuras altas de Lorde St. Aubyn e Lorde Dare e foi até lá.

— Luce, isso aqui não é uma loucura? — exclamou Evie, abraçando-a.

— E eu lhe disse que você ficaria divina de azul.

— Sim, você tinha razão. Eu admito — respondeu ela, virando-se para cumprimentar Georgie.

Evie, no entanto, segurou seu braço.

— Ainda não — sussurrou. — Dare está tentando convencê-la a ir embora. Ele tem medo de que o salão fique abafado demais com tanta gente.

— Ele provavelmente tem razão.

Enquanto Lucinda observava, Georgiana colocou um dedo nos lábios do marido e lhe deu um beijo.

— Prometo que, ao primeiro sinal de qualquer desconforto, eu avisarei e nós vamos embora.

— Promete?

Enquanto isso, Santo abaixou-se e sussurrou algo no ouvido de Evie, que corou intensamente. Antes que ela pudesse responder, ele foi atrás de um criado para conseguir um copo de ponche.

— O que ele disse? — quis saber Lucinda.

— Ele só estava... Esqueça — respondeu a amiga, pigarreando. — Mas venha cumprimentar Georgie. Você jamais adivinhará quem está aqui hoje.

Mas Lucinda já sabia, porque o via do outro lado do salão.

— Robert Carroway.

Ele a encarava. O cabelo castanho bagunçado batia nos ombros e encobria um dos olhos azuis. O paletó e a calça preta realçavam a rigidez esguia de seu corpo, ao passo que o colete carmesim se destacava, radiante e surpreendente como sangue. Ele parecia um lobo mais uma vez, faminto e definitivamente à espreita.

Lucinda esperava que Robert se aproximasse, mas ele apenas inclinou a cabeça e desapareceu novamente em meio à multidão. *Ora, ora.* Segundo Georgiana, ele a via como uma espécie de salvadora. O mínimo que podia fazer era cumprimentá-la e se aproximar o suficiente para que ela visse a expressão em seus olhos, a fim de avaliar se ele estava pensando em beijá-la de novo.

— Quem é seu par para a primeira dança? — perguntou Georgiana, juntando-se a elas.

— Lorde Geoffrey.

— Certo.

— Pareceu-me uma boa estratégia — explicou Lucinda, ignorando o tom complacente de Georgie. — A primeira dança e a última valsa.

— Com certeza — concordou Georgiana. — Mas eu vi a lista das suas lições, minha cara. Acho que podemos dizer com segurança que Lorde Geoffrey aprendeu direitinho a lição número um.

— Ah, eu tenho uma pergunta — disse Evie, chegando mais perto e baixando o tom de voz quando Geoffrey começou a se aproximar. — Se ele a pedir em casamento antes de estarmos satisfeitas quanto ao cumprimento de todas as quatro lições, devemos permitir que você o aceite de toda forma?

— Você só está provocando — respondeu Lucinda, sorrindo —, mas não me lembro de você estar, nem de longe, tão segura de si quando começou a instruir St. Aubyn.

— Basta de falar de mim, Luce. É sua vez, minha querida.

A orquestra indicou que começaria a primeira música da noite. No mesmo instante, Geoffrey apareceu ao seu lado.

— Lady St. Aubyn, Lady Dare, receio ter que privá-las de Lucinda.

— É claro — disse Georgie, assentindo.

Evie foi menos contida.

— Divirtam-se! — exclamou, mandando um beijo para Lucinda.

— Sua amizade com elas é impressionante — comentou Geoffrey, conduzindo-a até seu ligar na fila. — Sempre tenho a sensação de que estou cortejando as duas e também suas famílias, além de você e de seu pai.

Lucinda começou a responder, mas, quando a música começou a tocar, percebeu o que exatamente ele acabara de dizer. Ele não estava tentando conquistar seu coração, da mesma forma que ela não tentava conquistar o dele. Interessante. Ambos estavam sendo mercenários. Aquilo certamente tornava as coisas mais fáceis, mas, mesmo que fingisse que não a afetava, tal percepção a magoava um pouquinho lá no fundo.

Obrigou a mente a retornar ao momento presente quando os movimentos da dança os reuniram novamente.

— Preciso admitir, o general parece impressionado com você. Ou com sua memória, ao menos.

Geoffrey riu.

— Fico feliz em ser ú... Ora, quem diria?

Virando-se para olhar na mesma direção que ele, a própria Lucinda ficou sem palavras. A Srta. Margaret Heywater havia se juntado à dança.

Amaldiçoada com a combinação abominável de um dote inexistente e uma tendência a piscar demais e dar um sorriso afetado, naquele momento, com as bochechas coradas e o meneio de seu vestido de segunda mão, ela estava até atraente. E Lucinda sabia, sem sombra de dúvidas, que aquele milagre se dava ao homem à direita da Srta. Margaret, que segurava seus dedos e sorria para ela, girando e bailando com uma elegância um tanto enferrujada que fez Lucinda subitamente querer chorar.

Mais pessoas tinham começado a reparar, e a Srta. Margaret ergueu a cabeça em resposta, o que lhe conferiu um contorno ainda mais elegante. Por outro lado, se Robert percebera que metade dos convidados presentes o observava, não deu sinal algum.

Quando quase trombou com Lorde Charles Daymore, Lucinda piscou, segurando a mão dele bem a tempo de impedir que a dança toda desandasse. As fileiras de homens e mulheres giravam e se mesclavam, tocando e soltando mãos e migrando para o próximo parceiro.

Quando chegou a Robert, ela percebeu que prendia a respiração.

— Olá — cumprimentou Lucinda, quando suas mãos se encontraram.

Ele assentiu, os olhos azuis indo de encontro aos dela.

— Lição dois — murmurou ele, afastando-se novamente.

Todos os parceiros voltaram a se reunir, e Lucinda viu Geoffrey olhando para trás, para Robert e a Srta. Margaret.

— Aquele aleijado nunca dança com ninguém — resmungou ele. — O que ele sabe sobre Margaret Heywater que eu não sei?

— Por favor, não fale assim. E talvez ele esteja apenas sendo gentil.

— Metade do programa de baile dela deve estar vago, de toda forma, então não deve ser difícil de descobrir.

Lucinda conteve um sorriso. Robert fizera outro milagre. Depois que Geoffrey dançasse com Margaret, todos os outros cavalheiros presentes iriam querer saber o motivo de tanto alvoroço.

De repente, Geoffrey segurou sua mão de novo, apertando mais forte do que antes.

— Não estou querendo dizer que qualquer outra presença feminina poderia roubar minha atenção de você.

— É claro que não — respondeu ela, refletindo sobre a declaração.

Ele esperava que ela sentisse ciúmes? Lucinda deveria sentir ciúmes?

— Você realmente não faz ideia do que o levou a dançar com ela?
— Não — mentiu Lucinda. — Nenhuma.
— Mas você alega ser amiga dele.
— Eu não perguntei, assim como ele não perguntou por que estou dançando com você — retrucou, começando a se sentir irritada. — Acho que a solução é você convidá-la para uma dança e descobrir por si só.

Geoffrey olhou para ela por trás das suas mãos unidas e sorriu.
— Peço desculpas novamente, Lucinda. Estou dançando com você, e você deve ser o foco de meus pensamentos.

Ela sorriu para demonstrar que não estava ofendida.
— Você tem duas danças comigo. E o restante da noite pertence a você.

Assim que a dança acabou, meia dúzia de homens — Geoffrey entre eles — abordaram Margaret, como Lucinda previra. Robert, no entanto, havia desaparecido de novo. Ele certamente fizera sua boa ação. Uma jovem que ficaria a noite toda sem participar do baile havia ganhado parceiros para todas as danças. E alguns dos homens que costumavam ficar parados conversando sobre cavalos ou fazendo apostas se viram tomando alguma providência útil.

— Vinho? — ofereceu Santo, aparecendo ao seu lado.
— Sim, obrigada. — Ela aceitou a taça que ele ofereceu e tomou um bom gole. — Onde está Evie?
— Testando minha paciência com Bradshaw — respondeu o marquês, apontando para o casal que se posicionava para a quadrilha.

Ela procurou por seu próprio parceiro, mas Charles Weldon ainda estava no grupo que rodeava a Srta. Margaret.

— Você vai dançar esta noite? — perguntou a Santo.
— Apenas com Evelyn, a menos que você requeira um parceiro, é claro.
— Receio estar com o programa cheio, mas obrigada.

Ela — e o restante de Londres — conhecia a fama de St. Aubyn havia anos. Sua reputação diabólica era justificada, mas a mudança em seu comportamento desde que ele conhecera Evelyn era notável. Mesmo assim, embora Lucinda tivesse aprendido a apreciar sua perspicácia mordaz e sua inteligência, nunca sabia ao certo o que ele poderia dizer — ou fazer.

— Estou curioso com relação a uma coisa — comentou ele, sem tirar os olhos de Bradshaw e Evie.

— A quê?

— Sua família e os Carroway são próximos, mas o que aconteceu entre seu pai e Robert?

Ela o encarou, uma sensação desconfortável palpitando no estômago. Certamente o pai jamais mencionara suas apreensões com relação a Robert a ninguém — sobretudo se fizesse parte de seu círculo de amizade.

— Não sei do que você está falando.

Santo deu de ombros.

— Talvez eu esteja interpretando Robert errado. — Ele deu um sorriso ardiloso. — Tenho a tendência a procurar confusão.

Santo jamais interpretara qualquer coisa errado, pelo que Lucinda se lembrava. É claro que o pai não tinha muita estima por Robert, mas ela não fazia ideia de que poderia ser mútuo. Franziu a testa.

— O que você acha que sabe, Santo?

O sorriso dele aumentou.

— Acho que seu parceiro está esperando por você — disse ele, então pegou seu braço, aproximando-se. — Não me importo em ter minha própria curiosidade satisfeita — murmurou —, mas não compartilho.

— Hum. Muito conveniente. — Charles aguardava atrás dos dois, então ela se virou para segurar seu braço. — Conduza-nos até a quadrilha, por favor.

A dança mal havia começando quando avistou Robert de novo, dessa vez na companhia de Hyacinth Styles. Uma garota afável, mas muito tímida; sua presença na pista de dança era quase tão surpreendente quanto a de Robert. O casal acabou em um grupo um tanto distante no salão, o que irritou Lucinda um pouco — principalmente porque teve que admitir a si mesma que queria muito conversar com o Sr. Carroway.

Evie e Bradshaw não paravam de olhar na direção de Robert, embora Lucinda achasse que seria melhor para Shaw se ele ficasse de olho em St. Aubyn. Ela olhou para Santo, que estava junto de Tristan e Georgiana. Ele não teria mencionado um problema entre Robert e o general a menos que tivesse certeza do que estava falando.

O que seria? E por que ela não tinha percebido antes? É claro que, durante anos, a rixa entre Georgiana e Tristan a afastara dos Carroway, mas eles estavam juntos havia mais de um ano. E, mesmo assim, até recentemente, seu pai jamais havia mencionado o nome de Robert — não na presença dela, pelo menos.

— Lucinda, você pretende ir a Vauxhall no sábado? — perguntou Charles enquanto rodeavam um ao outro. O tom desesperadamente animado a lembrou de que mal tinha dito uma palavra a ele, que sorriu quando ela o fitou. — Ouvi dizer que o príncipe-regente em pessoa pretende comparecer.

— Eu irei com um grupo de amigos — respondeu.

Ele lhe deu um sorriso esperançoso.

— Sim?

— Sim — confirmou, buscando por uma forma diplomática de dizer que ele não estava convidado. — É uma pena que só tenhamos conseguido locar um camarote pequeno. Se soubéssemos que Prinny compareceria, teríamos procurado um lugar maior, para acomodar todos.

— É claro.

Uma vez que Charles havia mencionado Vauxhall, ela não pôde deixar de se perguntar se Robert iria ou não. Suspirou. Lucinda deveria estar mais preocupada com a presença de Lorde Geoffrey. Tristan talvez o convidasse; ela teria que confirmar com Georgiana.

Quando a dança terminou, Charles a acompanhou de volta até Lorde e Lady Dare. Quando estavam sozinhos, Georgiana abraçou sua cintura.

— O que você contou a Bit sobre os itens da sua lista? — sussurrou.

— Talvez eu tenha mencionado que é constrangedor, para uma dama, ser deixada de lado durante uma dança quando há cavalheiros disponíveis — respondeu Lucinda, esquivando-se.

— Entendo.

Lucinda franziu o cenho. Georgie ficaria zangada com ela, ou pior: a acusaria de dar esperanças a Robert. Mas não fizera nada de errado, afinal de contas. E, se havia alguém que sabia de seu interesse por Lorde Geoffrey, esse alguém era Robert.

— Ele me pediu para contar — emendou ela. — Ele sabe que escolhi Geoff...

Georgiana deu um beijo em seu rosto.

— Ele está aqui e está dançando — disse, com a voz embargada. — Independentemente de qual tenha sido a motivação dele, não vou reclamar.

Alguém tocou o ombro de Lucinda e, para sua surpresa, Tristan abaixou-se para dar um beijo em sua outra bochecha.

— Não sei que diabos está acontecendo, mas Georgie parece achar que você é parcialmente responsável.

Ela pigarreou.

— Acho que Robert queria isso, e talvez eu tenha dado a ele uma desculpa para agir. Mas, por favor, agradeçam a ele. Ou a si mesmos. Não a mim.

O restante da noite resumiu-se a um redemoinho de vestidos de seda e paletós noturnos. Robert Carroway dançou todas as músicas — e nenhuma com ela. À medida que a noite progredia, Lucinda notou que ele estava com os ombros cada vez mais tensos e o rosto mais penoso, mas continuou. E, por causa de seu esforço, várias jovens que talvez não tivessem sido tiradas para dançar conseguiram preencher seus programas de baile e até garantiram um ou outro convite para um piquenique durante a semana.

Ela mal tinha visto Geoffrey ou Robert. Até mesmo durante os intervalos para descanso ele esteve ocupado anotando seu nome nos programas de moças com quem provavelmente nunca tinha falado antes. Por um instante, ela se perguntou se sua ausência também seria parte do plano, mas essa era uma expectativa um pouco alta demais, mesmo para alguém com a perspicácia de Robert.

A última dança da noite era a valsa, e Geoffrey finalmente veio até ela.

— Vamos? — chamou, estendendo a mão.

Lucinda colocou a mão sobre a dele, acompanhando-o até a pista de dança.

— Você teve uma noite agitada — comentou, tentando não rir quando ele a olhou com uma expressão exasperada.

— Ao menos alguém percebeu. E veja. Lá vai ele novamente. — Geoffrey apontou para um lado do salão onde Robert acompanhava a Srta. Jane Melroy até a pista. — O aleijado parece decidido a convidar todas as moças feias de Londres para dançar. — Ele bufou. — Talvez seja tudo o que ele consiga, hoje em dia.

Lucinda soltou sua mão. Talvez um simples "aja como um cavalheiro" não aparecesse em sua lista, mas Geoffrey sabia muito bem que ela e Robert eram amigos. Ela mesma dissera isso várias vezes.

— Com licença, Geoffrey — disse, afastando-se —, mas meu pai está bastante cansado. Preciso levá-lo para casa.

O sorriso dele desapareceu.

— Eu a ofendi. Peço desculpas, Lucinda.

— Eu pedi para você não o chamar assim. Não foi a mim que você insultou, Geoffrey.

Ele estendeu a mão, segurando seu braço.

— Eu a verei em Vauxhall, certo?

— Estarei lá. — Lucinda bufou. *Não* era assim que queria que a noite terminasse, mas também não toleraria que um amigo insultasse outro verbalmente. — Boa noite.

— Lucinda... — protestou ele, ainda segurando seu braço.

Ela se desvencilhou.

— Tenho certeza de que você estava tentando ser engraçado, mas não aprecio graça à custa dos outros. Então, boa noite.

O general pareceu sentir que algo estava errado, pois se afastou de seu grupo de amigos para se juntar a ela.

— O que foi, minha querida?

— Estou apenas expressando minha opinião. Está pronto para ir embora?

— Qualquer coisa para fazer sua opinião ser ouvida.

Lucinda deu o braço ao pai.

— Obrigada.

— Não estamos desistindo de Geoffrey, estamos? — murmurou, conduzindo-a por entre os convidados na direção das portas.

— Não. Mas estamos encorajando-o a ter mais consideração por aqueles que não são tão perfeitos quanto ele.

— Ele não parece contente.

— Ótimo.

Quando chegaram às portas duplas, Lucinda não resistiu olhar uma última vez para trás. Geoffrey marchava para a porta oposta, as costas tensas de tanta raiva. Mais perto deles, no entanto, Robert a fitou por cima de sua parceira. Após um instante, ele abriu um pequeno sorriso.

Lucinda franziu o cenho enquanto ela e o pai subiam no coche. Talvez Robert realmente pudesse ler mentes. Se fosse o caso, ela estava em péssimos lençóis.

Capítulo 11

*Os diversos acidentes da vida não são tão mutáveis
quanto os sentimentos da natureza humana.*
— Victor Frankenstein, *Frankenstein*

Quando Robert acordou pela manhã, o sol já tinha nascido fazia muito tempo. Esperava se sentir tenso e insone após uma noite interagindo com tantas pessoas, mas, na verdade, sentira-se cansado, relaxado e até um pouco satisfeito. Tinha conseguido. Tinha durado a noite toda e dançado todas as músicas. É verdade que suas conversas haviam sido um tanto vagas, mas, oras, podia melhorar isso.

Ele se sentou, jogou as pernas para o lado da cama e se levantou. E desabou no chão.

— Droga!

O joelho latejava, recusando-se a suportar o peso do corpo enquanto ele se apoiava na coluna da cama. Bem, era de se esperar. Ficara tão preocupado com a possibilidade de o pânico sombrio o abater no meio do salão de baile que nem sequer considerara o que quatro horas de dança fariam com seu joelho lesionado.

Ainda praguejando, ele foi saltando até o roupeiro e pegou uma calça, desabando na cadeira da penteadeira para colocá-las. Esse era um daqueles momentos em que ter um valete seria útil.

Aquilo, contudo, simplesmente não era possível. Robert ergueu os olhos, encarando seu reflexo no espelho. O emaranhado de cabelos embaraçados e a barba por fazer não o consternavam, estava acostumado. No entanto, quando olhava para o próprio reflexo, geralmente já havia colocado uma camisa.

Ali, com o peito desnudo, seu olhar automaticamente se focou no estrago que eles — ele — tinham feito. A pequena cicatriz redonda logo abaixo do ombro esquerdo fazia par com outra, no alto das costas, por onde a bala saíra. Uma cicatriz maior estendia-se sobre o lado esquerdo dos quadris, com uma mancha branca quase diretamente oposta, onde o cirurgião espanhol havia cavoucado por intermináveis vinte minutos em busca da bala de chumbo. Ela ainda estava em algum lugar dentro dele.

Outra linha branca marcava o braço direito, onde o primeiro tiro passara de raspão. A última cicatriz era a do joelho esquerdo, o tiro que o derrubara.

Robert inclinou-se para a frente para alcançar a cômoda e conseguiu pegar uma camisa limpa com as pontas dos dedos. Virando-se de costas para o espelho, enfiou a peça de tecido branco fino pela cabeça. Pronto. Ocultas, mas não esquecidas. Nunca esquecidas.

Depois de se lavar, fazer a barba e terminar de se vestir, tentou colocar as botas e acabou novamente no chão, ao lado da cama. Ele havia jogado sua bengala fora dois anos antes, uma atitude da qual, naquela manhã, começava a se arrepender.

Bem quando estava começando a refletir sobre como iria descer para tomar café da manhã, alguém bateu à porta.

— Entre.

Edward abriu a porta, já olhando para a janela, onde Robert costumava se sentar para ler. O garoto franziu o cenho brevemente, até encontrar o irmão no chão, com apenas uma bota calçada.

— O que está fazendo?

— Vestindo-me. O que você está fazendo?

— Vim procurar você. Você está sentado no chão.

Robert colocou a outra bota.

— Estou? Devo ter errado a cama. Quem está em casa esta manhã?

— Todo mundo. E...

— Ótimo. Vá buscar Shaw ou Andrew para mim, por favor.

Eles fariam menos perguntas que Tristan.

O Nanico expirou pesadamente.

— Primeiro, posso contar uma coisa?

Encostando-se na cama, Robert cruzou os braços.

— Pode.

— Você tem uma visita. Foi isso que vim avisar.
Seu coração palpitou.
— Quem é?
— A Srta. Lucinda. Ela está conversando com Georgie e disse que não tem pressa, mas...

Robert agarrou-se à coluna da cama e se levantou outra vez. O pavor de conversar com um visitante se esvaiu, mas a ansiedade que começou a correr por baixo da pele não era muito mais agradável.

— Obrigado por me avisar — disse, reparando que Edward não tirava os olhos dele, de queixo caído. — Por favor, vá encontrar Shaw ou Andrew para mim.

— Sua perna está quebrada de novo?

— Não, só cansada. E estou tentando não deixar Lucinda esperando, seria rude. Então, por favor, poderia chamar um irmão mais alto, Nanico?

Em vez de sair, Edward marchou até ele.

— Eu ajudo você.

Maravilha.

— Eu vou esmagar você, e aí nós dois precisaremos de ajuda.

Fechando um olho, Edward o analisou.

— É, acho que você provavelmente me esmagaria — aquiesceu. — Está bem. Não saia daqui. Eu já volto.

Ele correu para a porta.

— E, por favor, seja...

— Shaw! Andrew! Bit machucou a perna! Ele precisa de ajuda!

— ...discreto — concluiu Robert, suspirando, sem conseguir evitar achar graça.

Antes que ele pudesse contar até cinco, passos subiram correndo as escadas até o terceiro pavimento. Robert fez uma careta. A última coisa que queria era assustar a família novamente. Já havia feito isso o suficiente quanto retornara da Europa.

— Bit, o que...

Shaw parou na soleira da porta. Estava sem fôlego, e a preocupação foi substituída por perplexidade quando viu o irmão apoiado na coluna da cama, uma perna levemente dobrada.

— Estou b...

— O que aconteceu? — Tristan e Andrew perguntaram ao mesmo tempo, trombando em Bradshaw.

O mordomo e três criados, que surgiram logo atrás, congestionaram o corredor.

Um pensamento desesperado ocorreu a Robert.

— Por favor, diga que Georgie não está correndo para cá.

— Não, eu a fiz ficar lá embaixo com Lucinda. Que diabos está acontecendo?

— Nada. — Robert pausou ao ver as expressões céticas dos irmãos. — Mesmo. Eu... Meu joelho inchou durante a noite, e pedi ao Nanico que buscasse ajuda para me levar lá para baixo. Edward só... exagerou um pouco.

Shaw fez uma careta.

— Eu e o Nanico vamos ter uma conversinha para esclarecer em que circunstâncias é permitido matar os irmãos do coração — grunhiu, virando-se para Dare. — Você cuida disso?

— Sim.

— Ótimo. Vamos, rapazes.

Shaw passou por todos.

— Vocês o ouviram — reforçou Tristan. — Dawkins, Henry, todo mundo lá para baixo.

— Sim, milorde.

O mordomo dispersou os criados e as aias que tinham se aglomerado no corredor.

— Está sentindo dor? — perguntou o visconde, entrando no quarto com Andrew logo atrás.

— Não — mentiu Robert.

Oras, nunca parava de sentir dor. Já estava acostumado.

Tristan o fitou por um momento.

— Vamos levar você lá para baixo e depois vou mandar chamar um médico para dar uma olhada no seu joelho. Você não devia ter forçado tan...

— Não — interrompeu Robert, tremendo. — Nada de médicos.

— Bit...

— Não.

Já aguentara aquela asneira o suficiente para uma vida inteira; os disparates empáticos e as cutucadas. Ele preferia a tortura, sem sombra de dúvida — pelo menos não era acompanhada de comentários condescendentes de que era "para seu próprio bem".

Tristan suspirou.

— Nada de médicos — concordou —, a menos que piore.

Robert não respondeu. Apenas discutiriam, e ele venceria, pois Tristan não arriscaria chateá-lo. E, naquele momento, preferia muito mais chegar lá embaixo.

— Apenas me dê uma mãozinha, pode ser?

Com Andrew segurando-o por baixo do ombro direito e Tristan do esquerdo, ele conseguiu descer as escadas e chegar ao salão de café da manhã em um coxeio moderadamente digno. Shaw evidentemente havia informado a todos que ele não corria nenhum risco mortal, e, pela expressão penalizada de Edward, o Nanico ouvira um sermão sobre os perigos de espalhar alarmes falsos.

Ele dispensou os irmãos assim que chegou a uma cadeira na qual podia se apoiar. Assim que se certificou de que ninguém permanecia indevidamente preocupado por sua causa, voltou a atenção para Lucinda. Queria olhar para ela desde o momento em que entrara no salão, mas sabia que não conseguiria disfarçar sua alegria por vê-la. Eles eram apenas amigos, afinal de contas.

Olhos cor de mel, no entanto, desceram para sua perna dobrada e retornaram ao seu rosto. *Sim, não podemos deixar ninguém esquecer que Robert Carroway é um aleijado, não é mesmo?*, pensou. *O maluco decidiu sair para dançar e agora mal consegue ficar de pé.* Bem, uma vez que ela fora lembrada disso, certamente daria alguma desculpa e iria embora.

Lucinda sorriu.

— Eu ia perguntar se você se importaria em dar uma volta comigo — disse ela — para me mostrar como as rosas estão progredindo. Agora, porém, talvez seja melhor esquecermos a caminhada. Você pode simplesmente descrevê-las para mim.

Robert engoliu em seco. Céus, ela estava usando um vestido de musselina amarelo. Parecia o sol.

— A bengala de tia Milly deve estar nos aposentos dela — lembrou ele. — Poderia buscar para mim, Nanico?

Edward pareceu feliz em escapar dali.

— Já volto.

— Robert — sibilou Tristan em seu ouvido —, você precisa des...

— Eu tinha mesmo uma pergunta a lhe fazer, Srta. Barrett — interrompeu ele — com relação a uma das mudas.

— Ah, ótimo — respondeu Lucinda, o sorriso caloroso crescendo ainda mais. — Gosto de fingir ser uma autoridade em relação às coisas.

Edward reapareceu pouco depois com a bengala. Robert a pegou, cuidadosamente testando para ver se suportava seu peso. Era curta demais, e o joelho doía ao extremo, mas ele conseguiria suportar. Conseguiria suportar quase qualquer coisa.

— Vamos? — chamou, gesticulando para que Lucinda fosse na frente.

Por um milagre, conseguiu chegar à porta da frente e descer os degraus baixos. Apesar de seu empenho, o esforço deve ter transparecido em seu rosto, pois Lucinda subitamente pegou no braço livre dele.

— Eu consigo — grunhiu ele, estremecendo com o contato. — Não preciso de ajuda.

Olhos cor de mel foram de encontro aos dele. A boca de Robert secou.

— Não estou ajudando. Estou forçando você a se portar como um cavalheiro e me escoltar.

Dito isso, ela passou a segurar seu braço com a mão esquerda também. Debaixo das mangas curtas bufantes, os braços dela estavam despidos até os punhos, com luvas de renda, tão sofisticadas quanto inúteis, cobrindo as mãos. O calor dela penetrava pela manga da camisa, aquecendo a pele dele.

— Essa é outra de suas lições? — Robert se forçou a perguntar, grato por sua voz ter saído normal.

— Não, apenas uma regra geral.

Graças à pretensa "não ajuda" dela, atravessaram a via dos coches com bastante facilidade e chegaram ao pequeno jardim próximo aos estábulos sem que ele caísse de cara no chão.

— Parecem bem saudáveis — constatou Lucinda, em um tom de aprovação.

— Usei linguado.

— Ah. Simplesmente o melhor para rosas. Estou até vendo novas folhinhas nascendo. Está vendo? Ali e ali.

Robert manteve os olhos no rosto dela, ciente de que ou as cortinas da biblioteca estavam sofrendo uma apoplexia, ou toda a família espiava a cena.

— Você não veio até aqui para avaliar o crescimento das minhas mudas.

— Não — confirmou ela, sem hesitar. — Vim agradecê-lo por ontem à noite. Independentemente de como eu tentasse ensinar aquela lição em particular, jamais teria sido tão bem-sucedida. Foi maravilhoso. Você foi maravilhoso.

Ele deu de ombros.

— Funcionou por sua causa. Se Geoffrey não tivesse pensado que talvez você estivesse interessada em mim, ele não teria reparado em nada do que fiz. Ninguém teria.

Estivesse interessada em mim. Estava mais para uma paixonite de menina — o que não ajudava em nada. Lucinda fixou o olhar nas rosas e se perguntou se ele realmente não tinha consciência da cena surpreendente que protagonizara. Ela e Geoffrey não haviam sido os únicos a observá-lo na noite anterior. Com o cabelo escuro desalinhado e aqueles olhos azuis intensos, ele era a personificação da criação de um poeta. E o mistério silencioso que parecia rondá-lo apenas o tornava mais atraente. E não só para ela. Lucinda ouvira várias moças comentando.

— Independentemente de como você lidou com o assunto, obrigada. Aquelas garotas pareciam tão felizes. Sei que não deve ter sido fácil para voc...

— Estou bem — interrompeu ele.

Aquela parecia ser uma frase que Robert dizia com bastante frequência, uma resposta automática para qualquer um que expressasse preocupação para com ele. Lucinda franziu o cenho.

— Não, não está. Você machucou a perna em prol da minha lição.

Ele não se moveu, mas, ao mesmo tempo, ela podia senti-lo se afastando.

— É só meu joelho. Fica um pouco enrijecido quando passo muito tempo em pé. Você e Geoffrey discutiram.

Lucinda piscou. É claro que ele reparara. Robert reparava em tudo.

— Ele fez um comentário... depreciativo com relação a alguma das moças que dançavam ontem à noite. Não gostei. — Ela hesitou. Se Robert podia trazer à tona o assunto que quisesse, ela podia fazer o mesmo. — Você levou um tiro nesse joelho, não foi?

Um músculo na bochecha dele se contraiu.

— Sim. E os comentários de Geoffrey não foram apenas sobre as moças, não é? Ele disse algo sobre mim.

— Ele... talvez tenha dito. — Lucinda inspirou fundo. — Também não gostei disso.

— Mas eu me estabeleci como um potencial rival — ponderou ele, enquanto caminhavam lentamente pelo jardim na direção dos estábulos. — Ele me insultar é um bom sinal.

— Insultar qualquer pessoa nunca é um bom sinal. Vocês passaram pelas mesmas experiências. Se ele não consegue ter empatia por outro soldado, eu...

— Nós não passamos pelas mesmas coisas — interrompeu ele. — Isso é o que Geoffrey pensa. O que todos pensam. É por isso que... — Robert pigarreou. — Como são os pulgões?

— Você não precisa se preocupar com pulgões até os botões nascerem — explicou ela, forçando-o a parar. Se a perna dele não estivesse machucada, Lucinda achava que não teria conseguido detê-lo. — É por isso que o quê?

— Nada.

— Não. Não é "nada". Termine a frase.

Robert balançou a cabeça. Seu olhar ia além dela, para os estábulos, como se quisesse escapar. Bem, ele podia tentar fugir, mas ela iria junto. Georgie tinha feito algumas insinuações, e Robert evitava discutir o assunto. E ela queria saber por que ele sofria tanto.

— Eu só ia dizer que é por isso que eles me desprezam — murmurou ele.

— Você está enganado, Robert. E eles não têm direito algum de desprezá-lo — ralhou ela, sentindo raiva daquele pensamento e de si mesma, por tê-lo forçado a dizer aquilo. — Você foi ferido várias vezes. Wellington chegou a chamá-lo de herói pelos seus feitos em Waterloo. Você não pode...

Ele desvencilhou o braço e foi mancando para os estábulos.

— Eu não realizei feito algum em Waterloo — sibilou, desaparecendo lá dentro.

Ela o seguiu. Com um gesto rápido, dispensou os três cavalariços, que saíram e deixaram os dois sozinhos com os cavalos.

— É claro que realizou. Não importa qual a intenção política de Wellington, você...

— Eu nem sequer estive lá! — Ele coxeou até a baia de seu cavalo. Tolley esticou o pescoço, tocando no braço de Robert. — Agora, vá embora.

Lucinda ficou olhando para as costas dele. Todos sabiam que Robert havia sido ferido em Waterloo. Ela se lembrava de quando ele retornara a Londres, um dos primeiros soldados a chegar. Na verdade, Robert chegara apenas três dias após a batalha. Ela franziu o cenho novamente. O mensageiro de Wellington tinha levado dois dias para entregar a notícia ao Príncipe George, e ele estava a cavalo, com uma embarcação o aguardando na costa.

— Você está calculando as datas, não é? — perguntou ele, baixinho. — Você é filha do General Barrett. Conhece as diferentes rotas que as mensagens e as tropas percorrem. Fiquei imensamente contente por a notícia ter chegado na cidade antes de mim. Ninguém pensaria em fazer qualquer pergunta.

Meu Deus, pensou ela. *Meu Deus*.

— O que aconteceu com você, Robert? — indagou, aproximando-se lentamente e colocando a mão em seu ombro. Sentiu os músculos dele se contraírem sob seu toque. — Como você foi ferido?

Ele se virou para encará-la, os olhos atormentados em chamas.

— Você não quer saber.

— Quero, sim.

— Não. Você contaria ao seu pai.

Ele começou a se afastar, mas, aproveitando-se da lesão em sua perna, ela o empurrou contra a porta do estábulo de novo. Arrancou a bengala de sua mão e a escondeu atrás do próprio corpo.

— Eu não contaria ao meu pai.

— Por que não?

— Porque você não quer que eu conte.

Robert fechou os olhos por um momento, a respiração ofegante. Quando a encarou novamente, Lucinda não sabia como interpretar sua expressão.

— Por que você quer saber? — insistiu ele.

— Porque... Porque somos amigos, Robert. Amigos se importam uns com os outros.

Lucinda espalmou a mão sobre o coração dele. Provavelmente era a coisa errada a se fazer, mas parecia ser a única atitude que garantiria uma reação. Engraçado — tocar Geoffrey não a deixava arrepiada.

— E amigos *podem* guardar segredos — continuou ela. — Então, se você quer me contar, conte. Se não, ainda serei sua amiga.

Ele a encarou por um bom tempo.

— Você sabe o que é o Château Pagnon?

Lucinda franziu o cenho.

— Já ouvi falar. Fica no sul da França, não é?

— Sim. Passei sete meses lá.

Ele falou como se tivesse passado férias lá, mas ela sabia que fora algo bem diferente.

— Por quê?

Robert abriu a boca, mas tudo o que saiu foi um grunhido grave.

— Eu... não quero mais falar sobre isso — sussurrou, abaixando-se para capturar a boca dela com a sua.

Quase por instinto, Lucinda ergueu a cabeça, segurando as lapelas dele para se aproximar ainda mais de seu peito rígido. Desejo e carência. A sensação a assolou quando Robert encaixou os lábios nos dela com força. Era como se ele estivesse respirando através dela, inspirando *sua essência*. Calor e ânsia desceram em uma espiral por sua espinha quando as mãos dele a envolveram.

O primeiro beijo tinha sido hesitante, como se ele não se lembrasse bem de como agir. Aquele, nem tanto. Lucinda sabia exatamente o que ele queria: ela.

Sua mente começou a entrar em sintonia com o corpo, e ela percebeu que estava gemendo, sugando-o.

— Pare! — ordenou Lucinda, empurrando o peito dele com força. — Pare, por favor.

Robert a soltou de repente.

— Desculpe-me — disse ele, passando a mão pela boca sensual. — Não era minha intenção...

— Não era sua intenção me beijar — concluiu ela, dando um passo para trás e quase tropeçando na bengala. — Está tudo bem.

— Não, não era minha intenção chateá-la — corrigiu ele, mancando adiante para pegar a bengala em meio à saia emaranhada do vestido. — Eu quis beijar você.

— Ah. Por... Por quê? — indagou ela, gaguejando, sentindo-se desconfortavelmente quente dentro do fino vestido de musselina.

— Se eu lhe dissesse, acho que não poderíamos mais ser amigos — respondeu ele, os olhos ainda fixos em sua boca. — Ainda somos amigos, certo?

Lucinda queria salientar que um amigo jamais a beijara daquela forma, fazendo parecer que seu coração explodiria dentro do peito. Mas, se reclamasse que ele havia passado dos limites, ele se fecharia outra vez, nunca mais a tocaria — e com certeza jamais a beijaria de novo. E ela ainda não estava preparada para abrir mão de qualquer uma dessas coisas.

— Sim, somos amigos — afirmou, alisando a frente do vestido.

Robert estava querendo dizer que a desejava? Certamente era mútuo. Mas, se ele não tinha a intenção de chateá-la, se não estivesse sendo genuinamente sincero, então quem quer que beijasse com tal intenção morreria em seus braços de êxtase.

— É claro que somos amigos — reforçou ela.

Ele olhou em volta, surpreso, como se tivesse esquecido que estavam nos estábulos.

— É melhor eu devolver você a Georgiana — ponderou, dando um passo à frente com sua bengala e oferecendo o braço novamente.

— Ah. Sim. Sua família deve estar se perguntando o que foi que fizemos com as suas rosas, a essa altura.

Quando chegaram na entrada do estábulo, Robert parou.

— Você vai a Vauxhall ver os fogos?

— Sim. Você vai?

— Tentarei. E você vai ter que me contar lá qual é sua terceira lição para Lorde Geoffrey.

Robert a deixou com Georgiana no salão matinal e desapareceu em algum lugar das profundezas da casa. Por mais que Lucinda gostasse da companhia da amiga, naquela manhã só queria encurtar a visita e voltar para casa.

Além do fato de que queria passar mais um tempinho pensando em por que Geoffrey ainda não a beijara, sendo que Robert já o fizera duas vezes, ela sabia que vários diários de seu pai ainda não tinham sido transcritos. E, se não estivesse enganada, um deles mencionava algo sobre Château Pagnon. Lucinda sentiu uma vontade súbita de fazer algumas pesquisas.

Capítulo 12

Algum tempo se passou até eu conhecer a história de meus amigos.
— O Monstro, *Frankenstein*

— Bom dia, Srta. Lucinda — cumprimentou Ballow, abrindo a porta da frente. — Não a esperávamos até o almoço.

— O general está em casa? — perguntou, animada, desejando ter a habilidade de Robert de se esquivar de inquisições, sutis ou não.

— Ele foi chamado para uma reunião da Cavalaria, senhorita. Posso pedir que Albert lhe traga um pouco de chá?

— Ah, não, obrigada. Vou revisar uns… Estarei no escritório do general — avisou ela, entregando o *bonnet* e o xale ao mordomo.

— Está bem, senhorita.

Franzindo o cenho, Lucinda passou pelo mordomo e caminhou com a maior casualidade possível até o escritório do pai. Não era porque se sentia como se tivesse tomado uma dúzia de xícaras de café cheio de açúcar que precisava causar uma cena. Tinha sido apenas um beijo — um beijo que jamais deveria ter acontecido e que praticamente fizera seus dedos dos pés pegarem fogo, mas apenas um beijo, de toda forma.

Os diários que o pai ainda não havia editado para o livro estavam dispostos em ordem cronológica em uma mesinha de canto. Dependendo da celeridade de uma missão, suas anotações eram um tanto superficiais — daí sua serventia para as lembranças de Geoffrey — ou extremamente detalhadas. Muitas vezes, os registros davam indícios de alguns incidentes bastante assustadores, mas o pai nunca entrava em muitos detalhes. Um cavalheiro não o faria, ele costumava dizer.

Ela folheou o diário do topo da pilha, procurando por nomes de lugares. Encontrou, basicamente, cidades onde as batalhas ou cercos haviam se desenrolado, como Cádis, Burgos ou Tarragona, ou nomes de oficiais, como General Rowland Hill ou Major-General Galbraith Cole.

No diário da primavera de 1814, encontrou o que procurava. No meio de um breve relato sobre a Batalha de Bayonne, nos Pirineus, o general mencionava um *château* semienterrado na montanha, já em território francês. Por sorte, o Castelo de Pagnon, escrevera ele, não ficava de frente para uma estrada ou passagem principal, pois seria necessário metade do Exército Anglo-Luso para conseguir entrar.

Ela virou mais algumas páginas e então voltou. Nada mais. Pela brevidade do relato do pai sobre a Batalha de Bayonne, ele devia estar extremamente ocupado.

Lucinda se recostou na cadeira. Agora sabia que Château Pagnon ficava pouco ao norte da cidade de Bayonne e que era altamente defensável. E sabia que Robert Carroway passara sete meses lá dentro. Será que ele tinha sido mandado para lá para se recuperar de seus ferimentos? Pelo que o pai escrevera, parecia que o *château* não era controlado nem por britânicos, nem por espanhóis. E os ferimentos de Robert eram recentes quando ele retornara à Inglaterra, não haviam sido tratados em um monastério nem nada parecido.

— Ora, ora, que bagunça você fez.

Ela deu um pulo. O pai estava à porta de braços cruzados.

— Eu só estava... procurando algo.

Metade dos diários estava aberta no aparador e na mesa de trabalho, e Lucinda se apressou em fechá-los e organizá-los.

— Segredos militares? — perguntou ele, entrando no escritório e fechando a porta.

Lucinda forçou um sorriso.

— Como se o senhor fosse colocar algum em seus diários. — Pigarreando, ela saiu da cadeira do pai. — O senhor mencionou um lugar chamado Château Pagnon. Era um hospital militar ou algo assim?

Ele fechou a cara enquanto atravessava o cômodo.

— Por quê?

Ela se encaminhou até a porta.

— É apenas uma pergunta. Suas anotações são um tanto escassas quanto à Batalha de Bayonne.

— Sim. Foi uma campanha confusa. — Com uma carranca, ele afundou na cadeira. — Não foi o melhor momento do Exército britânico. Nem o meu.

Ela parou com a mão na maçaneta.

— Nunca ouvi você falar desse jeito — comentou ela, baixinho.

Ele bufou, abrindo o diário de Bayonne.

— Château Pagnon. Lembro-me de alguns soldados rasos comentando sobre o local. — O general deixou escapar uma risada debochada. — Pela maneira como falavam, parecia até que Mary Shelley se inspirou no lugar para escrever aquele livro de monstro.

— *Frankenstein*? — indagou ela, as mãos começando a tremer.

— Sim, esse mesmo. Apenas rumores. — Ele leu os registros mais uma vez. — Sim. Tudo que escrevi foi que, de uma perspectiva militar, seria um pesadelo tentar atacá-los. Então, quem mencionou esse lugar para você, minha querida?

O pai sabia mais do que estava contando. Lucinda queria perguntar, mas dera sua palavra a Robert e já havia falado demais. Se continuasse questionando, o pai também começaria a fazer perguntas.

— Um amigo apenas comentou por alto — respondeu. — Obrigada.

Ele se remexeu, desconfortável.

— Por nada.

Por mais distraída que estivesse com o que estava ouvindo, algo no tom do pai chamou sua atenção. Ela largou a maçaneta, indo novamente até ele.

— Há algo errado, papai?

— Hã? Não, não. É só que algumas coisas sum... Apenas alguns imbróglios na Cavalaria.

— Algo que o senhor possa me contar?

O general sorriu.

— Nada de muito importante. Há algo que *você* gostaria de me contar? Sobre seu interesse súbito pelo Château Pagnon, por exemplo? Com que amigo você estava conversando?

— Ah, não me recordo — mentiu ela, desconfortável. Lucinda sempre pudera conversar livremente com o pai. Mas Robert tinha deixado claro que o general não deveria ser envolvido. — Apenas chamou minha atenção, e o nome era familiar.

— Entendo. — Por sua expressão, ele já fazia uma boa ideia de quem era o tal amigo, mas optou por não dizer mais nada. — Você anda tendo umas conversas interessantes, meu amor. Agora vá e me deixe trabalhar um pouco.

Lucinda saiu do escritório com mais perguntas do que respostas. Sempre pensava melhor quando estava trabalhando em seu jardim de rosas, então subiu até seus aposentos para se trocar. Quando se sentou para ajeitar o cabelo, contudo, pegou-se analisando o próprio reflexo no espelho.

O que estava fazendo, bisbilhotando coisas do pai? Suas lições não eram para Robert. Todo o envolvimento dele havia sido um acidente, afinal. Mas, mesmo assim, ir visitá-lo e agradecê-lo por todo o esforço no baile na noite anterior tinha sido a primeira coisa em que ela pensara pela manhã. Descobrir a importância de Château Pagnon consumira seus pensamentos durante a visita aos Carroway e, no meio-tempo, acontecera aquele beijo. Lucinda suspirou. Precisava desesperadamente reavaliar seu plano de ação. Francamente, ela havia discutido com seu potencial futuro esposo na noite anterior e nem sequer tinha parado para pensar nisso.

Mas aquilo que Robert lhe contara, o que tinha começado a contar... Como ela poderia ignorar? Como poderia esquecer? E como poderia não querer saber mais sobre o que tinha acontecido com ele?

— Não — declarou, olhando severamente para a figura no espelho. — Faça o que você se propôs a fazer.

Não importava quanto os beijos de Robert fossem excitantes, ele era sinônimo de problema. Nada relacionado a ele poderia tornar sua vida mais fácil. Ele não iria — não poderia — gracejar ou compartilhar histórias com seu pai. E, se as suspeitas que compartilhava com o Sr. Aubyn estivessem corretas, Robert nem sequer gostava do general. Lucinda tampouco o considerava o tipo de homem que poderia lhe proporcionar uma parceria confortável.

Alguém bateu à sua porta, e ela terminou de prender o cabelo rapidamente.

— Entre.

Ballow abriu a porta.

— Srta. Lucinda, a senhorita tem uma visita.

Ele trazia uma bandeja de prata com um elegante cartão de visitas depositado no meio.

Ela o pegou. *Lorde Geoffrey Newcombe.* E ela com seu velho vestido de jardinagem.

— Droga.

— Devo informá-lo de que a senhorita não está, então?

— Não, não. Por favor, avise que descerei em alguns minutos. E peça a Helena para subir e me ajudar, por favor.

— Sim, senhorita.

O mordomo assentiu e fechou a porta.

Rapidamente, escolheu outro vestido. Quando a aia chegou, ela a ajudou a colocar o traje azul e a arrumar o cabelo de novo. Em menos de cinco minutos, estava pronta e descendo as escadas correndo.

Ballow a chamou quando ela se encaminhou para o salão matinal.

— Lorde Geoffrey está com seu pai no escritório.

É claro que estava. Lorde Geoffrey parecia mais interessado em conquistar o general do que ela própria. Era, afinal, bem feito para ela, que passara a manhã com Robert, e não tentando encontrar uma maneira de fazer as pazes com seu suposto aluno.

— Olá — cumprimentou Lucinda, entrando no escritório.

Imediatamente, os dois homens interromperam a discussão, e Geoffrey se levantou.

— Lucinda. Fico contente por tê-la encontrado em casa.

— Retornei mais cedo de uma visita.

Geoffrey olhou para o general, depois de volta para ela.

— Eu esperava conseguir convencê-la a almoçar comigo.

Aquilo era ousado da parte dele, se esperava simplesmente aparecer em sua casa e encontrá-la sem plano algum. E estava com sorte, pois ela realmente não tinha nada programado para o restante da tarde.

— Considere-me convencida, então — respondeu ela, sorrindo.

Os dois partiram no coche dele, com Helena sentada na parte de trás, depois de ter ajudado Lucinda a colocar o *bonnet* de passeio. Por alguns minutos, ela quase pôde acreditar que estava passeando com Robert Carroway, visto que Lorde Geoffrey permanecia em silêncio ao seu lado, com o maxilar tensionado.

Ela supunha que deveria dar início à conversa, falar sobre o tempo ou sobre a última apresentação de Edmund Keane no Teatro Drury Lane, mas a imagem de Robert preso dentro de um castelo enterrado na montanha a perseguia. Maldição, queria saber por que ele estivera lá e, obviamente, nenhuma pesquisa que pudesse fazer por conta própria responderia à pergunta. Só Robert poderia respondê-la.

— Você ainda está zangada comigo, não está? — perguntou Geoffrey, de repente, olhando brevemente para ela e então voltando a olhar para a parelha de cavalos.

— Eu...

— Peço desculpas novamente, com sinceridade — interrompeu ele. — Diga o que preciso fazer para que você me perdoe, e eu farei.

Lucinda estava prestes a dizer que aquela humilhação toda não era necessária, mas se conteve. Como filha do General Augustus Barrett, no entanto, tinha bons instintos. Talvez estivesse na hora de Geoffrey responder a algumas perguntas, visto que ninguém mais parecia disposto ou capaz de fazê-lo.

— Esclareça-me uma coisa — pediu.

— Qualquer coisa.

— Por que estamos aqui?

Ele deu seu sorriso de sempre.

— Aqui no meu coche, você quer dizer? Porque eu a zanguei no...

— Você entendeu o que quis dizer.

— Uma dama não deveria fazer essas perguntas, Lucinda.

Provavelmente não.

— Elucide-me, Geoffrey. É importante. E, por favor, seja sincero.

Uma leve careta tensionou os belos traços de seu rosto, mas ele assentiu.

— Está bem. Estamos aqui por dois motivos. O primeiro é que você é linda, afável, prática e tem familiaridade com o estilo de vida militar. E eu a desejo.

— E o segundo motivo? — indagou ela, embora já tivesse uma boa ideia.

— O segundo motivo... — Ele deu uma olhada em volta, como que para se certificar de que não havia ninguém por perto para ouvi-lo. — O segundo motivo pode ser um tanto... constrangedor, e eu ficaria grato pela sua discrição.

— É claro.

Ele sorriu novamente.

— Você é filha de seu pai. E eu sou filho do meu. O quarto filho, para ser mais exato. — Geoffrey pigarreou. — Ainda estou no Exército, você sabe.

— Meu pai mencionou.

— Estou de licença voluntária, recebendo metade da remuneração. Foi meu comandante quem sugeriu. Como você certamente sabe, durante a Guerra Peninsular, Sua Majestade necessitou de um grande número de soldados e oficiais. A guerra, no entanto, acabou, e eu me encontro... em uma situação delicada.

Lucinda assentiu.

— Remuneração e progressão na carreira, suponho?

— Sua suposição está correta. Meus recursos na família são limitados. Esperava-se que eu fizesse minha fortuna por meio da carreira militar e, embora minhas perspectivas fossem boas, a guerra terminou antes que minha promoção fosse processada. Nem mesmo o tiro que levei em Waterloo acelerou o processo. E, como sabe, o avanço na carreira militar durante períodos de paz é quase impossível. Seu pai, no entanto, é um membro sênior da Cavalaria. Se eu e você fôssemos... aliados, minhas chances de me tornar major com um posto de comandante na Índia aumentaria consideravelmente.

Então ali estava a verdade. Lorde Geoffrey se encontrava na posição nada invejável de precisar de uma guerra ou de um mentor influente. Lucinda tinha razão: ele *estava* cortejando seu pai tanto quanto a ela. Por ora, deixou de lado a informação de que ele queria servir na Índia. Maridos frequentemente deixavam suas esposas para trás para manter seu status em Londres — mas isso era algo a se considerar depois, de toda forma.

— E agora você está ainda mais zangada — comentou ele, suspirando.

— Mas me pediu sinceridade.

— Eu sei que pedi. E...

— Por favor, saiba que pretendo conquistar seu coração, Lucinda.

— Geoffrey, suspeitei de seus motivos desde o princípio — confessou ela. Todos os protestos dele quanto a... qualquer coisa que ele estivesse protestando eram, para falar a verdade, exatamente o que ela esperava ouvir. — Não posso culpá-lo por querer ser prático quando essa é uma característica que você mesmo diz admirar em mim.

Ele a encarou.

— Então não está zangada.
— Não estou zangada.
— E posso continuar cortejando-a.
— É claro que pode.

O coche virou em Pall Mall, e Geoffrey fez os cavalos pararem diante do café preferido de Lucinda. Saltando para o chão, sem aparentar quaisquer das reservas que demonstrara anteriormente, ele deu a volta correndo no veículo para lhe oferecer a mão. Lucinda se levantou, mas antes que pudesse aceitar a ajuda, Geoffrey envolveu sua cintura com as duas mãos e a colocou no chão.

— Isso não era...

Ele abaixou a cabeça e tocou os lábios nos dela.

— Geoffrey! — arfou ela, afastando-se.

— Por isso, eu não vou me desculpar — disse ele, pegando a mão dela e colocando-a debaixo do braço. — Pretendo desfrutar e tirar proveito de sua beleza. É outro aspecto seu pelo qual sou extremamente grato.

Um criado os conduziu a uma mesa. Lucinda sentou-se, assentindo para vários conhecidos em mesas próximas. *Hum.* Ela havia pedido que Geoffrey fosse sincero, e ele parecia não ter se reprimido. Ele confessara estar grato por ela ter um rostinho bonito, pois, se fosse feia, não gostaria tanto de cortejá-la — mas teria o feito mesmo assim.

Será que ela era igual a ele? Ou pior? Lucinda havia escolhido Geoffrey por seu comportamento moderado e a conexão com seu pai, ou por seus belos traços e sua reputação heroica? Nenhuma opção refletia bem na personalidade dele. Ou na dela. Ao menos não era tão prática a ponto de não conseguir apreciar seu beijo. Ele tinha se saído bem, demonstrando uma habilidade óbvia e calculando o momento com perfeição, de modo que ninguém os visse, pontuando de forma adequada a conversa que eles haviam tido.

Ela tomou um gole bem-vindo de vinho assim que o criado encheu sua taça. Decidiu que aquele era um brinde ao seu sucesso até o momento — e não uma tática de postergação, enquanto tentava pensar em algo inócuo e agradável a dizer para mudar de assunto.

Sim, tudo estava evoluindo conforme o plano. E ela não estava pensando em ver Robert Carroway na noite de sábado nem em como teria de contar a ele que a lista e as lições agora eram irrelevantes, visto que ela e Geoffrey tinham chegado a um acordo mútuo. E certamente não estava pensando no beijo *dele* e em como aquilo a fizera queimar e derreter por dentro. Ela não queria pegar fogo. Queria paz e calma. Então, não, não estava pensando em Robert. Nem por um segundo.

—⁂—

Robert estava sentado no sofá da biblioteca, lendo. Esticara as duas pernas sobre o assento, em uma tentativa de descansar o joelho dolorido, depois que a família finalmente desistira de perguntar como ele se sentia. O último, Andrew, tinha desaparecido havia quase uma hora para participar de algum divertimento vespertino.

Como ele se sentia estava se tornando uma questão cada vez mais complicada, no fim das contas. O joelho estava razoável: a dor crônica era melhor que a latejante de algumas horas antes. Pela primeira vez em muito tempo, contudo, o calor parecia ter penetrado por sua pele, regando ossos, músculos e veias com… vida.

Era isso. Ele se sentia vivo. Quando beijara Lucinda, lembrara-se de algumas coisas havia muito esquecidas: o gosto de uma mulher, a sensação de ter a pele quente e macia tocando a sua, os aromas excitantes de suor e sexo.

— Robert, você está louco — murmurou para si mesmo, virando a página.

Quando Lucinda esbarrara com ele por acaso algumas semanas atrás, Robert estava genuinamente curioso para saber seus planos para as lições. Sua escolha por Lorde Geoffrey fora tanto uma surpresa quanto uma espécie de decepção, mas, se ela já estava decidida a entregar seu coração a outra pessoa, aquilo traria segurança. Segurança para ele em relação a ela, e para ela em relação a ele.

Podiam ser amigos, e ele podia dizer a si mesmo que a ajudava — ao mesmo tempo que a situação tornava seu retorno à Sociedade mais fácil. O sucesso ou o fracasso não importavam tanto quando se tratava de outra pessoa. Ao menos era isso que dizia a si mesmo, e precisamente por isso ele conseguira tomar qualquer atitude.

Lucinda não era mais uma opção segura. Na verdade, Robert não sabia bem se ela um dia tinha sido ou se aquela era outra mentira que contara a si mesmo para não ter que encarar o pânico sombrio que a verdade desencadearia.

Então agora o aleijado desejava Lucinda. Seria engraçado, se ele não tivesse sentido que ela retribuíra o beijo, estirando o corpo contra o dele. Aquilo tornava tudo real e o impossibilitava de inventar uma mentira simples e confortável.

Robert ouviu a porta da frente se abrir e então vozes. Dawkins, é claro, os tons mais graves de Tristan e, surpreendentemente, Greydon Brakenridge, o Duque de Wycliffe. A sessão do Parlamento devia ter acabado mais cedo.

Os dois foram se aproximando, provavelmente a caminho do escritório de Tristan. Eram melhores amigos, e fora isso que impedira o duque de dar um tiro em Tristan quando o visconde arruinara Georgiana. Ele abriu um ligeiro sorriso com a lembrança. Homens podiam ser bastante protetores em relação a suas primas de primeiro grau, e Grey e Georgiana eram mais próximos até do que muitos irmãos.

— Bit?

Ele olhou para a porta.

— Estou bem.

— Não era isso que eu ia perguntar — disse Tristan. — Você passou o dia todo aqui?

Robert confirmou.

— Por quê?

— Só não quero que você tente subir as escadas sem ajuda. Aliás, Grey quer emprestar a antiga sela do Nanico. Você se lem...

— Está no galpão, enrolado em um pedaço de pano — interrompeu ele, cumprimentando Grey com um aceno de cabeça. — É para a pequena Elizabeth?

— Tentarei convencer Emma de que 14 meses de idade não é jovem demais para começar a cavalgar — respondeu o duque.

— Ele vai perder — afirmou Tristan, sorrindo —, mas será uma discussão divertida de presenciar. É por isso que fornecerei os apetrechos.

— O antigo cavalinho de pau de Robert está no sótão, se quiser tentar isso primeiro. — Robert voltou para seu livro. — Vai causar menos discussão.

— Eu sempre disse que Tristan não é o inteligente da família — comentou Wycliffe.

— E eu também nunca discuti quanto a isso. — Tristan se adiantou para sair da biblioteca, então parou. — O que você está lendo?
— *O plantio e cultivo de rosas* — respondeu Robert. — A Srta. Barrett me emprestou.
— Muito obrigado, Robert — disse Grey. — Nos veremos em Vauxhall? Aparentemente, todos iriam ver os fogos de artifício.
— Tentarei.
— Ótimo.

Os dois foram para o escritório de Tristan. Ele tinha a sensação de que a motivação da visita não era uma sela ou cavalinhos de pau; ambos pareciam nervosos demais para uma visita casual. E Tristan quis saber onde ele estava e por onde tinha andado. Interessante. Robert estava acostumado com a família perguntando sobre ele, mas não na frente de amigos. Deu de ombros. Talvez Tristan realmente pensasse que ele estava melhorando. Ele próprio sentia que estava.

Teria sido fácil ouvir a conversa deles, o quarto exatamente acima do escritório de Tristan estava desocupado, apenas entulhado com algumas cadeiras sobressalentes e um ou dois armários. O problema seria chegar lá em cima com o joelho naquele estado.

Robert recostou-se novamente no sofá. Se fossem conversar sobre algo importante, alguém mais cedo ou mais tarde lhe contaria.

"Mais cedo ou mais tarde" acabou sendo o jantar, e o "alguém", Andrew.
— Ficaram sabendo? — perguntou, com a boca cheia de presunto assado.
— Devo pedir a Dawkins que recolha seus talheres, já que você vai usar as mãos? — perguntou Georgiana.
— Peço desculpas. — Ele engoliu. — Você ficou, não ficou, Tris?
O visconde suspirou.
— Provavelmente. *Onde* você ficou sabendo?
— Só se falava nisso no Tattersalls esta tarde. Não me diga que se sabe mais nos leilões de cavalos do que no Parlamento.

Georgiana franziu o cenho.
— Do que é que vocês dois estão falando?
— Nada de mais — respondeu Andrew, sorrindo. — Apenas rumores... A menos que não sejam. Que não sejam apenas rumores, quero dizer.
— Andrew! Conte logo! — exigiu Edward.

Em meio à risada geral, Robert continuou comendo. Seu apetite certamente havia aumentado nas últimas semanas. Quando ergueu os olhos, contudo, não se sentiu mais com tanta fome. Tristan o encarava com uma expressão surpreendentemente séria.

— Ninguém confirmou nada ainda — começou Tristan, hesitante —, mas há rumores de que alguns papéis foram furtados da sede da Cavalaria ontem.

— Que papéis? — quis saber Edward.

— Mapas da Ilha de Santa Helena — explicou Andrew —, além de uma lista dos apoiadores de Bonaparte que ainda estão soltos, coisas assim.

Bradshaw largou o garfo tão ruidosamente que Robert se encolheu.

— Alguém está tentando libertar Bonaparte!

— Shaw, você está tirando conclusões precipitadas — reprimiu Tristan com firmeza. — Pode ser apenas um rumor de mau gosto. Provavelmente é. Ninguém da Cavalaria confirmou nada.

Robert fechou os olhos, e o falatório entusiasmado da família se transformou em um zunido ensurdecedor. Para deter Bonaparte da última vez que ele escapara de uma prisão em uma ilha, foi necessário firmar uma parceria entre os exércitos da Inglaterra e da Prússia que culminara na Batalha de Waterloo. Ninguém poderia fazê-lo ir dessa vez, mas ele saberia — saberia o que outros soldados enfrentariam e ficaria imaginando se os franceses ocupariam o Château Pagnon novamente.

— Bit? Sente-se.

Ele piscou. Estava de pé junto à mesa, a cadeira caída no chão. Tristan o segurava pelo braço. Desvencilhando-se do irmão, Robert pegou a bengala emprestada e se dirigiu para a porta. *Respire.*

— Estou bem. Só preciso de um pouco de ar.

O joelho o deixava mais lento, mas ele conseguiu chegar à porta da frente. Escancarando-a, desceu as escadas cambaleando. Seguiu até o jardim de rosas — seu jardim de rosas — e sentou-se de um lado das mudas.

— Robert, desculpe — disse Tristan do limite da via dos coches. — Eu deveria ter d...

— Você deveria ter dito algo antes — grunhiu Robert, arrancando um torrão de terra. Queria arremessá-lo longe. Arremessá-lo longe e quebrar alguma coisa. Mas se limitou a apertar o torrão com tanta força que a terra esfarelou-se entre seus dedos. — Você sabia. Você e Grey. O que estavam fazendo? Conferindo se eu já tinha ouvido?

— Bit, você...

— Tarde demais, Dare — interrompeu ele. — Vá embora.

— Bit...

— *Deixe-me sozinho!* — Ele respirou fundo. — Vou para casa mais tarde.

Robert não se moveu até ouvir Tristan se afastar. Estava escuro, a lua só surgiria dali a uma hora e as nuvens encobriam Londres. Choveria antes da meia-noite.

Ele gostava da chuva. Quando chovia nos Pirineus, ele era um dos que lutavam por uma vaga na janela, estendendo a mão com um pedaço de tecido amarrado para capturar a água. A chuva significava que talvez permanecesse vivo por mais um ou dois dias.

A notícia sobre os furtos não deveria tê-lo impactado tanto. Afinal, ele só ficara sabendo muito tempo depois sobre o exílio de Bonaparte na Ilha de Elba, sua fuga subsequente e os cem dias de guerra que culminaram em Waterloo. Mas sabia o que a guerra tinha feito com ele — e com outros que não tiveram a mesma sorte.

Robert triturou uma folha com os dedos. Talvez o ex-imperador tivesse menos gana de batalha se tivesse passado um tempo em Château Pagnon, e não em umas ilhotas agradáveis. Talvez, então, ele só quisesse sentir o cheiro do ar fresco e nunca mais o odor doce e ferroso de sangue novamente.

Nunca deveria ter mencionado Pagnon a Lucinda. Com sorte, ela esqueceria aquele nome — poucos sabiam de muita coisa sobre o forte, de toda forma. Isto é, poucos que ainda estavam vivos.

Quando a chuva começou, Robert ainda estava sentado à beira do jardim. Ele inclinou a cabeça para trás, deixando as gotas geladas escorrerem por seu rosto. Era apenas chuva, disse a si mesmo. E a história de Andrew era apenas um rumor ou, na pior das hipóteses, apenas alguns pedaços de papel que haviam sumido. Ele não precisava voltar. Tristan havia vendido sua patente antes mesmo que ele conseguisse voltar a se sentar na cama.

Os rumores, verdadeiros ou não, não podiam feri-lo, de forma alguma. Ele estava seguro. Ele ainda estava seguro.

Capítulo 13

Foi um grandioso empenho do espírito do bem; ineficaz, contudo.
Poderoso demais, o destino e suas leis imutáveis
haviam decretado minha total e terrível destruição.
— Victor Frankenstein, *Frankenstein*

MESMO APÓS A NOITE DE temporal, Lucinda quase desejava que voltasse a chover. É verdade que os fogos de artifício de Vauxhall deveriam ser os melhores da Temporada, e o príncipe-regente, bem como boa parte da população de Mayfair, planejava comparecer. Ela até encontrara um vestido maravilhoso para usar em eventos ao ar livre, uma peça lavanda com contas e renda roxo-escura.

Lucinda adorava esses eventos, as multidões e o espetáculo, mas, nos últimos dias, ocorrera a ela que Robert os odiava. Mesmo assim, ele pretendia ir. E, como recompensa, ela planejava contar a ele que Geoffrey confessara os itens de sua própria lista — uma esposa e uma promoção — e que seu casamento estava praticamente arranjado. Ela havia encerrado suas lições, e a ajuda dele não era mais requerida. *Muito obrigada e adeus. E basta de beijos.*

— Bom dia, minha querida — cumprimentou o pai, juntando-se a ela no salão de café da manhã.

— Bom dia, papai. Há quanto tempo está trabalhando? — Lucinda olhou mais atentamente para ele. — O senhor chegou a ir para cama?

O general lhe entregou um prato e gesticulou para que ela se servisse primeiro.

— Levantei-me cedo. Estou apenas tentando desatar uns nós.

— Mas pensei que o capítulo estivesse correndo bem — comentou ela, pegando um pêssego e algumas fatias de torrada.

— O capítulo *está* correndo bem. Não é essa a questão. Ah, por falar nisso, Geoffrey já esteve aqui esta manhã. Ele deixou uma carta e uma caixa de chocolates.

Lucinda não se conteve.

— Para mim ou para o senhor?

— Conversamos sobre algumas coisas, mas tenho quase absoluta certeza de que são para você. Ele se desculpou por não poder ficar, mas tinha horário marcado com o alfaiate.

Lucinda olhou outra vez para o pai. O general havia colocado alguns pedaços de fruta no prato, nada mais. Quando ele perdia o apetite, era porque algo estava seriamente errado.

— Há algo que eu posso fazer para ajudar?

O pai se acomodou no lugar de sempre, na ponta da mesa, e Lucinda sentou-se à sua esquerda. Quando ele recusou a oferta de chá do criado, optando por café, ela teve certeza de que algo o incomodava.

— Papai?

Ele piscou, encarando-a.

— Ah, não. Não é nada. Mesmo.

— O senhor ainda pretende ver os fogos esta noite?

— Ainda não sei. Certamente tentarei. — Ele focou os olhos cinza-aço no prato. — Sabe, talvez *haja* algo que você possa fazer por mim.

— Qualquer coisa, papai.

— Quem mencionou Château Pagnon para você?

O sangue se esvaiu do rosto de Lucinda. Não tinha nada a esconder, mas Robert fora enfático ao pedir que não dissesse ao general nada sobre a conversa deles. Quanto ao motivo, ela pretendia perguntar para ele à noite.

— Eu lhe disse que não me lembro — respondeu, esforçando-se para manter a voz leve. — Passe a geleia, por favor.

O general arrastou a geleia para perto da filha.

— Lucinda — disse ele lentamente —, é importante. Nenhum dos seus amigos se meterá em apuros, mas essa poderia ser uma pista importante para outra questão.

— Os tais nós?

— Sim, os tais nós. Tenho uma boa suposição, é claro, mas preciso que você a confirme para mim.

Ela respirou fundo.

— Eu prometi ser discreta. Eu lhe contarei porque o senhor é meu pai, mas... Por favor. Não quero prejudicar ninguém.

— Eu entendo. A essa altura, eu gostaria de saber para minha própria paz de espírito. Foi Robert Carroway?

— Sim. — Lucinda sentiu-se traiçoeira e cruel. Mal passara um dia que tinha dado sua palavra e já estava quebrando a promessa. — Estávamos conversando sobre a guerra, e ele disse que não esteve em Waterloo; que passara, em vez disso, sete meses em Château Pagnon. Pensei que talvez se tratasse de um hospital, visto que ele foi gravemente ferido.

Seu pai permaneceu em silêncio por um bom tempo.

— Ele disse como foi parar lá ou como saiu? — perguntou, por fim, com uma expressão ilegível.

— Não. — Lucinda franziu o cenho para o próprio prato. — O senhor sabe mais sobre esse lugar do que me contou, não sabe?

— O que sei sobre Pagnon não é para os ouvidos de uma dama, Lucinda.

— Papai, quero saber...

O general se levantou.

— Tenho uma reunião agora pela manhã. — Ele parou para dar um beijo na testa da filha. — Se for sair hoje, não fale sobre nossa conversa para ninguém. — O general fez uma careta, então sua expressão suavizou. — Muito menos para um Carroway.

— Papai! O que está acontecendo?

Ele deixou o salão e, um momento depois, Lucinda ouviu a porta da frente abrir e fechar. O café da manhã do pai permaneceu intocado na mesa.

Aquilo estava errado, era tudo muito estranho. Não conseguia se livrar da sensação de que acabara de fazer algo terrível a Robert. E de que o pai tinha uma informação terrível sobre Robert que ela acabara de confirmar.

Lentamente, colocou o guardanapo na mesa. Sabia onde poderia encontrar respostas, se ele conversasse com ela. E se Lucinda tivesse coragem de fazer as perguntas.

Se ela fosse visitar Robert de novo, tão perto da visita do dia anterior, as pessoas começariam a comentar. Até mesmo Georgie, que sabia de seu acordo com Robert, duvidaria de que as lições com Lorde Geoffrey eram seu único objetivo. E ela teria razão.

Lucinda subiu para se trocar e colocar um vestido de visita. O lado bom da introversão de Robert era que ele tinha a tendência de ficar em casa. Então ela iria visitar Georgiana — que estaria tomando café da manhã com a tia, a Duquesa-Viúva de Wycliffe. Lucinda inspirou brevemente quando a euforia se espalhou por seu corpo — uma ansiedade que não tinha nada a ver com fazer perguntas, e tudo a ver com encontrar Robert outra vez.

Dawkins abriu a porta do coche quando ela chegou na Residência Carroway.

— Bom dia, Srta. Barrett — cumprimentou, ajudando-a a descer.

Assim que desceu, avistou Robert no canto do terreno. Estava sem o paletó e com as mangas enroladas até os cotovelos, agachado, arrancando ervas daninhas do canteiro. Com manchas de terra no braço e o cabelo preto fino caído sobre um olho, estava tão lindo que a boca de Lucinda ficou seca.

— Srta. Barrett? — chamou o mordomo, fitando-a com curiosidade.

Concentre-se.

— Lady Dare está em casa? — perguntou ela, forçando-se a desviar o olhar e a atenção do jardim.

Assim que o mordomo anunciasse que Georgie havia saído, poderia fazer uma visita às rosas e a quem quer que estivesse cuidando delas.

— Está, sim, Srta. Barrett.

— Ah, bem, nesse c… Ah. — *Droga.* — Ela está com alguma visita? Não quero incomodar.

Dawkins a levou até o salão de visitas.

— Vou averiguar.

O que Georgiana estava fazendo em casa? Ela e a duquesa tinham combinado esse café da manhã havia mais de uma semana. Lucinda franziu o cenho para a janela. Agora precisaria pensar em uma desculpa para a visita.

— Srta. Barrett, Lady Dare está lá em cima, no salão de música.

— Conheço o caminho.

Acenando em agradecimento para o mordomo, subiu as escadas até o segundo andar.

Georgiana estava sentada ao piano, com os braços esticados para alcançar as teclas por cima da barriga rotunda. Ela ergueu o rosto e sorriu quando Lucinda entrou no salão.

— Estou tão feliz que você esteja aqui, Luce — disse, interrompendo a música de Haydn que estava tocando. — Estou desesperada para dar uma volta sem estar rodeada por homens grandalhões e superprotetores.

Apesar da frustração, Lucinda não conseguiu segurar o riso.

— Bem, não sou grandalhona e muito menos homem, mas não posso prometer que não serei superprotetora. — Ela ajudou Georgie a se levantar. — Eu estava na metade do caminho para cá quando me lembrei de seu café da manhã com a duquesa — mentiu. — Estou surpresa por você estar em casa, para falar a verdade.

— Tia Frederica mandou um bilhete cancelando. — Georgie sorriu. — Acho que ficou jogando cartas até tarde com as amigas e não quis acordar cedo hoje.

— Ela deve ter ganhado.

— Ela sempre ganha.

As duas desceram, Georgie apoiando-se no corrimão com uma das mãos e no braço de Lucinda com a outra. Era a primeira vez que Lucinda reparava em como a gravidez de Georgiana já estava avançada. Vendo-a quase diariamente, a mudança não chamara sua atenção.

— Tem certeza de que quer sair para caminhar?

— Tenho certeza de que não quero ficar enfurnada em casa o dia todo enquanto meus rapazes estão nas corridas de barco. — Ela suspirou. — Não sei como Bit suporta ficar sozinho o tempo todo, mas ele parece achar pacífico.

— Ele está lá fora, aliás, trabalhando no jardim. Eu o vi quando cheguei.

— Viu? O joelho dele não parecia estar incomodando tanto esta manhã. Talvez um passeio curto faça bem a ele.

Lucinda não pretendia sugerir que ele fosse junto. Sim, ela queria conversar com Robert, mas não na presença de Georgiana. Ele provavelmente não falaria na frente da cunhada, mesmo... Exceto, lembrou Lucinda, que ele já o fizera. Georgie sabia mais coisas sobre Robert do que Lucinda, que percebeu de súbito que não gostava muito dessa situação.

Ora, aquilo era estúpido. Estúpido e errado. Georgiana era cunhada de Robert, pelo amor de Deus. Enquanto Lucinda era apenas uma amiga. Uma amiga que ia se casar com Lorde Geoffrey Newcombe assim que ele pedisse sua mão. Uma amiga que certamente não deveria estar admirando outro homem — sobretudo Robert Carroway.

Robert tirou os olhos do jardim um instante antes de Georgiana e Lucinda aparecerem no canto da casa. Ele se levantou automaticamente, para a própria surpresa. Pelo visto ainda se lembrava de algumas boas maneiras. Ou melhor, lembrava-se na frente de Lucinda.

Ela parecia a primavera, com seu vestido de musselina branco e verde e o cabelo castanho adornado com o *bonnet* também verde. Ele não conseguia parar de olhar. *Controle-se*, disse a si mesmo. Lucinda não lhe pertencia. Robert não a merecia, e ela ficaria muito melhor sem ele.

— Bit, poderia nos acompanhar em um breve passeio? — perguntou Georgie.

Como já estava em pé, ele não tinha muito como inventar uma desculpa. Dando de ombros, desenrolou as mangas da camisa e colocou o paletó que havia pendurado na roda de uma pequena carruagem descoberta. Sua deficiência estava mais pronunciada do que no último ano inteiro, mas ele dispensou a bengala de Tia Milly assim que conseguiu ficar em pé.

Desceram a rua, passando por belos jardins e mansões com dúzias de janelas reluzentes. Lucinda e Georgie caminhavam de braços dados, enquanto ele permanecia próximo do outro lado de Georgie, caso ela tropeçasse.

— Formamos um belo grupo, não é mesmo? — comentou Georgiana após algum tempo. — Luce, talvez você acabe tendo que carregar tanto eu quanto Bit de volta para casa.

Lucinda riu.

— Um de cada vez, por favor.

— O General Barrett foi ver aquelas estúpidas corridas de barcos também?

— Não, ele tinha uma reunião.

Uma reunião. Robert podia pressupor sobre o que se tratava. Um tremor de inquietação se espalhou por ele. Se os antigos generais da Cavalaria tinham decidido se encontrar em uma manhã de sábado em vez de participar das corridas de barco no Tâmisa, algo grave estava acontecendo.

Eles contornaram quatro quadras e, quando retornaram para a Residência Carroway, Robert não sabia ao certo quem estava mais contente por voltar — ele ou Georgiana. Ignorando a dor aguda no joelho, segurou o cotovelo da cunhada para ajudá-la a subir os degraus da frente de casa.

— Dawkins, eu ficaria extremamente grata por um copo de limonada — disse Georgiana, desabando no sofá do salão de visitas.

Como sempre estava ciente de onde Lucinda estava, Robert sabia que ela o tocaria um instante antes de Georgie se sentar. Ele contraiu o braço, preparando-se, mas não conseguiu evitar o choque. O toque queimou sua pele através do tecido do paletó.

— Georgie, você ficará bem aqui por alguns minutos? — perguntou Lucinda. — Quando estávamos lá fora, notei um pouco de míldio em algumas das rosas. Elas ainda são bastante delicadas, e eu...

— Vá, vá. Não vou me mexer. Nunca mais na vida.

Robert a seguiu de volta para o jardim. Podia se fazer de bobo — era especialista no assunto. Por dentro, contudo, estava imaginando beijá-la de novo. Beijá-la e remover seu vestido primaveril e deslizar as mãos por sua mele macia e quente.

— Eu menti — disse Lucinda abruptamente, parando para encará-lo.

— Eu sei.

— Sabe?

Ele não pôde evitar um breve sorriso.

— Já vi míldio antes. Minhas rosas não têm míldio algum.

As bochechas dela enrubesceram.

— Mas você saiu aqui comigo mesmo assim.

— Pensei que você quisesse falar alguma coisa comigo.

Os ombros de Lucinda se ergueram quando ela inspirou fundo, subitamente começando a andar de um lado para outro. Praguejando baixinho por causa da dor no joelho, Robert virou-se para conseguir vê-la.

— Sim, quero. Depois que conversamos ontem, eu folheei alguns diários do meu pai. Eu sabia que ele já havia mencionado Château Pagnon antes, mas não me lembrava do que tinha...

— Esqueça o que eu disse. Não era importante — interrompeu ele, tentando ignorar o embrulho no estômago.

Após três anos, ainda não conseguia nem ouvir o nome daquele lugar.

— Robert. Por que você esteve lá? O general escreveu que era um local muito bem fortificado, mas não de interesse estratégico. Mas foi significativo, ou você não teria mencionado.

Ele sabia que isso ia acontecer. Com qualquer outra pessoa, teria simplesmente ido embora. Mas podia conversar com Lucinda. E a presença dela amenizava a distância entre ele e o mundo.

— Eu era prisioneiro — disse ele entredentes.

— Pri...

— Isso não tem nada a ver com nosso acordo — disparou, enfiando as mãos nos bolsos para que ela não as visse tremendo. — Conte-me sobre sua terceira lição, que tal? Talvez eu precise de um tempo de preparação.

Lucinda voltou a andar de um lado para outro. Dessa vez, ele a seguiu, segurando seu braço quando chegaram no início da via de entrada da casa. Ela se desvencilhou antes que ele pudesse soltá-la.

— Não mude de assunto — disse ela com firmeza. — Eu quero saber sobre o Château Pagnon.

Robert estudou seu rosto por um momento.

— Não. Lição número três.

Os lábios dela se contraíram.

— Já lhe disseram que você é teimoso?

— Já.

— Robert, eu... — Franzindo a testa, ela virou de costas para ele. — Eu vim aqui para saber mais sobre você.

O *bonnet* dela impedia que ele visse seu rosto.

— Por quê?

Robert a puxou pelo ombro, para que ela o encarasse novamente.

— Porque sim.

Ele ergueu a sobrancelha.

— Pensei que fosse eu quem tinha um vocabulário limi...

— Por favor, me conte — interrompeu ela.

Robert analisou sua expressão. Uma suspeita crescia dentro dele. Sabia por que se recusava a falar, mas não sabia por que Lucinda fazia o mesmo.

— Algo aconteceu. Geoffrey discordou da sua... tolerância comigo?

— Não se trata de tolerância, ora essa. E podemos discutir Geoffrey depois.

Algo definitivamente a perturbava.

— Lucinda, você pode me contar qualquer coisa.

Lucinda parou no limite da escada. Era a primeira vez que Robert a chamava pelo primeiro nome, e ela gostou de como soava em seus lábios.

— Somos amigos — disse, virando-se novamente para ele. Um par de amigos bem estranho, que se beijava e que pensava continuamente nesses beijos, ao menos de sua parte. — Mas, se você não conversa comigo, por que eu deveria conversar com você?

Olhos azuis da cor do céu fitaram os dela, então desviaram. Aquela parecia ser a única vantagem dela — o fato de que ele tinha um forte senso de equidade. Se Lucinda pudesse lembrá-lo disso, talvez Robert parasse de pressioná-la para conseguir informações — informações que ela ainda não tinha decidido como contar, sobre não precisar mais dele, mas tampouco querer se afastar.

— O que você quer saber? — perguntou ele, baixinho.

A dor e a relutância em sua voz quase a detiveram. Talvez ela tivesse desistido, se as palavras de seu pai — "é importante" — não estivessem tão frescas em seu pensamento, bem como o pedido específico de Robert para que ela não contasse nada ao general. De toda forma, Lucinda não iria fazê-lo declamar nada no meio da via de entrada da própria casa.

— Quer entrar? — sugeriu ela.

Robert balançou a cabeça.

— Não sei quanto consigo lhe contar — disse ele —, mas eu... preciso ficar aqui fora.

Ela voltou até ele.

— Dê-me o braço, então, e vamos fazer outra caminhada. Uma caminhada curta.

Por um instante, pensou que ele não aceitaria.

— Não precisamos de um acompanhante? — murmurou Robert.

— Às favas com o acompanhante. Vamos apenas dar a volta na quadra, em público, afinal.

Ele lhe ofereceu o braço, e Lucinda segurou a manga de seu paletó. A perna dele parecia melhor, mas aquilo dava um pretexto para tocá-lo, para se apoiar. Ele cheirava a terra, couro e, mais sutilmente, sabonete para barba. Ela se pegou olhando para a boca sensual dele e, com determinação, desviou o olhar. *Amigos*. Eles eram apenas amigos.

Como continuaram em silêncio, ela percebeu que precisaria começar a conversa. Não seria um caminho fácil a trilhar. A última coisa que queria era causar ainda mais dor nele, mas queria — precisava — saber mais. E não apenas para satisfazer sua curiosidade quanto aos comentários do pai.

— Nos diários do general — começou, fazendo uma breve oração mental —, notei que há três motivos para deixar os detalhes de fora. Para começar, a missão foi tão envolvente ou estava progredindo tão depressa que ele simplesmente não tinha tempo de registrar tudo. Em segundo lugar, a ocorrência ou batalha foi... perturbadora demais, e ele não quis registrar os pormenores. E, por fim, ele intencionalmente não anotou certas coisas por razões de segurança e para proteger seus homens, caso os diários fossem perdidos ou apreendidos.

— Falta de detalhes também pode indicar uma mera falta de relevância — observou Robert.

— Sim, suponho que sim, mas ele já tendia a não mencionar coisas insignificantes de toda forma.

Ele a olhou de soslaio, e Lucinda se surpreendeu com a admiração que viu em seus olhos.

— O General Barrett faz ideia de que você o desvendou nesse nível?

— Ah, acho que ele faz uma boa ideia. — Ela sorriu. — Eu faço muitas perguntas.

— Já percebi. — Eles passaram por outra casa e dobraram a esquina. — Você tem muito apreço pelo General Barrett, não é?

— Tenho, sim. Ele nunca me tratou como inferior por causa do meu sexo e garantiu que eu tivesse uma educação de primeira linha.

— "Iniciara a vida com as melhores intenções, ansiando pelo momento de pô-las em prática e tornar-me útil ao próximo" — recitou ele, seu sorriso fugaz dando novamente o ar de sua graça.

— *Frankenstein*, não é? — perguntou ela, lembrando-se das páginas estraçalhadas do livro que ele estava lendo no dia em que tudo começara.

— Isso é um palpite ou uma afirmação?

— É raciocínio dedutivo. Também sou boa nisso. Por exemplo, deduzi que a brevidade de meu pai quanto a Bayonne e a Château Pagnon se deu por todos os três motivos: tempo, conteúdo e segurança.

Ela sentiu os músculos do braço dele tensionarem, mas a expressão não mudou.

— Eu não conseguiria nem começar a deduzir o que o General Barrett poderia estar pensando — comentou ele em um tom baixo e grave —, mas suponho que *você* esteja correta.

Lucinda engoliu em seco. Poderia perguntar a Robert por que ele não gostava de seu pai ou sobre aquilo que o general dissera ser importante. Ela tinha começado a entender, e suspeitava que ambas as coisas estivessem conectadas. Dando mais uma olhada rápida para aquele rosto bonito e tenso, compreendeu.

— Então Château Pagnon era uma prisão.

— De certa forma.

— Que certa forma?

Com a respiração irregular, ele começou falar. Sua voz era baixa, rouca e distante.

— Não vi muita coisa do lugar, mas, pelo que sei, era uma prisão para oficiais britânicos. Um lugar onde eles, os franceses, tentavam obter... informações.

Ou seja, um local onde oficiais britânicos eram torturados. Onde *ele* fora torturado.

— Sinto muito — sussurrou ela.

— A culpa não é sua.

— Você nunca contou isso a ninguém, não é? — perguntou, apertando ainda mais o braço dele.

— Não. Quer dizer, contei um pouco a Georgiana, sobre não termos permissão para falar. Apenas isso. Ela não precisava saber nada além disso. Talvez nem tenha percebido, mas ela não *queria* saber de nada além disso.

— Vocês não tinham permissão para falar?

— Não entre nós. Se um guarda ouvisse alguém sussurrar, uma única palavra que fosse, arrastaria a pessoa para fora e a espancaria.

— Mas você disse que eles queriam informações. Se vocês não tinham permissão para falar, como...

— Nós só tínhamos permissão para falar com ele.

Um tremor violento tomou seu corpo esguio.

— Robert?

Ele fechou os olhos por um instante.

— Passei três anos tentando esquecer isso — murmurou. — Não gosto de lembrar tudo de novo.

— Então não precisa.

Lucinda estava falando sério. A busca do pai por informações e sua própria curiosidade podiam esperar.

Eles deram alguns passos em silêncio.

— Não, acho que, talvez, eu precise. É... estranho, mas se eu puder me lembrar e não morrer, acho que talvez ajude.

Meu Deus. Agora, a questão não era se Robert falaria sobre o assunto, mas se ela aguentaria ouvir. Já tinha ouvido tantas histórias e anedotas de seu pai e seus amigos, mas nenhuma fora tão claramente... horrível.

— Conte-me o que puder, então — disse ela, a voz quase gutural.

Robert a encarou, mil coisas passando por seus olhos.

— Sinto muito.

— Pelo quê?

— Você não precisa dos meus pesadelos, Lucinda. Você me trata como um ser humano, e isso basta.

Passaram por um rododendro alto, repleto de flores cor-de-rosa, e por um coche estacionado rente ao meio-fio e, subitamente, Lucinda não conseguiu mais aguentar. Se ela não pudesse tocá-lo, confortá-lo, fazer alguma coisa, sentiria uma dor física. Apertando o braço dele, virou-o para si, emaranhou as mãos em seus cabelos, puxou seu rosto para baixo e o beijou. O calor a invadiu. Emitindo um ruído suave do fundo do peito, Robert a imprensou na lateral do coche.

A mente de Lucinda parecia não conseguir assimilar nada além da necessidade de estar ainda mais perto. A dor, a frustração, o orgulho ferido e raiva dele foram transmitidos para ela com tanta ferocidade que era quase tangível. Se pudesse sugar tudo para si, ela o faria.

As mãos dele desceram por seus ombros, passando pela lateral dos seios e deslizando, quentes e firmes, em torno da cintura. Ao mesmo tempo, ele afastou a boca da dela, abaixando-se para beijar a linha de seu maxilar e seu pescoço. Os joelhos de Lucinda ficaram moles, e ela pensou brevemente que, se não fosse pelo coche às suas costas, teria desabado no chão.

Robert se afastou.

— Lucinda — sussurrou ele —, pa...

— Shh. Me beije.

Ela tentou puxá-lo novamente, mas foi como tentar mover uma estátua de pedra. Aquilo era interessante. Antes, quando o puxara e ele cedera, não tinha percebido como ele estava simplesmente permitindo que ela agisse a seu bel-prazer.

— Carruagem vindo — sussurrou ele, afastando-a mais uma vez.

Uma fração de segundo depois, Lucinda ouviu o coche descendo ruidosamente a rua na direção deles. Ainda bem que Robert tinha ótimos ouvidos. Rapidamente, ela pegou o braço dele e, resistindo à tentação de ajeitar o *bonnet*, começou a caminhar mais uma vez com ele.

— Você ainda não me contou qual é sua próxima lição para Geoffrey — comentou ele, a voz mais forte, como se não estivesse, um instante antes, falando sobre tortura e morte. Ou, meio instante antes, beijando-a.

Beijando-a. Era por isso que mencionara Geoffrey de novo; para lembrá-la de que ela não tinha escolhido Robert Carroway para suas lições, ou para coisa alguma. Ao menos um deles se lembrava do que deveriam estar fazendo.

— Ainda planejo lhe contar esta noite.

— Deve ser algo ruim.

Era ruim, para ele e, talvez, para ela também.

— Bestei...

— Traidor maldito!

Robert virou a cabeça para a rua, entrando na frente de Lucinda e bloqueando sua visão. Ela inclinou-se para ver o que era.

O coche estava do outro lado da rua, passando por eles em alta velocidade.

— Quem era? — indagou ela.

— Sir Walter Fengrove e Lady Daltrey — respondeu ele, distraído, observando o veículo sacolejar pela rua.

— Ele estava falando conosco? Por que diria aquilo?

Robert deu de ombros mais uma vez, finalmente voltando a olhar para a frente.

— Não sei — disse, mas seu rosto empalideceu.

— Robert?

— Estou bem. Deveríamos devolver você a Georgiana.

Lucinda tinha a clara impressão de que ele não estava nada bem, mas não queria angustiá-lo ainda mais.

— Sim, tem razão. De volta para Georgie.

Capítulo 14

Agora, tudo estava arruinado.
— Victor Frankenstein, *Frankenstein*

Robert falara um pouco sobre Château Pagnon e não tinha morrido. Como dissera a Lucinda, aquilo, por si só, já configurava certo sucesso. Ou teria sido, se Sir Walter Fengrove não tivesse passado por eles.

Algo havia acontecido, algo estava errado. Podia sentir em seus ossos, mas não estava surpreso. Ele estava se sentindo bem demais, tinha até começado a pensar no futuro. Sentira que estava começando a viver novamente — algumas partes mais do que outras, ao menos quando estava perto de Lucinda.

Logo depois que retornaram à casa, ela se despediu de Georgiana e foi embora em seu coche. Hesitando, Robert retornou ao salão de visitas. Georgiana continuava sentada no sofá, desconfortável.

— Você não deveria ter ido caminhar — repreendeu ele, depois de passar um instante apoiado no batente da porta, observando-a se remexer.

— Deveria, sim. Sinto-me como um hipopótamo, chafurdando por aí.

— E está melhor agora?

Ela fez uma careta para ele.

— Pelo menos não tenho míldio.

Ignorando o comentário, Robert se desencostou do batente.

— Vou pegar umas almofadas.

Antes que ele pudesse sair, Georgiana se endireitou um pouco.

— Lucinda parecia inquieta quando foi embora. Ela disse se estava incomodada com alguma coisa?

A última coisa que ele pretendia fazer era chatear Georgiana.

— Quando estávamos na entrada do terreno, alguém passou de coche gritando. Um fugitivo do hospício, sem dúvidas.

— Pensei ter ouvido algo. — Ela sorriu, e a expressão acalorou seus olhos verdes. — Você ficaria constrangido se eu disse que você parece... mais feliz ultimamente?

Robert forçou um sorriso, torcendo para que Sir Walter tivesse simplesmente passado a noite bebendo e estivesse chamando todos que via pela rua de traidores. Era possível, ele supunha. Fengrove, de fato, bebia.

— Vou pegar as almofadas. Gostaria de um livro?

— Acho que deixei um na mesa de café da manhã. Obrigada, Bit.

Ele assentiu.

— Fico feliz em ajudar.

Georgie o dispensou com um aceno e uma risada.

— Está vendo? Eu *disse* que você estava mais feliz.

Talvez ele estivesse. E, com sorte, já teria aprendido a aproveitar enquanto durasse. Robert foi buscar as coisas para a cunhada, torcendo para que sua inquietação fosse apenas uma reação desproporcional, um produto da desesperança remanescente que o impedia de acreditar que as coisas poderiam correr bem. Porque, a julgar pela forma como Lucinda o beijara, algumas coisas estavam correndo melhor do que poderia imaginar.

Ele entregou o livro e as almofadas a Georgiana, então atravessou o corredor até a biblioteca para ler. A cunhada alegava estar bem, a não ser pelos pés cansados, mas ele queria estar por perto caso ela precisasse de alguém. Ela detestava que ficassem no seu pé quase tanto quanto ele, então a biblioteca pareceu a melhor solução.

Uma hora depois, ele se levantou para checar se ela estava bem e a encontrou dormindo no sofá. Quando voltou para o corredor, a porta da frente chocalhou e se abriu.

— Não é verdade — disse Edward em voz alta, marchando para dentro de casa na frente dos irmãos. — Eu teria ganhado dez libras se você tivesse me deixado apostar no...

— Silêncio — disse Robert, indo tapar a boca do Nanico. — Georgie está dor...

— Tristan, você me trouxe sorvete de limão? — chamou a voz de Georgiana.

Dare passou para a dianteira do grupo.

— Sim, minha querida. — Ao passar por Robert, ele colocou a mão em seu braço. — Espere por mim no meu escritório — murmurou.

O primeiro instinto Robert foi encontrar um lugar escuro e silencioso onde não precisaria ouvir o que quer que fosse que Tristan queria lhe contar. Como havia descoberto na França, no entanto, "escuro" e "silencioso" não tinham nada a ver com segurança.

Edward ficou contando a Dawkins sobre as corridas de barco, mas parecia ser o único Carroway que não percebera que algo estava errado. Tanto Bradshaw quanto Andrew permaneceram no saguão, com expressões solenes e até zangadas. E nenhum deles olhou para Robert.

Com o pavor pesando no estômago, foi até o escritório de Tristan. Apesar do joelho cansado, não conseguiu se sentar e ficar parado, então começou a andar lentamente de um lado para outro diante da janela.

Ele ouviu Tristan entrar alguns minutos depois, mas não se virou. O som da porta se fechando era como o anúncio da perdição.

— Bit, sente-se.

— Não.

O visconde suspirou.

— Está bem. Eu queria que soubesse que acho que você deveria ficar em casa esta noite.

— Por quê?

— Será que pode ao menos olhar para mim quando falo com você?

Respirando fundo, Robert se virou, apoiando-se no peitoril da janela.

— Durante três anos você vem tentando me tirar de casa, Tris. Por que não quer que eu vá a Vauxhall hoje à noite?

— É complicado. — Tristan desabou em uma das cadeiras de frente para Robert. — E eu realmente não quero magoar você. Então estou pedindo que fique em casa hoje à noite. Por mim.

Às vezes, achava que a manta que os irmãos lançavam sobre ele para protegê-lo o sufocaria até a morte.

— Você não poderia, de forma alguma, me machucar, Tristan. Conte-me o que está acontecendo. Presumo que tenha algo a ver com Sir Walter Fengrove me chamando de traidor uma hora atrás.

Tristan empalideceu.

— Ele... Inferno!

Aquilo não os estava levando a lugar algum.

— Está bem. Farei minhas suposições. Algo desapareceu da sede da Cavalaria e as pessoas acham que fui eu.

— Algumas poucas pessoas acham. Elas estão erradas.

Robert franziu o cenho.

— Eu sei que estão erradas. Mas por que desconfiam de mim?

Levantando-se novamente, Tristan começou a andar de um lado para outro diante da porta.

— Porque algum idiota começou um boato de que você foi prisioneiro em Château Pagnon, e todos sabem que os únicos soldados ou oficiais que saíram de lá com vida são os que viraram traidores.

Robert ficou olhando para o irmão. Não conseguia pensar. O silêncio o assolou e o corroeu, e ele apertou o peitoril da janela para impedir que desabasse. Céus, ele se enganara. Fora estúpido e se enganara. Enfim tinha falado sobre Château Pagnon, e aquilo *realmente* o matara.

— É ridículo — estourou Tristan, uma raiva genuína transparecendo em sua voz — e eu pretendo descobrir quem foi o maldito mentiroso e esmurrá-lo até que conte a verdade. Eles não fazem ideia do que...

— Eu *estive* em Pagnon — interrompeu Robert, a voz um mero sussurro rouco.

Tristan congelou.

— Não. Não esteve.

— Se eu posso aceitar esse fato, você também deve conseguir.

Cada palavra lhe doeu como uma facada no peito.

— Mas...

— Eu não peguei nada da sede da Cavalaria.

— É claro que não. — Tristan o encarou, mágoa e pavor transparecendo em seus olhos azul-claros. — Mas nem *eu* sabia onde... Como é que qualquer outra pessoa sabia que você foi um prisioneiro?

Nas profundezas sombrias e moribundas de seu coração, Robert sabia. Tinha sido traído, justo quando começara a confiar nela. Justo quando começara a ver a luz do sol novamente. E ela bancara a inocente e preocupada — e perplexa quando pessoas começaram a gritar epítetos para ele.

— Faço uma boa ideia — grunhiu, endireitando-se. — Com licença. Preciso resolver uma coisa.

— Bit, não. — Tristan moveu-se para bloquear a porta. — Você não vai a lugar algum até me dar uma explicação. Como é que outra pessoa sabia disso, se você não havia contado nem para sua própria família?

Com a raiva crescente berrando sob sua pele, Robert empurrou o irmão para o lado.

— Mais tarde.

— Rob...

Abrindo a porta com violência, ele marchou até o saguão. Bradshaw e Andrew ainda estavam ali, mas Shaw, ao menos, pareceu perceber seu humor, pois afastou Andrew da porta assim que Robert a escancarou.

Sua perna reclamou com o esforço, mas, enquanto atravessava a via dos coches, Robert não se importava. Estava acostumado com a dor. A raiva tenaz e a decepção dentro dele, contudo — isso era novidade. E era pior.

O próprio General Barrett abriu a porta da frente quando Lucinda chegou em casa.

— Papai! — exclamou ela, assimilando os olhos flamejantes e semblante austero dele com certa apreensão. — O que aconteceu?

— Meu escritório — disse ele, dando as costas e marchando pelo corredor.

Ah, não. Mesmo quando criança, Lucinda raramente era vítima dos sermões do pai. Engolindo um breve desejo de fugir para um lugar silencioso e pensar em Robert, ela o seguiu, tirando o *bonnet* enquanto caminhava. Robert. Era interessante que, para alguém que falava tão pouco, ele tivesse uma boca tão sensual e hábil.

— Porta — ordenou o general bruscamente, sentando-se em sua poltrona. Ele se recostou, com as costas eretas, rígido como uma estátua.

Lucinda fechou a porta, apoiando-se nela.

— O que foi?

— Eu pedi que você ficasse em casa hoje de manhã — respondeu ele, sem rodeios.

— Não, não pediu. O senhor me pediu para que não comentasse sobre nada que conversamos esta manhã, e eu não comentei.

— Então por que, ao voltar para casa depois do almoço, três pessoas diferentes me pararam, todas para perguntar se era verdade que Robert Carroway roubou papéis da sede da Cavalaria?

Se tivesse dado um tapa em sua face, Lucinda não teria se sentido tão perplexa.

— *O quê?* Por que... Por que diriam que Robert roubou alguma coisa? Ainda mais da sede da Cavalaria. Algo realmente sumiu?

Ele a fitou por um instante, respirando fundo.

— Aonde você foi hoje de manhã?

— Visitar Georgiana — respondeu, dividida entre a promessa a Robert e a confiança em seu pai. A julgar pelo que ele havia contado, qualquer coisa poderia ser importante, exceto pelo beijo e pelo que ela sentiu. — E para perguntar a Robert o que ele sabia sobre Château Pagnon.

— Então você *saiu* para fofocar. Lucinda, eu...

— Não fiz nada disso — interrompeu ela, com firmeza. — Robert não contou a ninguém além de mim, e eu não contei a ninguém além do senhor, e até mesmo isso foi contra a vontade dele. Então nenhum rumor foi criado por mim, papai.

— Está dizendo que isso é culpa minha, então? Acho que sei...

Lucinda ergueu a mão.

— Pare de gritar e me conte o que se passa. Quem sabe assim possamos tirar alguma conclusão disso tudo.

O general se levantou, caminhando até a janela para olhar para a rua.

— Às vezes, o seu sangue frio é exasperante — resmungou ele.

Lucinda lutou contra o desejo de sorrir, a despeito do pavor crescente.

— Sim, eu sei.

O general a fitou.

— Está bem. Suponho que, como fiz acusações contra a sua pessoa, você tenha o direito de saber os fatos.

— Obrigada.

— Primeiramente, sim, alguns itens foram levados da sede da Cavalaria. Itens que não teriam serventia alguma a não ser como instrumentos para libertar Napoleão e dar início a outra insurreição na Europa.

— Mi... Minha nossa — gaguejou ela, afastando-se da porta para se sentar em uma das confortáveis poltronas do escritório. Então, quando compreendeu o que seu pai estava falando, seu coração pesou tanto que foi parar no estômago. — Robert não poderia, não *faria* algo assim. Por que o estão culpando?

— Admiro sua lealdade ao seu amigo, Lucinda, mas sugiro que, por ora, fique longe dele.

— O *senhor* não acha... Como pode?

— O que ele lhe contou sobre Château Pagnon?

Lucinda hesitou, mas, dadas as circunstâncias, limpar o nome de Robert pareceu mais importante do que guardar seus segredos. Ela lhe explicaria tudo à noite; já tinha outras explicações para dar, afinal de contas — embora suas lições parecessem insignificantes perto disso.

— Papai, Robert Carroway não fez nada de errado. Tudo que disse foi que apenas oficiais britânicos ficavam presos lá. Eles eram espancados por alguém se trocassem uma única palavra um com o outro, mas... ele não me falou quem.

— Seria o General Jean-Paul Barrere. Oficial de informações de Bonaparte, um... mentecapto muito persuasivo.

Por um bom tempo, Lucinda permaneceu sentada em silêncio.

— Deve ter sido horrível — sussurrou, quase que para si mesma, e então se endireitou. — Mas não entendo por que Robert está sendo apontado como uma espécie de traidor simplesmente porque ficou preso lá.

Traidor. Era exatamente disso que Sir Walter Fengrove o chamara.

— Nada foi comprovado ainda, senão ele já teria sido preso. Contudo, o...

— Preso! — Lucinda levantou-se de supetão. — Papai, o senhor não pode estar falando sério.

E se isso acontecesse por causa de algo — qualquer coisa — que ela tivesse dito a seu pai, seria sua culpa. Robert tinha pedido que não contasse para ninguém. *Mas por quê?*

— A verdade é que nós só encontramos três oficiais que deixaram Pagnon com vida. Um tentou assassinar seu comandante e o outro foi enviado para a Ilha de Elba pouco antes da fuga de Bonaparte. Então nos resta apenas Robert Carroway. Infelizmente, a Cavalaria não sabia que ele havia sido um prisioneiro até ontem.

— Até eu lhe contar — murmurou ela.

Sentindo-se zonza, sentou-se novamente.

— Não se sinta culpada, Lucinda. Eu havia chegado a essa conclusão ontem. Você apareceu com um novo "amigo", um ex-soldado, e então, dez dias depois, vem me perguntar sobre Château Pagnon. Você pode muito bem ter salvado muitas vidas inglesas com sua atitude.

Ela fechou os olhos, desejando que tudo simplesmente desaparecesse.

— Mas ninguém sabe se foi ele.

— Ainda não. — O general levantou-se e parou diante da filha, colocando a mão em cada braço da poltrona. — Até que tudo seja resolvido, quero que fique longe dele, do restante da família e daquela casa. Fui claro?

— Mas Georgiana é minha...

— Ela é sua melhor amiga. Eu sei. E sinto muito. Mas quem quer que seja culpado por isso é um... salafrário infame, e você não vai querer estar, *de jeito algum*, perto dessa pessoa. — O general se endireitou. — Receio que não nos juntaremos aos Carroway esta noite em Vauxhall, nem em qualquer outro lugar, durante um tempo.

Lucinda não conseguia pensar. Mais do que tudo, queria gritar, berrar que nenhum de seus amigos era traidor. Pelo amor de Deus, dois dos irmãos Carroway tinham arriscado a vida contra o exército de Bonaparte. *Ah, céus.* Bradshaw perderia a patente por causa disso. E Robert...

Antes que ela pudesse concluir o pensamento, o mordomo bateu à porta.

— Desculpe interromper, senhor, mas a Srta. Lucinda tem uma visita.

— Quem é, Ballow?

— Um homem chamado Sr. Robert Carroway, senhor.

Ele sabia. Sabia que Lucinda havia contado o que prometera não contar. Sabia que as pessoas estavam gritando com ele e acusando-o de coisas por causa dela.

O general se encaminhou para a porta.

— Eu cuido disso.

Ela se levantou, segurando o braço do pai.

— Papai, o senhor disse que nada foi confirmado.

— Se tiver sido ele quem pegou aqueles papéis, machucar você seria o de menos para ele. Fique aqui.

Tremendo, Lucinda fez o que ele mandou, mas abriu a porta do escritório o suficiente para espiar o corredor. *Por favor, que isso seja um mal-entendido. Por favor, que isso seja um engano.*

O rosto de Robert estava pálido; sua expressão, totalmente impenetrável quando o general chegou ao saguão.

— Minha filha não está recebendo visitas — declarou o general, com firmeza. — Sugiro que vá embora.

Por um instante, Lucinda pensou que Robert pretendia atacar seu pai, mas seus punhos cerrados permaneceram abaixados.

— Isso é tanto sua culpa quanto dela — disse, por fim, em um tom sombrio e gélido que a fez estremecer. — E pensar que eu quase considerei perdoá-lo.

— Me perdoar? — disparou o general. — Pelo quê?

— Bayonne. — Robert escancarou a porta. — Mantenha sua filha longe de mim. Vocês dois, fiquem longe de mim.

Quando a porta bateu, Lucinda se encolheu. Já tinha visto Robert surpreso, frustrado e chateado. Mas nunca verdadeiramente zangado até então. E aquilo a apavorava — porque era culpa sua e porque ele estava furioso com ela.

E, o pior de tudo: ela merecia.

Mais pessoas sabiam sobre Château Pagnon do que Robert imaginava. Tinha sido estúpido e ingênuo presumir que, apenas porque ele nunca havia tocado no assunto e jamais se relacionara com alguém que fosse ter motivos para discuti-lo, a questão deixaria de existir. Como se ele, pela mera força do desejo, pudesse fazer com que o lugar e suas lembranças virassem pó.

Quando deixou a Residência Barrett, percebeu os olhares acusadores e ouviu os murmúrios por toda a rua Bond. Aparentemente, tinha conseguido sair da solidão e da obscuridade para a infâmia em apenas um dia. Um dia infernal.

Em casa, Robert enfrentaria mais perguntas, julgamentos e só o diabo sabia o que mais. Sua casa era o único lugar onde se considerava a salvo disso. Sua família se limitava a perguntar como ele estava e se precisava de alguma coisa. Mas agora perdera isso — e eles — também.

Inclinou-se para a frente para acariciar o pescoço de Tolley.

— Vamos dar uma volta — disse.

Partiram para o norte, saindo de Londres, passando pelo prado onde ele e Lucinda tinham passado aquela manhã de paz, e continuou em frente. Ainda lhe restava um único lugar seguro: a Abadia Glauden, na Escócia, uma propriedade antiga e meio esquecida da família Carroway que Tristan colocara em seu nome no ano anterior. Um lugar com dois criados e uma cozinheira, onde ele passara os dois últimos invernos, limpando, reformando e consertando, fazendo todo o trabalho por conta própria e no mais perfeito silêncio.

Ele levaria uns bons cinco dias para chegar lá; quatro, se forçasse Tolley. E poderia ficar lá, no mato, até a confusão de Londres ser esquecida, até encontrarem quem quer que tivesse roubado os malditos papéis, até todos esquecerem que ele havia tentado se tornar humano de novo.

Era início da noite quando parou na pousada Devil's Bow para comer e deixar Tolley descansar. Ninguém ali o olharia torto, pelo menos não mais do que olhariam para qualquer outro viajante bem vestido, e ele tentou obrigar a mente a desacelerar um pouco.

Quando Robert não retornasse para casa, saberiam aonde ele tinha ido — ou ao menos Tristan saberia. Edward ficaria zangado, mas o restante da família entenderia — provavelmente, a menos que sua confissão para Tristan de que estivera preso em Château Pagnon fosse suficiente para convencê-los, também, de que ele era culpado. Nesse caso, nenhum lugar seria seguro.

O pânico sombrio o cutucava, e ele virou uma cerveja enquanto comia seu frango assado. Depois pediu outra. Não podia acontecer naquele momento. Ele não permitiria.

Geralmente, concentrar-se em algo diferente ajudava, mas naquele caso era diferente. Percebeu que era a primeira vez que se sentia ameaçado por algo mais potente que os pesadelos desde que os combatentes da liberdade espanhóis o haviam encontrado. E o que estava fazendo? Fugindo. Desistindo. Deixando a esperança para trás. Exatamente como tinha feito antes.

Lucinda contara, obviamente. Ele considerou aquilo uma traição — ou considerava, quando deixou a Residência Barrett tão furioso que mal conseguia pensar. Mas as peças não encaixavam direito. Se tivesse feito aquilo com prazer, ela mesma o teria confrontado na entrada da casa. Se ela o tinha feito com relutância, é porque havia um motivo.

Aquela era a mulher que o lembrara de que existem outros lugares além da escuridão, afinal de contas. Ela começara a derreter o gelo e as rochas que o enjaulavam. Era linda, é claro, mas não fora sua aparência que o convencera a dar os primeiros passos coxos sob a luz do sol. Fora seu coração.

Robert não se enganara quanto a isso; não podia ser. Porque, se ela não fosse quem ele pensava, então não havia esperança alguma. E esperança era só o que ele tinha. Se Lucinda havia contado seus segredos para o pai, deveria ter tido um motivo. Ele só precisava descobrir qual era.

Levantando-se, Robert jogou algumas moedas na mesa e saiu no quintal da hospedaria. O General Barrett não tinha certeza de nada, caso contrário teria sido despertado na Residência Carroway por um pelotão.

Ele pegou Tolley, dando ao cavalo uma cenoura que guardara da janta.

— O que acha? — perguntou, e o baio mexeu as orelhas.

Por três anos, Robert não se importara com o que qualquer outra pessoa pensava dele, mas a verdade era que tinha sido fácil — ele não passava de uma sombra, e ninguém nem sequer lembrava que ele existia. Bem, agora tinha a atenção de todos. Não era o teste que queria, mas, obviamente, era o que tinha recebido.

Robert franziu o cenho enquanto se sentava novamente na sela.

— Mudança de planos, Tolley — murmurou. — Vamos voltar para Londres.

Capítulo 15

Não preguei os olhos aquela noite.
— Victor Frankenstein, *Frankenstein*

Quando o barulho dos fogos de artifício cessou ao longe, já tinha passado e muito da meia-noite, mas Lucinda ainda não conseguia dormir. A expressão no rosto de Robert a assombrava e, se adormecesse, ela sabia que seria cem vezes pior.

Ficou imaginando se os Carroway teriam ido a Vauxhall e se Santo e Evie teriam se juntado a eles. Esperava que sim, pois pensar em Georgiana e Tristan sentados lá, sozinhos, a atormentava. Robert dissera que compareceria, mas certamente reconsiderara, depois de tudo. Um tanto atrasada, ela se lembrou de que pedira a Dare que convidasse Geoffrey. A noite, portanto, tinha sido um desastre total.

O chá que tinha levado consigo para o quarto já esfriara, mas bebia mesmo assim enquanto caminhava de um lado para outro. Seu pai, obviamente, sabia tudo sobre Château Pagnon, mas no dia anterior ele tinha lhe contado o suficiente apenas para aguçar sua curiosidade. Será que sabia que ela procuraria Robert em busca de mais respostas? Será que tinha sido usada para espionagem?

A janela do quarto estremeceu. Lucinda virou-se, pegando um vaso quando a janela abriu. Uma figura sombria sentou-se no caixilho e entrou no quarto. Arfando, Lucinda ergueu a arma e arremeteu contra o invasor.

O invasor segurou seu pulso, girando-a e pressionando suas costas contra um corpo rijo. Ela puxou o ar para gritar, mas outra mão cobriu sua boca antes que pudesse emitir qualquer som. O vaso caiu no carpete e rolou para baixo da cama, emitindo um ruído abafado.

— Terminou? — sussurrou uma voz grave familiar em seu ouvido.

Robert. *Robert*. Ela assentiu. Seu coração batia tão alto e com tanta força que ela pensou que ele pudesse ouvir.

— Sem gritar, Lucinda.

Com isso, ele a soltou, largando-a tão subitamente que ela cambaleou para a frente.

— Posso... — Sua voz estava falhando, e ela respirou fundo, tentando se acalmar. Não acreditava que Robert havia roubado qualquer coisa, mas ele *estava* ali em seu quarto e, em meio à escuridão tenebrosa, Lucinda não pôde deixar de lembrar que ele queria manter Pagnon em segredo e das palavras de seu pai sobre como seria fácil, para ele, machucá-la. — Posso aumentar a chama?

Ela ouviu as cortinas sendo fechadas.

— Um pouquinho.

Com as mãos tremendo tanto que mal conseguia segurar a lamparina, aumentou a chama. Queria uma chance de conversar com ele, de se explicar, mas, quando a luz amarelada tremulou e mostrou no semblante tenso e nos olhos cintilantes de Robert, duvidou de que ele a ouviria.

— Robert, não era minha intenção que nada disso acontecesse — disse mesmo assim. — Eu sinto muito.

— Você contou ao seu pai, depois de eu ter pedido para que não fizesse isso. Por quê?

Ele rondava o quarto de Lucinda enquanto falava, sem tocar em nada, mas examinando tudo, como se estivesse tentando desvendar alguma coisa. Tentando *desvendá-la*.

— Eu só perguntei a meu pai o que era o Château Pagnon — respondeu, a voz oscilante. — Quando ele perguntou onde eu tinha ouvido aquele nome, respondi que não me lembrava. Mas ele disse que era um assunto importante. — Uma lágrima escorreu por seu rosto. — Ele não teria dito se não fosse verdade.

— Ele falou por que era tão importante?

Ela balançou a cabeça.

— Disse que estava tentando desatar uns nós. Estava tremendamente preocupado com alguma coisa, Robert. Mas eu não sabia do roubo ou que Pagnon era uma prisão. Só soube mais tarde.

— A quem mais você contou?

— Ninguém.

Robert desabou na cadeira de sua penteadeira.

— Então os rumores partiram do general.

Ao menos ele acreditava nela, embora Lucinda não gostasse do tom lúgubre que permeou sua voz quando ele mencionou seu pai.

— Ele sabe que contei a ele em segredo.

— Você também sabia.

— Sim, mas por quê? Por que você não queria que meu pai soubesse?

Robert deu um soco na própria coxa.

— Tenho meus motivos. Que não têm nada a ver com os roubos da Cavalaria.

— Robert, eu...

— Alguém repassou a informação. Se não foi você, então eu gostaria de saber, exatamente, com quem o general pode ter falado.

Eles podiam continuar discutindo a integridade de seu pai a noite toda sem chegar a um acordo, mas aquele último comentário a preocupava ainda mais.

— Você quer que eu espione meu pai para você?

— Não, quero saber de onde surgiram os rumores. Eu apostaria que foi alguém que não tem o mesmo senso de certo e errado que você.

Seu tom não era tão nervoso ou furioso quanto ela esperava, depois de ver como ele fora embora de sua casa aquela manhã. Obviamente, ainda estava zangado, mas a raiva não parecia mais direcionada a ela. *Graças a Deus.*

Expirando pesadamente, Lucinda não conseguiu evitar o calor lento que subiu em espiral por sua espinha enquanto o observava pegar sua escova de cabelo e manuseá-la com as mãos elegantes, distraído. Conseguia imaginá-lo penteando o cabelo dela, os puxões delicados, o... Ela parou de repente.

— Os rumores estão correndo por aí, bem como o ladrão. Saber quem iniciou os boatos não ajudará em nada.

Por um bom tempo, Robert permaneceu em silêncio.

— Talvez me ajude a conseguir paz de espírito. — Ele se remexeu. — Você ia me contar sua terceira lição esta noite.

— Você quer conversar sobre isso, enquanto as pessoas o estão acusando de...

— De alta traição?

— Sim. Não é possível que esteja tão calmo assim, Robert.

Ele a encarou, os olhos azuis quase negros sob a luz fraca da lamparina.

— Acredite em mim, não vou esquecer. Mas você é minha amiga, não é? Ainda somos amigos?

Outra lágrima escorreu.

— Sou eu quem deveria estar fazendo essa pergunta, Robert. Se você me quiser como amiga, então, sim, ainda somos amigos.

— Então, como minha amiga, estou pedindo que me distraia. Conte-me sobre a lição.

Céus, as lições pareciam tão infantis agora.

— As lições estão encerradas.

— Estão? Ou você só está dizendo isso para se livrar de mim? — Algo sombrio passou pelo rosto dele. — Afinal, sou uma companhia perigosa.

— Não! — sibilou ela. — Não é isso. É só que eu tive uma conversa com Geoffrey. Ele quer uma promoção para assumir um cargo de comando na Índia.

A expressão nos olhos de Robert mudou, embora Lucinda não fizesse ideia do que ele estava pensando.

— Então Newcombe se casa com você, e o general confere a ele a patente de major.

— Sim.

— E não a incomoda que ele não ligue para você? De estar passando por tudo isso por causa dele e...

— Não é bem assim.

Lucinda sentou-se na beirada da cama, mas logo teve de se levantar novamente. Ele achava que ela amava Geoffrey, quando, na verdade, ninguém a fazia se sentir... elétrica, a não ser Robert. Ele dissera que tinha vindo em busca de respostas, para se distrair, mas era ela quem não conseguia pensar direito. Céus, Lucinda tinha 24 anos — não era mais uma garotinha deslumbrada. Só porque um homem lindo, atormentado e perigoso escolhera invadir seu quarto pela janela, não significava que ela precisava deixar de raciocinar.

— Meu pai gosta de Geoffrey e ficará feliz por eu me casar com alguém que ele aprecia e que sabe que cuidará de mim. É bem simples e objetivo, na verdade.

— Você está se acomodando — observou ele, conseguindo fazer com que a frase parecesse uma afirmação e um insulto ao mesmo tempo.

Lucinda nunca havia pensado dessa forma antes, mas ele tinha razão. Tinha toda a razão — e aquilo, para falar a verdade, não lhe dizia respeito algum.

— E qual o problema? — protestou ela, sentindo-se subitamente constrangida. — Todos ficam felizes e todos conseguem o que querem.

Robert levantou-se de supetão.

— Você não pode fazer isso.

— Por que não? Tenho a sorte de ter encontrado uma solução simples e aprazível para os problemas de todos.

Ele caminhou até ela, segurou seus ombros e a empurrou contra a parede.

— Simples? Aprazível? Com toda a paixão e vitalidade que tem, quer se contentar com "aprazível"?

Lucinda mal conseguia respirar, com ele tão perto e seu coração batendo tão rápido.

— Todo o resto é complicado demais — sussurrou.

— E ainda bem — grunhiu ele. — Eu não tenho mais nada. Você sabe o que eu daria para...

Robert fechou os olhos por um instante. Quando os abriu novamente, estavam transbordando de calor, raiva e algo que ela não conseguia identificar, mas que pareceu provocar uma febre sob sua pele.

— Robert?

— Deixe-me ensinar uma lição a *você* — disse ele, a voz suave e implacável. — Tem até uma moral no fim. É sobre um oficial, um capitão do exército. Ele e seu pelotão foram emboscados quando deveriam estar apenas fazendo um reconhecimento de terreno. Todos os seus homens foram mortos, até só restar ele vivo. Ponderando que havia apenas um motivo para os franceses terem poupado sua vida, ele decidiu lutar. Mas eram muitos, e eles o surraram até o oficial perder a consciência. Ele acordou em uma cela pequena, com uma janela minúscula, fechada com barras de ferro, e seis outros oficiais britânicos como companhia. Na cela ao lado, havia seis ou sete outros homens, mas ele não tinha certeza, pois só podiam se comunicar por meio de batidas lentas e muito suaves na parede de pedra que os separava.

— Sinto muito — sussurrou ela.

— Não terminei ainda — sibilou Robert. — Por sete meses, ele viu e ouviu seus amigos, seus colegas oficiais, sendo torturados até contarem tudo o que sabiam. Quando contavam, eram mortos. — Robert soltou uma espécie de risada, repleta de raiva e destituída de qualquer humor. — Essa era a escolha. Falar e morrer ou permanecer calado e ser torturado até a morte. E o mais incrível de tudo era que esse oficial em questão nem sequer sabia de coisa alguma.

— Robert...

— Acredite, se ele... Se eu... soubesse de alguma coisa, teria contado a ele. Barrere. Mas ele não acreditou em mim, pensou que eu devia saber alguma coisa. Então lá estava eu, tentando morrer, sem ninguém disposto a me ajudar nisso.

Lucinda tentou cobrir os ouvidos com as mãos, mas ele segurou seus pulsos e os prendeu na parede, acima de sua cabeça.

— Por favor, pare — sussurrou ela. — Não consigo suportar saber que você estava sofrendo tanto que queria...

— Me matar? Eu me matei. Chegou um momento em que não consegui aguentar mais. Agarrei um dos guardas enquanto me enfiavam de volta na cela, arranquei sua faca, então corri na direção do comandante para que atirassem em mim. Eles atiraram. Acordei ao pé do *château*. Devem ter pensado que eu estava mesmo morto e me jogaram da muralha. Eu me arrastei até a floresta para que não pudessem me levar para dentro novamente e esperei a morte chegar.

Outra lágrima quente escorreu pelo rosto de Lucinda, e então mais uma. O rosto dele, a centímetros do dela, estava exaurido e sombrio, como se até mesmo a lembrança machucasse. Lucinda mexeu os pulsos sob os dedos fortes dele, então ergueu-se e o beijou.

— Eu nunca achei que você tivesse roubado coisa alguma — murmurou ela, beijando-o sem parar, forçando as mãos dele a se abrir para puxá-lo mais para perto.

Robert deu um passo para trás, afastando-se.

— Não se trata disso. Eu estava morto há três anos, Lucinda. E então pensei que poderia ajudá-la e que, assim, poderia ajudar a mim mesmo. Sei que minha família sofre por eu estar... assim. Mas é porque era para eu estar morto.

Aquela mera frase a aterrorizou mais do que qualquer outra coisa que ele tinha dito.

— Mas você não está.

— Não, não estou. E cada dia que acordo é um... um milagre. E você não pode se contentar com Geoffrey Newcombe simplesmente porque é simples e aprazível. Não entende?

— Não há nada de errado com paz e simplicidade.

— Não é paz. É vazio. Para você, simples e aprazível significa que nada a chateará, empolgará ou tocará.

Ela franziu o cenho.

— Não. Significa que... — Lucinda parou. Robert tinha razão, mas qual era o problema em passar a vida sem um mar de problemas? — Simplicidade é o que me faz feliz.

Ele inclinou a cabeça, o olhar descendo por toda a extensão de sua camisola fina de algodão e então retornado ao seu rosto.

— Mentirosa.

— Não sou...

Robert se apossou de sua boca novamente. Dessa vez, não havia como não compreender a mensagem. Lucinda pensou que não conseguiria detê-lo nem se quisesse, mas pará-lo era a última coisa em sua mente. A morte quase o levara — ainda o perseguia —, e ela queria agarrar-se a ele, mostrar que ele estava vivo, que *a* fazia sentir-se viva.

Sentiu o coração palpitar no peito enquanto suas bocas se moldavam uma à outra. A língua dele deslizou por seus dentes e, com um grunhido, os lábios dela se abriram para ele. Dedos ágeis removeram a fita que prendia seu cabelo e pentearam as ondas escuras que escorriam para baixo de seus ombros com uma delicadeza surpreendente.

O calor se espalhou pelo corpo de Lucinda, chegando à ponta dos dedos quando ela enfiou as mãos por baixo do casaco dele para tirá-lo. E desceu por sua espinha, quando ele envolveu sua cintura e a puxou mais para si.

— Robert — murmurou ela, a voz ofegante e rouca, estranha a seus próprios ouvidos.

Ela soava como uma mulher promíscua — mas, quando ele abaixou sua camisola, revelando o ombro, e começou a beijar seu pescoço, descendo por sua pele desnuda, foi assim mesmo que se sentiu: promíscua, desvairada, pegando fogo. Paz e simplicidade podiam esperar até o dia seguinte.

Lucinda tirou a camisa dele de dentro da calça e começou a sentir sua pele, do abdômen reto ao peito rijo. Músculos se contraíram ao seu toque. As mãos dele cobriram as dela, impedindo que continuassem a exploração ao erguê-las mais uma vez acima da cabeça.

Enquanto ele beijava sua boca e seu pescoço, puxava sua camisola, lentamente erguendo a barra até suas panturrilhas, até os joelhos, passando pelos quadris e subindo cada vez mais. O algodão fino roçava a pele de Lucinda, e a brisa fresca que passava pelas cortinas fazia parecer que havia mais mãos tocando seu corpo. Robert ergueu a peça ainda mais, acumulando tecido nos punhos, lenta e continuamente descobrindo sua barriga, seus seios, seus ombros, até tirá-la e arremessá-la no chão.

Por um bom tempo, ele não a tocou. Suas mãos estavam tão perto de sua pele que ela conseguia sentir o calor. Robert deslizou as palmas por suas curvas, descendo pelas costas, como se estivesse memorizando o corpo dela e esculpindo-o em sua mente. Lucinda se sentia tão quente por dentro que chegava a tremer.

— Diga alguma coisa — sussurrou ela, ofegante, como se tivesse acabado de correr.

Olhos azuis encontraram os dela.

— Você é tão linda — murmurou ele. — Quente, macia e... muito mais que aprazível. Você é tão... real, e eu...

Lucinda o interrompeu colocando um dedo sobre seus lábios sensuais.

— Você está vivo, Robert. Permita-se sentir-se vivo. Toque em mim. Eu *sou* real.

O olhar dele desceu novamente por seu corpo, e dedos leves como plumas deslizaram dos ombros para a curva dos seios. Lenta e cautelosamente, quase como se tivesse medo de que ela desaparecesse, ele passou os polegares por seus mamilos.

Lucinda arfou, curvando o corpo contra o dele. Robert a beijou, imprensando as costas dela na parede com a pressão da boca e das mãos em seus seios.

— Não faço isso há muito tempo — alertou ele, rouco, passando as unhas pelos mamilos dela e fazendo-a gemer de novo.

Minha nossa. Ele costumava ter a reputação de cafajeste; ela sabia disso. Desde que voltara daquele lugar horrível, porém, mal conseguira tocar em qualquer pessoa. Até aquela noite. Até ela. Lucinda o beijou novamente, inspirando seu cheiro.

— E eu nunca fiz — comentou ela.

Uma preocupação fugaz passou pelo rosto dele.

— Quero que você goste. Se você…

— Você fala demais.

O sorriso irresistível dele deixou os joelhos de Lucinda moles. Robert se abaixou, pegando-a nos braços. Quando a colocou na cama, ainda perfeitamente arrumada para a noite, ela manteve os dedos em torno de seu pescoço. Beijá-lo, no entanto, não era suficiente. Queria mais, queria-o dentro de si.

Robert desabou na cama ao lado dela, dividindo a atenção entre a boca e o pescoço, para então, lentamente, escorregar os lábios até seus seios. Quando colocou o esquerdo na boca, esfregando a língua em seu mamilo, Lucinda estremeceu. Segurou a camisa dele, querendo sentir a pele quente contra a sua, mas, mais uma vez, ele pegou suas mãos, dessa vez levando-as até seu cinto.

Ele se debruçou sobre ela, chupando seus seios, enquanto ela abria seu cinto e os botões de sua calça. Os dedos tremiam, e a mente havia parado de funcionar por completo, mas ela sabia que o queria, que queria senti-lo. Essa era a sensação de estar viva. Com o coração palpitando e a respiração saindo em ofegos bruscos e rápidos, ela não poderia se sentir de outro jeito. E queria que Robert sentisse o mesmo. Faria tudo o que pudesse para garantir que ele se sentisse tão… elétrico, vibrante e excitado quanto ela.

Lucinda abaixou a calça dele, libertando-o. Grande, ereto, impressionante. Robert, definitivamente, estava tão excitado quanto ela.

— Posso… Posso tocá-lo?

— Botas primeiro — sussurrou ele, sentando-se para tirá-las e colocá-las no chão.

Robert arrancou a calça depressa e então se ajoelhou em cima dela, prendendo-a entre as pernas. Quando se abaixou, os dois se beijaram, um beijo quente, de boca aberta.

— Obrigada por me permitir ficar perto de você — murmurou, pegando a mão dela para guiá-la até ele.

Lucinda envolveu delicadamente o membro quente e rijo com os dedos. Ele se contraiu, trincando o maxilar.

— Dói?

Robert fez que não.

— Mas, como eu disse, já faz muito tempo. Quero estar dentro de você, Lucinda. Você me quer?

Tanto que mal conseguia respirar.

— Sim. — Conseguiu responder, agarrando a camisa dele mais uma vez.

Novamente, ele segurou suas mãos.

— Não.

— Robert, sei que você foi baleado. Você está aqui agora, e eu quero ver você. Quero sentir você.

Engolindo em seco, ele se sentou na cama. Por um instante, Lucinda teve medo de que ele fosse mudar de ideia e ir embora, mas então ele segurou a barra da camisa com as duas mãos e, em um único movimento rápido e brusco, despiu-se.

Cicatrizes brancas e enrugadas, duas no abdômen e uma no ombro, imediatamente chamaram sua atenção. Será que ele achava que as marcas o tornavam defeituoso, inferior ao que era antes? Lucinda deslizou as mãos por seu peito quente, deliberadamente tocando as antigas feridas, mas também fazendo questão de não as tocar por muito tempo. Ele permaneceu sentado, imóvel, de olhos fechados, como se não quisesse ver a expressão dela.

Lucinda se sentou e o beijou novamente, com força e intensidade.

— Também tenho uma cicatriz — contou, puxando-o para cima de si. — Na parte de trás do joelho direito, de quando meu vestido ficou preso na escada do coche.

Com a respiração acelerada, deslizou as mãos pelas costas dele, passando pelo traseiro musculoso. Ah, céus, como queria isso — queria Robert.

Os olhos dele se abriram.

— Tem, é? — sussurrou ele, deitando-se sobre ela e percorrendo seu corpo com os lábios, a língua e os dentes. — Uma cicatriz?

— Sim — arfou ela, enquanto Robert descia lentamente por seu corpo, acariciando cada pedacinho seu com a boca, deslizando para baixo da cintura. — Foi bem apavorante. O coche me arrastou por um bom pedaço até o cocheiro ouvir a governanta berrando para que ele parasse.

Beijando suas coxas, Robert desceu ainda mais, até chegar ao tornozelo e ao pé, e então subindo de volta pela outra perna. Ao chegar ao joelho, ele parou, erguendo um pouco a perna dela e dobrando-a.

— Esta perna?

— Sim, bem aí. Dá para sentir, se você tocar com... *Minha nossa.*

A ponta da língua dele contornou toda a extensão da curta cicatriz, então subiu novamente pela parte interna de sua coxa. Ela iria derreter, ou explodir em chamas. Ou as duas coisas, Lucinda concluiu, quando a língua dele explorou entre suas coxas.

— Robert! — suspirou ela, emaranhando os dedos em seu cabelo. — Por favor.

Ele ergueu a cabeça, com aquele sorriso secreto nos lábios.

— Você realmente me quer — sussurrou ele.

— Sim, eu quero — confirmou ela, começando a se sentir agitada, quente, exasperada e ansiosa, tudo ao mesmo tempo. — Agora, vamos logo com isso.

Robert, contudo, não respondeu, apenas abaixou a cabeça para atormentá-la um pouco mais com os lábios, a língua e — *ah* — os dentes. Ela ofegou e gemeu, sem controle, quando seus dedos abriram caminho e ele atacou novamente.

Lucinda arfou.

— Robert, por favor, pare. Não consigo... Eu vou pegar fogo.

— Você *é* o fogo.

Ela não conseguia mais aguentar ficar no limite daquele... êxtase. Agarrou os cabelos dele, puxando incansavelmente até ele ceder e, devagar, tornar a subir para chupar seus seios mais uma vez e beijá-la com paixão.

Robert se posicionou em cima dela, afastando seus joelhos, e então se abaixou. Ela o sentiu pressionar sua entrada, já tremendamente incandescente graças às carícias dele, e arqueou os quadris. Devagar, muito devagar,

Robert a penetrou. A sensação era indescritível. Mais do que ela poderia ter imaginado. Assim que começou a sentir uma pressão maior, ele parou.

— Lucinda — sussurrou ele, os braços tremendo um pouco por suportar o peso do corpo —, esta é sua última chance de esca...

Ah, não. Robert não ia mudar de ideia e deixá-la sentindo-se... incompleta daquele jeito. Lucinda ergueu os quadris, arfando e cerrando os olhos quando ele a preencheu por completo. Ela já tinha ouvido Georgie e Evie conversando sobre o assunto, embora não tivessem lhe contado muito. Doía, mas não mais do que ela esperava. Robert permaneceu imóvel, olhando para ela, que voltou a abrir os olhos.

— Eu não queria machucá-la.

— Então me faça esquecer — disse ela, ofegante, beijando-o de novo.

Ele começou a se mover, erguendo e baixando os quadris enquanto a penetrava. Gemendo em uníssono com os movimentos dele, Lucinda enrolou os tornozelos em suas coxas e o abraçou. Fincou as unhas em suas costas, sem conseguir fazer mais do que continuar respirando enquanto as investidas incessantes e rítmicas continuavam.

— Robert, Robert — repetia, erguendo os quadris para acompanhar o movimento dele.

Sua pele foi ficando cada vez mais apertada, o zunido em sua mente ficava cada vez mais alto, até que, com um arquejo, Lucinda se despedaçou.

Ele baixou a cabeça, beijando-a. Sua língua acompanhava os ritmos de seus quadris, cada vez mais rápidos e vigorosos, até que, com um grunhido grave, Robert avançou os quadris uma última vez e gozou.

Ofegando, Lucinda relaxou as pernas e os braços e o puxou para si. O peso do corpo dele era tão... reconfortante; as batidas de seu coração contra o peito dela, no mesmo ritmo rápido de sua própria pulsação.

— Foi como você lembrava? — murmurou ela finalmente.

— Melhor.

Eles ficaram deitados assim por alguns minutos, enquanto Lucinda lutava para impedir que os olhos se fechassem e a mente relaxada adormecesse. Não queria perder nenhum momento da presença dele. De súbito, Robert se ergueu, apoiando-se nos braços, saindo de dentro dela e afastando-se para se sentar na cama.

— Preciso ir — anunciou.

Lucinda teria protestado, mas, quando ele se virou, abaixando-se para pegar a calça, viu suas costas sob a luz da lamparina. Linhas brancas e finas atravessavam e se cruzavam na pele dele, dos ombros até as nádegas.

— Você foi açoitado — observou ela, erguendo a mão para tocar uma das cicatrizes.

Robert perdeu a conexão com a realidade, o contato próximo e a intimidade se tornaram excessivos. Queria ficar com ela, mas, ao mesmo tempo, precisava de espaço para respirar. De cabeça para baixo. Tudo tinha virado de cabeça para baixo naquela noite.

Ele se endireitou novamente, tentando esconder a tensão diante do toque suave dela, vestindo a calça apressado e esticando-se para pegar as botas.

— Entre outras coisas — resmungou.

Lucinda não tinha desmaiado, gritado nem fugido, mas ele sabia que não ostentava uma bela imagem. O primeiro valete que Tristan trouxera para auxiliá-lo a se vestir, enquanto ele ainda estava se recuperando e suas feridas estavam abertas e doloridas, chegara a vomitar. Tinha sido a última vez. Ninguém mais o vira desde então. Até aquela noite.

— Nós vamos resolver isso, Robert. O que estão falando sobre você... São apenas rumores — encorajou ela, sentando-se atrás dele e passando os dedos por seu ombro. — Acabarão quando a Cavalaria encontrar o verdadeiro ladrão.

Só que ninguém estaria olhando em qualquer outra direção, apenas para ele.

— Em um mundo ideal, você estaria certa. Mas acredito que será necessário um pouquinho mais de ação da minha parte.

— Da *nossa* parte — corrigiu Lucinda.

O que ainda restava de seu coração ficou apertado.

— Não vim aqui esta noite para pedir sua ajuda — esclareceu ele, colocando a camisa. — E não permitirei que minha família seja arruinada por rumores de que eu tentei me matar. Você *não pode* contar nada sobre isso a seu pai, Lucinda. Prometa.

Com as informações que ele dera a ela, Robert estava mais vulnerável do que antes de ter invadido seu quarto. Sua família também.

— Não direi nada.

— Cumpra sua palavra desta vez.

— Cumprirei. Eu prometo.

Ela se levantou, esguia e linda sob a luz da lamparina, os cabelos longos e ondulados encobrindo parcialmente seus seios, como a Vênus de Botticelli emergindo da concha.

Robert a queria de novo, imediatamente. E, se ficasse um pouco mais, começaria a tagarelar sobre como ela havia se tornado seu farol, sua obsessão, seu motivo para permanecer vivo. Precisava ir embora. Mas ela o tinha tornado humano de novo, então ele não conseguia resistir totalmente.

— Lucinda — murmurou, acariciando sua bochecha com os dedos —, a última parte da minha lição é bem simples. Na próxima vez que você vir Geoffrey, pense em como ele é aprazível. E, depois, pense nisto.

Aproximando-se, ele a beijou lenta e intensamente, indo às nuvens quando as bocas se encaixaram. Céus, ela o fazia arder por dentro.

— Boa noite, Lucinda.

— Boa... Boa noite, Robert.

Capítulo 16

*Assim terminou um dia memorável para mim:
meu destino e futuro haviam sido decididos.*
— Victor Frankenstein, *Frankenstein*

Quando Robert pisou no saguão da Residência Carroway, sentiu imediatamente que havia mais alguém ali. Ergueu o braço na defensiva quando uma figura sombria pegou em seu ombro.

— Solte-me — rosnou ele, sentindo o cheiro do sabonete de Tristan.

— Andrew e Shaw estavam prestes a fazer as malas para ir à Escócia — disse o visconde, virando-se para acender uma vela na mesa de canto.

A despeito das palavras tranquilas do irmão, sua expressão era severa e tensa. Robert respirou fundo. Deixara Lucinda sentindo-se mais esperançoso, mas também sabia que a realidade não havia virado muito a seu favor.

— Vou para a cama.

— Primeiro você precisa vir comigo avisar Georgiana de que está bem — disse Tristan, sem se mover. — Ela estava preocupada. Todos estávamos.

— Falarei com ela pela manhã.

— Não, você falará agora. Ela não está dormindo. Ninguém está. A aia está lá em cima com ela, tentando mantê-la calma.

O sentimento fugaz de satisfação de Robert se esvaiu. Seus problemas não haviam terminado só porque fora ver Lucinda. E, como de costume, ele parecia estar fazendo sua família sofrer em sua busca por escapar da própria dor.

— Ela está bem?

— Por enquanto. Mas nunca mais… — Tristan engoliu em seco, raiva e preocupação transparecendo em medidas iguais na voz. — Nunca mais desapareça desse jeito sem avisar.

Robert começou a subir as escadas.

— Eu disse que tinha algo a resolver.

— Isso foi há quinze horas, Bit. Se você tivesse sumido, aqueles malditos rumores não precisariam de mais provas. Você estaria arruinado.

— E você estaria arruinado. A não ser que espalhasse por aí que estou desequilibrado desde que voltei da Europa. Talvez você deva tentar isso.

Tristan segurou seu ombro, virando-o e quase fazendo-o rolar escada abaixo.

— Você é meu irmão — rosnou o visconde, com uma expressão extremamente séria. — Nenhum de nós vai se afastar de você. Então, sim, se você fugir, estaremos todos arruinados. Sugiro que pense nisso na próxima vez.

Por um longo momento, Robert apenas olhou para o irmão mais velho.

— Eu não fiz nada de errado — disse, por fim, baixinho, voltando a subir as escadas.

— Eu sei. Todos nós sabemos.

— O restante de Londres não sabe. Não tenha uma atitude nobre comigo, Dare. Pelo seu bem e, especialmente, pelo bem de Shaw, se as coisas piorarem, quero que fiquem longe de mim. Estou falando sério.

— Discutiremos isso mais tarde, se necessário. No momento, são apenas boatos. — Tristan apontou para a porta semiaberta da suíte principal. — Entre.

Robert empurrou a porta.

— Georgiana?

Ela estava sentada na cama, rodeada de almofadas e lendo um livro, enquanto sua aia cerzia meias perto da janela. A viscondessa ergueu os olhos ao ouvir a voz dele, e um sorriso afugentou a expressão preocupada e cabisbaixa de seu rosto.

— Bit. Graças a Deus. Você está bem?

— Estou — respondeu ele, automaticamente. — Peço desculpas se a chateei.

— Venha cá — exigiu ela, erguendo os braços.

Suprimindo o tremor, ele obedeceu, permitindo que ela lhe desse um abraço e um beijo carinhoso no rosto. Para sua surpresa, o contato íntimo não o incomodou e, após um instante, ele também deu um beijo leve na bochecha dela.

— Por onde você andou? — perguntou ela.

Atrás dele, seus outros irmãos começaram a marchar para dentro do quarto. Shaw e Andrew estavam com roupas de montaria — estavam *mesmo* pensando em rastreá-lo até a Escócia. Robert não sabia se isso o animava ou desanimava.

— Fui cavalgar — respondeu, endireitando-se.

Não podia simplesmente contar a Georgiana que estivera na cama da melhor amiga dela, ou que tinha tomado o que queria — do que precisava — e a deixado para refletir sobre Lorde Geoffrey e seu acordo simples e aprazível.

— Aonde? — indagou Edward, sonolento, entrando no quarto cambaleando.

Shaw passou um braço em torno dos ombros do irmão.

— Volte para a cama, Nanico. Está tudo bem.

— Não, não está — insistiu o garoto, desvencilhando-se do irmão. — Você saiu. — Ele apontou o dedo para Robert. — E não nos disse para onde ia. Estávamos preocupados.

Que maravilha. Sendo repreendido por um garoto de 10 anos.

— Eu sei e peço desculpas.

— Aonde você foi?

Obviamente, ninguém mandaria Edward calar a boca, pois ele estava fazendo as perguntas que todos gostariam de fazer. Tristan apenas ergueu a sobrancelha, olhando para Robert com expectativa.

— Fui para o norte. Pensei que as coisas estariam mais tranquilas em Glauden.

— Mas você voltou.

Robert deu de ombros.

— Estou cansado de fugir. Não fiz nada de errado e acho que posso suportar os rumores. — Sua habilidade para suportar as insinuações, no entanto, não era a única questão. — Isto é, se *vocês* conseguirem também.

Seu olhar voltou-se para Bradshaw, o irmão que, fora ele próprio, tinha mais a perder com isso tudo. Shaw sorriu, embora seus olhos tenham permanecido sóbrios.

— Enquanto você suportar, eu também suportarei.

Robert entendeu o sentimento e o alerta. Se ele fugisse de novo, seria cada Carroway por si. Ele assentiu.

— É justo.

Tristan se moveu perto da porta.

— Agora que todos estamos de volta para onde deveríamos, saiam do meu quarto, por favor. Exceto por você, Georgiana, é claro.

— Mas...

— Amanhã, Andrew — interrompeu o visconde, embora sua atenção tenha permanecido em Robert. — Durmam um pouco. Se precisarmos de uma estratégia, conversaremos sobre isso pela manhã.

Robert concluiu que aquilo fazia sentido, e todos se encaminharam para seus quartos. No dia seguinte, o verdadeiro culpado pelo roubo podia muito bem ter sido detido, e todos voltariam a esquecer o Carroway aleijado. Aquilo seria bom para ele, exceto por um problema: Lucinda. Lucinda Barrett e seus malditos planos simples e aprazíveis com Lorde Geoffrey Newcombe.

Ele poderia querê-la para si, mas não era tolo de pensar que ela um dia aceitaria mais dele do que uma noite tenebrosa de pecado. Depois daquela noite, contudo, o mínimo que poderia fazer era garantir que Newcombe aprendesse todas as lições da lista dela. *Todas* as lições, independentemente de quais fossem. Esse era o acordo entre as três amigas, afinal de contas, não era? Ensinar a cada aluno uma lição de comportamento?

Robert deu um leve sorriso. Havia, definitivamente, algo de errado com ele, se estava mais preocupado com o acordo de Lucinda com as amigas do que com sua acusação de traição.

Enquanto tirava as roupas e desabava na cama, ainda podia sentir o cheiro dela na pele. Se sobrevivesse aos próximos dias, precisaria resolver algumas coisas, por exemplo como impedir que todos — especialmente o futuro marido dela — descobrissem quanto Lucinda passara a significar para ele.

Pela primeira vez, Lucinda desceu para o térreo antes do pai. Conseguiu tomar um café da manhã rápido e escapulir para cuidar das rosas no jardim antes que ele aparecesse. Só conseguira ter essa vantagem porque não dormira a noite toda, mas não tinha intenção alguma de contar isso a ele — ou a qualquer outra pessoa —, muito menos o motivo por trás da insônia.

Lucinda podou as folhas amareladas e os botões murchos. Já havia recebido propostas de casamento antes, bem como ofertas para atividades pecaminosas, e recusara todas sem pensar duas vezes, simplesmente porque nem a oferta nem o homem a interessavam. Robert a interessava, a intrigava e mexia com seus sentidos de uma forma que ninguém nunca conseguira.

Um calor brando emergiu quando ela se lembrou do corpo dele, maltratado, lacerado e, ainda assim, belo em sua cama. Dentro dela. E, por causa disso, Lucinda havia se metido na situação menos simples que poderia imaginar — e justamente entre Robert e o pai.

O general havia dito que quem quer que tivesse roubado os documentos da Cavalaria era um vigarista. Um salafrário infame. Bem, essa descrição definia a visão atual que a Sociedade tinha de Robert Carroway com perfeição, só que sua própria visão era radicalmente diferente. E, independentemente de ele a ter perdoado ou não, Lucinda traíra sua confiança e permitira que os rumores começassem. A coincidência de o roubo ter acontecido ao mesmo tempo que todos ficaram sabendo de seu aprisionamento era um azar tremendo, mas não provava nada.

Robert provavelmente poderia dissipar os piores rumores confessando como sua estadia em Château Pagnon havia terminado. Mas ele tinha razão em temer que a verdade fosse tão prejudicial quanto. As circunstâncias, no caso dele, eram extremas, mas a Sociedade não entenderia — ou não se importaria. A única parte de história de que se lembrariam era que um soldado de uma família proeminente tentara cometer suicídio, em vez de lutar contra Napoleão.

E, para começo de conversa, fora ela quem contara ao pai onde Robert estivera. O general não teria traído sua confiança — a menos que fosse pela segurança do reino. Isso era, obviamente, de uma importância imensa. Era lógico, portanto, que ele contara a alguma autoridade da Cavalaria, como era sua obrigação. Mas, embora ela confiasse no pai, seus amigos eram outra história.

— Maldição — resmungou.

— Espetou-se?

Lucinda se sobressaltou, corando quando o pai se juntou a ela no jardim de rosas.

— Não, não. Esse vento está secando as pétalas. Só isso.

— Ah. — Ele ficou parado ali por um instante, observando-a podar.

— Você dormiu esta noite?

— O... O quê? — *Ah, céus, será que ele tinha ouvido ela e Robert?* — Por que pergunta?

— Parece cansada. — Em um gesto que parecia estranho, vindo dele, o general se abaixou para pegar alguns galhos soltos e colocá-los no balde de descarte. — Ouvi os fogos de Vauxhall ontem à noite. Sei que você queira ir e sinto m...

— Papai, não me importo com os fogos — declarou ela, podando um botão perfeitamente saudável. — Droga.

— É por causa dos Carroway, não é? E de Georgiana. Vamos fazer outra reunião hoje e, com sorte, conseguiremos levantar uma lista mais completa do que foi levado e reunir informações sobre quaisquer possíveis simpatizantes de Bonaparte em Londres. Talvez isso...

Lucinda se virou para ele.

— Vocês nem sequer têm certeza do que foi levado? E, mesmo assim, com base nisso e em informações de segunda mão sobre o aprisionamento de Robert Carroway, o senhor...

— *Eu* não fiz nada, Luce.

— Bem, *eu* não contei a mais ninguém o que contei ao senhor. Ninguém. Quanto o senhor confia nos homens para quem contou?

Lentamente, ele se acomodou no banco de pedra na ponta de uma fileira de rosas.

— Então essa é a questão. Você quer me culpar por ter traído a confiança de alguém.

— Não! Si... Eu não sei. Talvez. Se havia alguém em quem eu achava que podia confiar para guardar os segredos dos meus amigos, esse alguém era o senhor. Ele estava tão zangado...

Tão zangado e tão sozinho. Lucinda fungou quando uma lágrima escorreu. Impaciente, ela a secou com o dorso da luva de jardinagem.

— Você o ouviu do corredor, não foi? Imaginei que estaria ouvindo. *O quê? Ah, isso.*

— Sim — improvisou, engolindo em seco ao pensar no que quase acabara de revelar.

— É para o bem de todos, minha querida. Mesmo. Essa investigação precisa ser conduzida. Se Robert Carroway for inocente, você pode pedir desculpas a ele, ou dizer a ele ou a Georgiana que simplesmente não estava se sentindo bem ou algo assim, por isso decidiu não ir a Vauxhall. Se ele for culpado, você não precisará explicar coisa alguma.

— Ele *não é* culpado. Pelo amor de Deus, papai, você o conhece.

— Não muito bem. Você o conhece melhor que eu. — O general franziu o cenho. — Aliás, talvez você possa me explicar por que ele jogou aquela referência a Bayonne na minha cara ontem.

— Não sei.

E ela *nunca mais* contaria ao general qualquer confidência que Robert lhe fizesse. Essa lição, ao menos, tinha aprendido. A outra, a que acalorava seus pensamentos, seria muito mais difícil de resolver.

— Quem era o comandante do regimento dele?

— Não sei, papai. E não acho que ele vá me contar qualquer coisa sobre isso agora. Não que eu tenha permissão para vê-lo mesmo. Então, por favor, pare de me fazer perguntas. Já magoei todo mundo. Não farei isso de novo.

O general permaneceu sentado por mais alguns instantes, enquanto Lucinda fingia continuar podando. Sem nem perceber, ela aparentemente havia se tornado uma terrível espécie de informante do exército — e o que era pior: tinha dormido com o alvo da investigação e praticamente prometido repassar informações a ele também.

Por fim, o pai se levantou.

— Quase me esqueci. Geoffrey mandou um bilhete. Suponho que você não tenha enviado a ele um agradecimento pelos chocolates ontem?

— Ainda não.

Para falar a verdade, tinha esquecido completamente. Que vergonha.

— Bem, a despeito disso, ele gostaria da minha permissão para acompanhá-la ao sarau dos Hesterfield hoje à noite.

— Eu não vou. Não quero ficar ouvindo todo aquele burburinho nojento.

— É claro que vai. Você não pode se tornar uma ermitã apenas porque um de seus amigos fez algo de errado. — Ele ergueu a mão antes que ela pudesse protestar e se corrigiu: — É suspeito de ter feito algo de errado.

— Papai, o senhor não entende. Georgiana e Tristan provavelmente estarão lá. O senhor me disse para ficar longe, e eles não fazem ideia do motivo.

— Se ouviram os rumores, e suspeito que tenham ouvido, eles com certeza terão uma boa ideia da razão da sua distância. Nenhum deles é tolo.

— O senhor sempre me disse para ser fiel às minhas convicções.

— Eu sei. Desta vez, desta única vez, estou lhe pedindo que seja fiel às minhas. Quem quer que tenha feito isso está tentando iniciar uma guerra.

— Eles são meus amigos — reafirmou ela, com o máximo de calma que conseguiu.

O pai sabia tão bem quanto ela. Essa bagunça era terrivelmente séria, mas sua crença na inocência de Robert também.

— Lucinda, não permitirei que você especule sobre o que pode acontecer, mas também não deixarei que minta para si mesma. Sim, você pode acabar perdendo uma ou duas amizades por causa dessa situação. Não posso evitar. Mas você não fez nada de errado.

Tinha feito, sim. Sendo um estrategista e líder nato, no entanto, é claro que a informação importaria mais para seu pai do que a fonte onde ele — ou ela — a conseguira. Bom, se não tivesse escolha, saberia entrar no jogo também.

— Suponho que o Duque de Wellington saiba de tudo isso?

— Ele está ciente do problema, mas apenas os cinco oficiais seniores estão envolvidos na investigação.

Cinco homens, então, incluindo seu pai, sabiam sobre Robert e o Château Pagnon antes do restante de Londres. Ou seja, quatro homens poderiam ter contado a qualquer outra pessoa.

— Isso é terrível — murmurou ela.

— O fato de que alguém está tentando libertar Bonaparte e dar início a mais um maldito derramamento de sangue é ainda mais terrível. Seus dias têm sido difíceis. Vá se divertir hoje à noite. Geoffrey está se tornando muito afeiçoado a você, e, se não estou enganado, você gosta dele. Pense um pouquinho em si mesma, meu bem. No longo prazo, ninguém a culpará por nada disso. Você pode até acabar como uma heroína.

— Não quero ser heroína coisa nenhuma — retrucou. — Pode levar todos os créditos que quiser. — Lucinda respirou fundo. — Preciso terminar de cuidar das minhas rosas.

— Transmitirei seu aceite a Geoffrey.

Ela assentiu. Discutir obviamente não adiantaria nada; o pai esperava que ela fosse um bom soldado e cumprisse suas obrigações. Na pior das hipóteses, ao menos na companhia de Geoffrey ela não se sentiria totalmente sozinha no sarau, já que não podia conversar com os amigos. Na melhor das hipóteses, veria Robert escondido nas sombras, e ele saberia que tinha uma aliada no salão.

Lucinda e Geoffrey chegaram pouco após o horário considerado como um "atraso elegante" no baile dos Hesterfield. Lorde Geoffrey, na verdade, tinha chegado à Residência Barrett em ponto, mas Lucinda demorou quase uma hora para descer com Helena, que seria sua acompanhante. O atraso fora totalmente intencional. Se chegassem atrasados, não seriam anunciados, e ela poderia entrar de fininho e estudar o território.

— Perdemos as duas primeiras danças — comentou Geoffrey, parando ao lado dela e observando os convidados.

— Peço desculpas — respondeu ela, esvoaçando o leque diante do rosto para vasculhar a multidão por trás dele. — Minha aia não estava conseguindo encontrar meus sapatos verdes.

Geoffrey ignorou quando Helena, atrás deles, pigarreou, e olhou Lucinda de cima a baixo.

— Não se desculpe. A espera valeu a pena. Assim, seu pai e eu pudemos ter mais uma boa conversa.

— Tiveram?

— Sim. Ele, hm, me informou que todos esses rumores têm chateado você.

Lucinda conteve uma careta. Era óbvio que o pai queria esse casamento, mas ele costumava ser muito mais cauteloso com relação a passar confidências privadas adiante. Ela gostaria de poder fazê-lo perceber isso; se ele ao menos admitisse que os rumores sobre o Château Pagnon partiram de alguém a quem ele contara, ela se sentiria um pouco melhor com relação àquele desastre todo. Só um pouquinho melhor, mas já seria alguma coisa.

— Ele lhe informou sobre mais alguma coisa?

— Apenas que pediu para que você fique longe da família Carroway. *Maldição*.

— Esse foi um pedido dele — afirmou ela —, não meu. Por favor, não repita.

— Eu estava prestes a fazer a mesma sugestão a você, de qualquer forma. Com o comportamento estranho de Robert nos últimos anos, no entanto, o restante da família provavelmente não sofreria muito ao saber das atitudes dele. De todo modo, é melhor tomar cuidado.

— Nada foi provado ainda — disparou ela. — Podemos discutir alguma outra coisa?

— É claro, Lucinda. Como filha de um respeitado oficial do Exército, contudo, tenho certeza de que você sabe que é melhor aceitar os fatos do que ignorá-los.

— Ficarei feliz em aceitar fatos — retrucou, desejando que ele não agisse tanto como um papagaio de seu pai. — Mas ainda não vi nenhum.

— Admiro sua lealdade a seus amigos. Mas eu a aconselho, mesmo assim, a ficar longe deles.

Lucinda trincou os dentes.

— Ouça, um cotilhão — disse, seca, praticamente arrastando-o para a pista de dança. — Vamos dançar?

A pista estava lotada, o que era tanto uma bênção quanto uma maldição. Ela podia se esconder com facilidade em meio ao redemoinho de vestidos, mas também não conseguia ver quem mais estava ali. É claro que Georgiana não dançava muito atualmente, mas havia três irmãos Carroway que *poderiam* estar dançando no sarau, isso sem contar Robert. Mas, depois do dia anterior, provavelmente ninguém em Londres nunca mais o veria em um evento social.

— É provável que eles não venham mesmo — comentou Geoffrey, após um minuto de silêncio. — Não foram ver os fogos ontem à noite.

— Não foram?

— Não. Se St. Aubyn e a esposa não estivessem no camarote, eu pensaria que alguém fez um gracejo comigo ao me convidar.

Ah, céus. Ela também tinha se esquecido disso.

— Aconteceu algo ontem à noite.

Muitas coisas, na verdade, e ao menos uma delas extremamente memorável.

— Você não precisa explicar, Lucinda.

Ela nem havia pensado em procurar por Evie e Santo, mas, quando a dança chegou ao fim, ela os avistou, sentados perto de uma parede, em meio a uma conversa profunda. Evelyn pareceria recomposta para quem não conhecesse, mas Lucinda percebeu como contorcia as mãos e estava pálida. Como amigos próximos dos Carroway, a noite devia estar sendo péssima para eles também. Respirando fundo, pediu licença a Geoffrey.

— Lucinda — exclamou Evie, levantando-se para pegar suas mãos. — Você ficou sabendo, não é?

— Sim, fiquei.

Ela se sentou ao lado da amiga, embora sua atenção estivesse focada no marquês. Santo, sem sombra de dúvidas, sabia bem mais do que estava acontecendo do que qualquer outra pessoa no salão — exceto, talvez, por ela própria. Ele sempre parecia saber.

— Lamento que eu e meu pai tenhamos abandonado vocês ontem à noite — continuou. — Ele não estava se sentindo bem.

— Imagino que ele ande bastante ocupado por esses dias — comentou Santo, com a fala arrastada. — Eles já têm um suspeito?

— Ela não poderia lhe contar, Santo, mesmo se soubesse — reprimiu Evie, ainda contorcendo os dedos. — Poderia?

— Não, não poderia. O que sei é que ele está fazendo tudo que pode para esclarecer as coisas.

— Quando os rumores sobre o roubo começaram a se espalhar, Georgie deveria ter nos alertado de que Robert podia ser considerado um suspeito — comentou Evie, baixinho. — Eu quase tive que dar um soco em Melissa Milton ontem por sequer tocar no nome dele. Talvez tivéssemos amenizado a situação da prisão dele, se soubéssemos.

Lucinda tentou manter a respiração estável e desejou poder simplesmente desaparecer.

— Talvez os próprios Carroway tenham sido pegos de surpresa. Ele não é de falar muito, afinal de contas.

— Ele contou a alguém, é claro — observou Santo, encarando o olhar surpreso de Lucinda. — E, se for verdade que ele esteve preso em

Château Pagnon, não sei se eu o culparia por isso, mesmo que *realmente* seja o culpado.

— Não é! — protestou Lucinda, de uma forma mais incisiva do que pretendia.

— Tenho certeza de que a família apreciará seu apoio — respondeu ele, indicando com a cabeça a entrada do salão. — Eu estava me perguntando se eles apareceriam.

Apesar de seu esforço, Lucinda não conseguiu evitar a tensão ao virar a cabeça. Todos estavam ali: Tristan e Georgiana, de mãos dadas; Andrew e Bradshaw na retaguarda; e, no meio, surpreendentemente, o próprio Robert.

Nenhum deles parecia muito feliz e, por mais que estivesse preocupada com a saúde de Georgiana, Lucinda não conseguia tirar os olhos de Robert. A expressão atormentada em seus olhos fazia seu coração doer, e ela torcia para que ninguém mais o conhecesse tão bem a ponto de também perceber. Fora isso, parecia tão forte e impassível como sempre, indiferente e completamente despreocupado com o burburinho crescente de vozes ao redor.

Queria correr até ele, se pendurar em seu pescoço e simplesmente abraçá-lo. Queria sentir sua boca na dela, e suas mãos pelo corpo. O rosto de Lucinda ficou quente, e sabia que estava corando. E sabia que não conseguiria manter distância. Nem dele, nem de seus amigos.

Naquele momento, ele virou a cabeça e a encarou, como se soubesse exatamente onde ela estava aquele tempo todo. A família devia ter o questionado sobre como a notícia sobre sua prisão chegara aos ouvidos da Sociedade antes de eles mesmos ficarem sabendo, e ela se perguntou se ele teria contado. Robert tinha o poder de destruir — ou ao menos causar sérios prejuízos a — sua amizade com Georgiana, e provavelmente com Evie também. Ele não parecia zangado quando deixara sua cama na noite anterior, mas, se nem ela mesma conseguia esquecer a traição que cometera ao contar ao pai um de seus maiores segredos, Lucinda não via como ele poderia perdoá-la.

— Venha, não podemos deixá-los parados ali sozinhos — disse Evie, levantando-se com Santo.

Lucinda começou a segui-los, mas então se deteve, surpresa, quando Santo parou à sua frente.

— Talvez você devesse ficar aqui — ponderou ele, falando baixo o bastante para que só as duas pudessem ouvir. — Seu pai está diretamente envolvido na investigação e, se você for vista com Robert, isso pode prejudicar tudo.

— Mas... — Evie parou. — Você tem razão, Santo. Fique aqui, Luce. Eu explicarei a Georgie.

— Não — respondeu ela, sem saber ao certo se deveria se sentir grata ou não pela voz da razão, especialmente depois de ter decidido que agiria de forma imprudente mesmo. — Não perderei meus amigos por conta de um rumor.

Sobretudo em se tratando de um rumor começado por ela.

Lucinda começou a atravessar o salão atrás de Lorde e Lady St. Aubyn, mas tinha dado alguns poucos passos quando alguém segurou seu cotovelo.

— Não faça isso — aconselhou Geoffrey, conduzindo-a à mesa de bebidas.

— Meu pai lhe pediu para me supervisionar? — perguntou ela, desvencilhando-se dele da forma mais discreta que conseguiu.

— Ele me pediu para ficar de olho em você, sim. Mas, como tenho um interesse por você e pela influência de seu pai, também não quero que nenhum de vocês se comprometa.

Ao menos ele era sincero. Lucinda suspirou.

— Todos sabem que somos amigos. Manter a distância só vai piorar as coisas. Talvez minha companhia ajude, mesmo que só um pouquinho.

— Até o aleijado ser preso e começarem a comentar que você e seu pai foram os responsáveis por ele ter conseguido entrar na sede da Cavalaria. Há mais em jogo aqui do que sua paz de espírito, Lucinda.

— Eu tenho consciência disso — respondeu ela, mal se lembrando de manter o tom de voz baixo. — Não é apenas minha paz de espírito que me preocupa, Geoffrey. Trata-se de lealdade e amizade, também.

Ele pegou seu braço novamente.

— Eu preciso de você, Lucinda. Não se meta nessa confusão.

— Receio já estar...

— Srta. Barrett — chamou uma voz suave ao seu lado. — A senhorita já tem par para essa valsa?

Robert estava parado a meio metro dela, como se tivesse simplesmente se materializado. Apesar da postura tranquila e serena, ela sabia que era um teste. Ele queria ver se Lucinda o dispensaria em público.

— Eu...

— Sim, ela já tem par, Carroway — interrompeu Geoffrey. — Vá para casa e poupe todos da indignidade de sua presença.

Olhos azuis intensos encararam olhos verdes frustrados.

— Acho que ela ainda não é propriedade sua, Newcombe — respondeu Robert baixinho. — Lucinda pode aceitar ou recusar meu convite por conta própria. Tenho certeza de que ela já lhe reservou algumas danças.

Para alguém que não era de falar muito, Robert certamente era bom com as palavras. Lucinda olhou de um cavalheiro para outro: honesto e belo em oposição ao sombrio e eletrizante, o anjo e o diabo.

— Dançarei a valsa com você, Robert — declarou ela.

Ele estendeu a mão, e Lucinda aceitou. Só então percebeu como o salão ficara silencioso e que, a despeito de seu comportamento tranquilo, os dedos dele não estavam tão firmes quanto a voz. Robert tinha sido torturado uma vez, e estava sendo novamente, agora pela própria comunidade. Ainda bem que ela decidira consertar as coisas; não teria conseguido ficar parada observando das sombras, em segurança.

— Estou surpresa por você ter vindo — comentou ela quando começaram a dançar.

Com certo retardo, outros casais se juntaram a eles na pista, embora parecesse haver um espaço incomum entre eles e Lucinda e Robert. Seu pai ficaria furioso, mas ela resolveria isso mais tarde. No momento, toda a sua atenção estava em Robert.

— Eu queria dançar com você — murmurou ele. — Não tive oportunidade, na última vez.

A mão quente dele em sua cintura e os dedos tocando sua mão fizeram uma onda de calor descer pela espinha de Lucinda.

— Você contou... Você...

— Se eu disse algo a Georgiana sobre o surgimento dos rumores? — concluiu ele, seus olhos encontrando os dela e se desviando novamente.

— Disse?

— Não. Não havia muito propósito. E eu não machucaria você, Lucinda. Desde que você cumpra sua promessa de não magoar minha família.

O alívio amoleceu seus joelhos.

— Obrigada.

Ele inclinou a cabeça.

— Como vai seu amigo aprazível?

— Pare com isso. Todos temos responsabilidades e obrigações, e eu realmente não quero falar sobre isso agora. Estou mais preocupada com você.

— E eu, com você. — Ele franziu a testa. — Estive pensando. Não vou pedir que você traia a confiança de seu pai. É... Não posso fazer isso.

Lucinda respirou fundo. Ele agora lhe oferecia uma saída, mas ela havia descoberto o suficiente sobre ele para entender o motivo.

— Robert, não estou sendo torturada e, acredite em mim, tenho refletido sobre as consequências. E, apesar de seu desgosto pelas coisas "simples", a vida é assim. Eu fiz algo que o prejudicou, mas pretendo consertar.

Robert analisou o rosto dela por um instante enquanto dançavam. Ele era um bom dançarino, Lucinda percebeu. Com graciosidade e fluidez, mal se percebia sua limitação no joelho. Ele provavelmente estaria dolorido no dia seguinte, mas ela achava que aquele era o menor dos problemas de Robert no momento.

— Estou começando a pensar que gostaria de ser aprazível — murmurou ele.

Lucinda engoliu em seco, porque estava pensando a mesma coisa. Parte do que a atraía nele, contudo, era a profundidade por trás de seus olhos. Uma profundidade que ela havia começado a perceber que Geoffrey não tinha e talvez nem sequer percebia.

— A reunião de meu pai era com os outros quatro oficiais seniores da Cavalaria. Você sabe quem são, não sabe?

— Sei.

— São alguns dos membros de mais confiança das Forças Armadas.

— Também sei disso.

— Por algum motivo, eles parecem não saber ao certo tudo que foi levado, mas estão levantando uma lista dos apoiadores de Bonaparte em Londres.

— "Levantando" uma lista? — repetiu ele, algo brilhando nos olhos.

— Sim. — Ela tinha contado algo importante. Disfarçando uma careta, refletiu sobre o que dissera e sobre a reação dele, tentando se tornar mais uma participante do que uma testemunha. — Eles já deviam ter uma lista.

Concordando, Robert lhe regalou com seu sorriso fugaz irresistível.

— Tenho certeza.

— Essa lista deve ser um dos papéis que desapareceram. — Ela fez uma careta. — Eu provavelmente não deveria estar lhe contado isso, então.

— Tarde demais — disse ele, arrastando as palavras. — Algo mais?

— Ah, então *agora* você tem senso de humor.

— Às vezes. O general disse mais alguma coisa?

— Ele me mandou ficar longe de você e da sua família até tudo isso se resolver.

O humor nos olhos dele desapareceu.

— Ele *realmente* suspeita de mim. E você vai se encrencar. Deveria ter me contado antes. Pensei estar apenas ajudando com as lições.

— Eu só terei problemas se alguém contar a ele que dancei com você.

— Ah. E seu amigo aprazível ficará de bico fechado?

Lucinda olhou para Geoffrey, que dançava com Lady Desmond, mas ainda encarava os dois, furioso.

— Não. Mas há muitos outros fofoqueiros por aqui.

Ela odiava isso. Todos os seus instintos diziam que Robert era inocente, mas que o pai também era. Nenhum deles havia feito nada de errado e ao menos um iria sofrer, qualquer que fosse sua decisão.

A valsa terminou antes que Lucinda estivesse preparada, e Robert soltou sua cintura.

— Ele vai querer saber sobre o que conversamos — ponderou, olhando para trás dela.

Lucinda suspirou.

— Eu sei. Direi a ele que você estava ansioso por saber se meu pai mencionou mais alguma coisa em relação ao roubo.

— O que seria verdade. — Ele se moveu para tocar seu rosto, mas abaixou a mão abruptamente. — Não lhe pedirei por mais nada. Obrigado, Lucinda.

Robert pretendia afastá-la do restante dessa confusão — e de si próprio. A respiração de Lucinda falhou, e ela precisou se conter para não segurar o braço dele.

— Como podemos nos encontrar novamente?

— Acho que não deveríamos.

— Eu acho. — Para falar a verdade, ela quase sugeriu que ele invadisse seu quarto de novo. Entretanto, dada a intensidade da atração que sentia e a precária situação dele perante a Sociedade, seria extremamente imprudente. — Visitarei Georgie amanhã.

— Não se seu pai pediu para você manter distância.

— Mas...

— Ela entenderá, Lucinda. Falarei com ela.

Aquela simples garantia foi mais efetiva para convencê-la do que qualquer um dos protestos que ouvira naquela noite.

— Então visitarei Evelyn amanhã, ao meio-dia. Talvez você possa visitar Santo.

Um sorriso lento curvou os lábios de Robert.

— Está bem. Darei um jeito. E, só para que você saiba, Georgiana se recusa a sair de Londres. Tristan diz estar zangado, mas acho que está, na verdade, aliviado. Por conta dessa maldita confusão, ela vai ter o bebê aqui.

— Não se culpe.

— Não me culpo. Culpo quem quer que tenha roubado aqueles malditos papéis.

Ela arriscou colocar a mão no braço dele.

— Nós o encontraremos.

— É melhor mesmo.

Capítulo 17

Decidiste viver, o que me causa satisfação.
— O Monstro, *Frankenstein*

— QUE DIABOS VOCÊ ESTAVA pensando — sibilou Tristan, quando Robert retornou para o bando dos Carroway —, indo para a pista desse jeito?

— Estava pensando em dançar.

— Bit, você pode estar colocando Lucinda e seu pai em uma situação complicada — ponderou Georgiana, colocando a mão no braço dele, como Lucinda havia feito.

Robert olhou de um para outro.

— Vocês têm razão quanto a isso. Lucinda queria ficar aqui conosco esta noite e visitar você amanhã, Georgie, mas eu a persuadi a não fazer isso. — Ele hesitou, olhando para a cunhada. — O general sugeriu que ela fique longe de nós.

— Então ela deveria obedecer — corroborou a viscondessa, prontamente.

— Você conseguiu convencê-la?

— Acho que sim.

Os irmãos Carroway haviam formado um círculo em torno de Georgiana, todos com expressões agressivas e raivosas, praticamente desafiando qualquer pessoa que não tivesse palavras muito gentis a compartilhar que se aproximasse deles. Tristan, em particular, exibia um semblante rabugento enquanto observava a multidão, com Santo ao seu lado.

— Sabe — murmurou o visconde —, isso está começando a me deixar um tanto irritado.

— Lá se vai nossa frente única. — Bradshaw gesticulou para que um criado trouxesse uma rodada de bebidas. — Quanto tempo você acha que duraremos até Hesterfield pedir que nos retiremos?

— Eu nunca fui enxotado de um sarau — comentou Andrew. — Estou quase ansiando por esse momento.

— Bem, eu já fui — contou Santo. — E, por mais interessante que seja, não acho que arrumar briga ajudaria a situação de vocês.

Do outro lado do salão, Geoffrey havia monopolizado Lucinda novamente e parecia estar entupindo-a de chocolates em uma tentativa de distraí-la. Robert lhe desejava sucesso. Por mais difícil que estivesse sendo para sua família, talvez fosse igualmente complicado para a dela. Ela valorizava confiança e justiça, mas seu envolvimento nisso tudo — e com ele — devia ser excruciante. Mesmo assim, quando ele lhe dera a chance de se livrar dele, ela negara. Seu coração palpitou. Lucinda queria estar com ele. Aquela noite, contudo, não era nada ideal para qualquer coisa.

— Talvez devêssemos ir — sugeriu.

— O quê? E deixar esses palhaços vencerem? — Bradshaw cruzou os braços, ficando com uma aparência ainda mais beligerante. — Não vou embora até socar alguém.

Por mais grato e surpreso que Robert estivesse com a demonstração de apoio da família, não estava ajudando em nada — nem caindo nas graças dos demais presentes. Esse problema era *dele*, e ele era o responsável por causá-lo a si mesmo, no longo prazo — basicamente, por causa de seu silêncio. Robert cuidaria de tudo sem envolvê-los ainda mais. Se pudesse, resolveria as coisas sem Lucinda, mas, por mais que precisasse de sua assistência, queria uma desculpa para estar perto dela ainda mais.

Não importava quão zangados todos estivessem, ainda estavam lutando contra meros rumores. Porém, sabendo como era importante encontrar alguém para culpar pelo ocorrido e garantir que os cidadãos da Inglaterra se sentissem seguros novamente, Robert não tinha certeza de quanto esforço a Cavalaria dispensaria em descobrir o verdadeiro culpado quando já tinham um bode expiatório à mão.

A ideia de acabar na cadeia, mesmo que por engano — mesmo que por um curto período, caso, por um milagre, o verdadeiro ladrão se entregasse —, fez Robert despencar na direção do pânico sombrio. Não poderia ficar atrás das grades novamente. Nem mesmo por um minuto.

— Robert — disse Georgiana, baixinho —, não permitiremos que o culpem por isso.

Ele forçou um sorriso.

— É um pouco tarde para isso, Georgie. Mas permitir que todos nos vejam parados aqui como um bando de rinocerontes enfurecidos não está ajudando. Quero ir embora, mas se vocês...

— Vamos embora, então — decidiu Tristan. — Parece que Hesterfield está prestes a sofrer uma apoplexia mesmo.

Ótimo. Robert já tinha conseguido o que precisava. Vira Lucinda, e ela lhe contara quem foram as primeiras pessoas a ouvir a história de Pagnon e um pouquinho sobre o que havia sido roubado. Ele precisava saber mais, no entanto. A única forma de se salvar seria descobrir quem era o verdadeiro ladrão, uma tarefa que já seria difícil sob circunstâncias normais, mas ainda pior com ele sendo o principal — e o único — suspeito. Tinha pouquíssimo tempo antes que os rumores se tornassem estrondosos o suficiente para metê-lo na cadeia.

Sem conseguir resistir, arriscou um último olhar a Lucinda enquanto esperava que trouxessem os xales de Georgiana e das tias. Já havia memorizado como ela estava vestida: o vestido de seda verde-clara, a renda branca nos punhos e na linha do decote, as luvas marfim até os cotovelos e o grampo verde-esmeralda dos cabelos, que combinava perfeitamente com seus delicados sapatos.

Alguns homens alegavam que ela era alta demais, régia demais, mas ele sabia a verdade. Ela era mais inteligente que a maioria deles, mais independente, mais honesta, e simplesmente os apavorava. Lucinda também o assustava, mas por um motivo bem diferente: ele não conseguia imaginar retornar à vida, à humanidade, sem ela. Nem sabia se gostaria disso.

— Bit — murmurou Andrew, cutucando-o —, estamos indo.

Ele foi pego de surpresa.

— Ótimo. Vamos.

Lorde e Lady St. Aubyn ficaram para trás, na teoria para fazer companhia a Lucinda e Lorde Geoffrey, porém mais provavelmente porque sua presença ao menos manteria a propagação de rumores a um nível discreto.

Os Carroway entraram em suas carruagens e voltaram para casa, onde Shaw e Andrew logo sumiram para jogar bilhar no andar de cima. Os demais se encaminharam para o salão de visitas, onde, após cinco minutos de silêncio, Georgiana sugeriu que jogassem uma partida de uíste.

Aquela era a deixa que Robert estava esperando.

— Por que vocês não jogam? Meu joelho está um pouco cansado, afinal. Pensei em enrolá-lo em uma toalha quente e ir para a cama, se não se importarem.

Tristan assentiu.

— Essa idiotice logo vai passar, Bit. Vai ficar tudo bem.

— Eu sei.

Ficaria melhor ainda se ele desse um empurrãozinho. Quando chegou a seus aposentos, tirou o elegante traje de festa e colocou suas roupas velhas e puídas de jardinagem. Não costumava dormir muito mesmo e, naquela noite, com um plano de verdade se formando em sua mente, não conseguiria pregar os olhos.

Abriu a janela um pouco mais e se debruçou para fora. Nos últimos três anos, conseguira podar a videira que subia para o terraço de modo a parecer bastante densa, mas repleta de pegas. Jogou uma perna por cima do peitoril, então parou.

Georgiana estava grávida de oito meses, e o restante da família ficava histérico toda vez que ele não estava por perto. Tristan tinha lhe pedido para não sumir sem avisar. Suspirando, voltou para o quarto e vasculhou a escrivaninha em busca de um pedaço de papel.

Um ou dois anos antes, nunca lhe ocorreria que seus problemas poderiam afetar a família ou os amigos. Supunha que deveria agradecer a Lucinda pela mudança. Ela *de fato* fizera algo para torná-lo humano de novo. E, por causa disso, ele não iria — não podia — magoá-los mais. Esse parecia um dever tão importante quanto descobrir quem havia se tornado um traidor da Inglaterra. Não se resumia apenas a Robert, como tudo parecia ser desde que retornara para casa. Não era a dor *dele*, o nome *dele*, a solidão *dele*. Rapidamente, ele escreveu um bilhete detalhando seu paradeiro e deixou na cama, para o caso de alguém aparecer para ver se ele estava bem.

Estava saindo pela janela novamente quando alguém bateu à porta e a abriu.

— Droga — resmungou ele.

O quarto estava escuro, talvez ninguém percebesse onde ele estava se não fizesse...

— Que diabos você está fazendo? — sibilou Bradshaw, entrando. — Acha que isso o ajudará a parecer inocente? Mas que droga, Bit, eu avisei, todos avisamos, quanto a fugir de no...

— Eu deixei um bilhete — interrompeu Robert, apontando para a cama. — Agora fale baixo, ou acordará Edward.

Estreitando os olhos, Bradshaw fechou a porta e foi até a cama. Pegou o bilhete e então, emitindo uma espécie de rosnado, jogou-o na cama novamente.

— Você não vai à sede da Cavalaria, Bit. Isso é loucura.

— Preciso saber quem mais eles imaginam que possa ser um apoiador de Bonaparte. E também quão fácil seria entrar lá.

— E acha que conseguirá descobrir espreitando no escuro, em um lugar onde adorariam capturar você com evidências nas mãos?

Robert fez uma careta.

— Não posso fazer nada daqui! Quem você acha que eles estão procurando, Shaw? Ninguém. E sabe por quê? Porque vão me acusar. Então, volte para a cama. Esse problema é meu, e eu vou tratar de resolvê-lo.

— Esse problema não é *seu*. Você mesmo disse: neste momento, são apenas rumores. Deixe o Exército fazer seu trabalho e não se meta em confusão.

— Não posso, Shaw.

— E por que não, pelo amor de Deus?

Por um momento, Robert permaneceu sentado no peitoril da janela, olhando para as próprias mãos. Como poderia explicar, sendo que nem ele mesmo conseguia compreender plenamente?

— Se eu tivesse... voltado diferente — começou, devagar, tentando organizar o que queria dizer com os mil pedacinhos de pensamento espalhados por sua mente —, se não tivesse passado tanto tempo me escondendo, tudo isso já seria de conhecimento geral.

Bradshaw sentou-se na beira da cama.

— Você mal falou uma única palavra durante mais de um ano, Bit — comentou, baixinho. — Eu me lembro. Não parecia ser uma escolha, ou que você estivesse fazendo de propósito para nos atormentar. Parecia que algo inenarrável tinha acontecido com você, e aquela foi sua forma de lidar com tudo. Não o culpamos por isso.

Robert sabia que tinha feito a família comer o pão que o diabo amassou, mas ouvir Shaw dizer aquelas coisas o tocava de uma forma que não conseguiria expressar em voz alta. Ele engoliu em seco.

— Obrigado.

— O que estou querendo dizer é que não vou permitir que se arrisque ainda mais por algo que só está ligado a você por causa de um maldito rumor. Se for lá esta noite, a conexão se torna real.

Bradshaw estava certo nesse ponto — bastante certo. Mesmo assim, pensar em não fazer coisa alguma enquanto outra pessoa controlava seu destino o perturbava ao extremo. Ele já deixara isso acontecer antes, mas nunca mais deixaria. Não agora, quando tinha começado a sentir esperança novamente.

— Tudo que me resta é meu nome, Shaw.

— Você tem sua vida.

Respirando fundo, ele se recostou no caixilho.

— Eu aprendi, em Château Pagnon, que existe uma diferença entre estar vivo e viver. Nas últimas semanas, percebi que, embora eu estivesse andando e respirando, não estava vivendo havia muito tempo.

— E o que mudou?

— Se você repetir uma única palavra disso tudo para alguém, Shaw, eu...

— Ah, pare. Você nunca contou a Tris que fui eu quem pôs cola na sela dele.

A lembrança fez Robert sorrir.

— É verdade, você me deve um segredo.

— Então, por que a mudança, Bit? Todos percebemos.

— Lucinda Barrett.

Bradshaw o fitou por um longo momento.

— Ela está interessada em Lorde Geoffrey Newcombe.

— Eu sei.

— Você não está... apaixonado por ela, está?

Isso foi, obviamente, um erro.

— Não é isso — respondeu, embora não tivesse certeza. Certamente estava obcecado por ela, e a noite que passaram juntos não havia diminuído seu desejo nem um pouco. Pelo contrário. — É mais um... apreço. Uma esperança. Não consigo explicar.

— Tudo bem, mas o que isso tem a ver com arriscar a vida invadindo a sede da Cavalaria?

— Quero que ela saiba a verdade. E quero que ela... Quero que o General Barrett saiba a verdade. Se eu não a fornecer, sempre haverá uma suspeita, aqueles olhares enquanto todos comentam que, se ele não foi o responsável pelo roubo da Cavalaria, deve ter feito alguma outra coisa. Afinal, olhe só para ele. Olhe só para o que aconteceu com ele.

— Bit...

— Não, Shaw. Você não entende? Sou digno de pena, de nojo. Sou um meio-homem. — Ele respirou fundo. Estavam perdendo tempo, e precisava sair. — Quero ser inteiro de novo.

— E acha que, assim, conseguirá.

— Acho que pode ajudar.

Lentamente, Bradshaw levantou-se. Soltou uma obscenidade e caminhou até a janela.

— Vamos logo, então. Não tenho a noite toda.

Robert piscou.

— Você não vai comigo. Eu lhe disse, esse problema é meu. Cuidarei dele. Sozinho.

— Não vou ficar aqui para enfrentar a fúria de Dare quando ele descobrir aonde você foi. Ande logo.

Qualquer que fosse a desculpa de Bradshaw, Robert precisava admitir que seria bom ter assistência. E apoio. Assentindo, escapuliu pela janela e desceu pela videira.

Bradshaw chegou ao chão um instante depois.

— Isso é prático — comentou, olhando para a janela lá em cima. — Mas por que tenho a sensação de que você já saiu da casa por aqui antes?

— Porque já saí. E cale a boca. Dare ainda está no salão de visitas.

— Certo. Não é preciso muita furtividade na Marinha, você sabe. Apenas um estômago forte.

Camuflando o sorriso na escuridão, Robert deu a volta na casa, em meio às sombras, e encaminhou-se para os estábulos. Com Shaw ao seu lado, ao menos tinha uma distração de seus próprios pensamentos sombrios. Essa, contudo, muito provavelmente era a intenção de Bradshaw.

— E os cavalariços? — sussurrou Shaw, quando eles pararam sob o breu da sombra do estábulo.

— Todos já estão na cama a essa hora, exceto por Wiest, mas ele é quase surdo. Selaremos os cavalos no quintal.

— E como você sabe disso tudo? Espere, não me conte. Não quero saber.

Movendo-se agilmente, conduziram Tolley e a montaria de Shaw, Zeus, para fora do estábulo. Tolley estava acostumado com os passeios de madrugada e mal mexeu as orelhas quando Robert o selou, mas o enorme puro-sangue árabe negro bufou e se recusou a aceitar o freio quando Shaw tentou colocá-lo.

— Que inferno, Zeus, fique quieto — grunhiu Shaw.

— Aqui. — Robert tirou um torrão de açúcar do bolso e o entregou ao irmão. — Tente suborná-lo.

Funcionou.

— Hum — murmurou Bradshaw enquanto prendia o freio na cabeça de Zeus —, na próxima vez que eu tiver um *rendez-vous* com Lady Daltrey, vou trazê-lo junto.

— O marido dela sabe de você, aliás. Ele não se importa, porque aí ela não reclama do caso dele com Lady Walton.

Shaw ergueu a sobrancelha.

— Como é?

— Saio muito à noite — explicou Robert, montando em Tolley.

Os dois saíram do terreno em um passo lento, passando a galopar apenas quando já estavam bem longe da casa. O sarau dos Hesterfield e mais uma série de outros festejos ainda estariam de vento em popa, mas boa parte dos vendedores e carroceiros já havia abandonado as ruas para se preparar para a manhã seguinte. Com muitos quilômetros para percorrer, trotaram rumo ao sudeste pela Grosvenor Square, passando pelo St. James's Park, e seguiram para o norte pela rua Whitehall. Quando chegaram ao Palácio do Tesouro, eles pararam.

— Então, simplesmente atravessamos a praça de armas? — perguntou Bradshaw, os olhos fixos na rua.

— Haverá sentinelas posicionadas nas duas pontas do edifício — comentou Robert, desejando ter passado mais tempo no quartel-general. — E os escritórios ficam no segundo e no terceiro andar.

— Quantos escritórios?

Robert deu de ombros.

— Não sei. Trinta? Quarenta?

— Vai levar a noite toda.

Robert desmontou lentamente, caminhando com Tolley na direção do enorme edifício branco. Era rodeado por um espaço aberto para comportar as paradas militares e por um antigo campo de justa, e, mesmo à noite, seria fácil avistar qualquer um que se aproximasse. Quatro sentinelas estavam posicionadas bem à vista no portão de entrada e ao longo dos parapeitos; Robert podia apostar que havia pelo menos mais quatro em locais menos visíveis.

— Eu não trouxe corda — murmurou Shaw, caminhando ao seu lado.

— Alguma ideia?

— Quero circundar o edifício. Já faz um tempo que não o vejo tão de perto.

Eles caminharam por alguns minutos em silêncio. Robert sabia que tinham sido vistos, mas, com sorte, em meio à escuridão, não seriam reconhecidos — ou, melhor, ele não. Com os estábulos no térreo e um verdadeiro labirinto de escritórios nos pavimentos superiores, movimentar-se por ali não seria fácil nem mesmo sob circunstâncias ideais. Invadir o prédio furtivamente no escuro tornaria a busca por algo significativo quase impossível.

— Lembra-se, Bit, de quando costumávamos jogar xadrez e, após apenas quatro movimentos, você anunciava que eu havia perdido e então me massacrava?

— Aham.

— Você está com a mesma expressão agora. Em que está pensando?

— Estou pensando que invadir a sede da Cavalaria seria uma perda de tempo e provavelmente acabaria com nós dois presos.

Tentando não visualizar aquele cenário, Robert terminou seu círculo e parou na esquina em que haviam começado.

— E?

— Ou seja, quem quer que tenha roubado esses papéis passou algum tempo no edifício, Shaw. Quero dizer, mesmo que eu soubesse o que estava procurando, levaria horas para localizar a sala dos arquivos e também os mapas e papéis corretos.

Seu irmão assentiu.

— Faz sentido. Podemos ir, então? Estou começando a me sentir um pouco conspícuo.

— Sim. Não há nada mais para fazermos aqui.

Por sorte, ninguém mais havia entrado em seu quarto enquanto ele e Bradshaw estiveram ausentes, e, depois que Shaw se recolheu, Robert afundou em sua poltrona de leitura debaixo da janela. Desde a prisão de Bonaparte, a necessidade de recrutamentos e promoções tinha diminuído consideravelmente, e a maioria dos funcionários da Cavalaria havia sido dispensada ou realocada para o Departamento de Guerra. Consequentemente, boa parte dos escritórios passara a ser usada como depósito ou estava vazia.

Tudo que precisava saber era quem tivera acesso ao edifício na semana anterior e quem conhecia o local bem o suficiente para encontrar o que queria e ir embora sem ser detido. Simples. Ou *seria* simples, se *ele* tivesse acesso às informações dos funcionários dali ou mesmo de qualquer um que trabalhasse na Cavalaria.

Bem, de certa forma, ele tinha mesmo esse acesso — por meio de Lucinda. Precisaria explicar tudo a ela, contudo. Por algum motivo, ela queria vê-lo novamente e parecia querer ajudar. Quaisquer que fossem os motivos de sua generosidade, não iria pedir a ela que fizesse qualquer coisa que a deixasse em maus lençóis.

Enquanto aumentava a chama da lamparina e abria um livro, ele se perguntou se ela ainda estaria no baile com Lorde Geoffrey e se estaria se divertindo. Pelo que podia presumir, Lucinda ainda tinha duas lições a serem ensinadas, mas, como ela mesma dissera, provavelmente não importava mais. Ela e Geoffrey tinham um acordo amigável e, quando a alta sociedade já os tivesse visto junto várias vezes e aprovado a união implicitamente, ele pediria sua mão em casamento, e os dois firmariam uma união amistosa. Robert ficou olhando para o livro aberto, sem ler nada. Será que as coisas teriam corrido de outra forma se ela tivesse escolhido *ele* para suas lições?

Robert a levara para a cama antes de Geoffrey, mas, considerando quem ele era e quem era o pai de Lucinda, qualquer coisa além disso seria muito improvável. Se tivesse retornado da guerra todo presunçoso e cheio de historinhas heroicas, talvez o general o estimasse mais — embora, para falar a verdade, ele próprio não simpatizasse muito com Augustus Barrett.

Lucinda o fazia se sentir... esperançoso, e, após quatros anos de dor, a esperança era tão difícil de ignorar quanto a luz do sol. Robert se perguntou o que estaria fazendo neste momento, diante de todos aqueles rumores, se ela não o tivesse afastado das sombras um pouquinho. Suspirou. Provavelmente estaria na Escócia, com os portões do solar trancados, esperando que o Exército britânico fosse capturá-lo.

A ideia de ser morto não o teria incomodado tanto se não tivesse encontrado uma razão para viver. O que faria quando essa razão se casasse com outra pessoa, ele não tinha ideia.

Capítulo 18

Minha esperança, porém, é encontrar paz em seu rosto e verificar que seu coração não está totalmente carente de conforto e tranquilidade.
— Elizabeth Lavenza, *Frankenstein*

— ...POR SORTE, ELES FORAM embora antes que alguém fosse forçado a expulsá-los.

Lucinda parou à porta do escritório do pai. Geoffrey deveria ter chegado antes do café da manhã para contar as notícias sobre os Carroway. Ela se apoiou na parede, esperando para ver o que ele falaria.

— Deve ser uma situação desconfortável para eles. Afinal de contas, ninguém foi acusado de coisa alguma ainda — disse o general.

— *Ainda* — repetiu Geoffrey. — Não quero causar intrigas, mas acho que talvez seja necessário ter uma conversa mais incisiva com Lucinda. Ela insistiu em cumprimentá-los e até dançou com Robert. Entendo seus sentimentos, mas ela não está ajudando ninguém ao agir dessa forma. Tentei alertá-la, mas tive a clara impressão de que ela ficou descontente comigo.

Do outro lado da porta, Lucinda podia quase ver a carranca do pai, que tamborilava os dedos nas folhas de seu último capítulo.

— Ela é teimosa como a mãe. Mas é bastante racional. Tenho certeza de que compreende suas preocupações. Já percebi que pedir desculpas costuma funcionar.

Humpf. O que "funcionava" era o uso indiscriminado de bom senso.

— Então talvez você devesse me falar um pouco de seus próprios sentimentos, meu rapaz — continuou o general.

Geoffrey riu.

— Acho que o senhor sabe como me sinto. Lucinda é maravilhosa, e acredito que ela esteja se afeiçoando a mim.

— Acho que podemos presumir com segurança que seu cortejo é bem recebido.

— Então, eu gostaria de sua permissão para pedir a mão dela em casamento.

O estômago de Lucinda se revirou. Geoffrey falava de modo tão pragmático. Era apenas aquilo mesmo, afinal de contas, praticamente um acordo de negócios. Mas ouvi-lo falar daquele jeito era tão... frio. Tão simples e aprazível.

— Dadas as circunstâncias, acho que anunciar um casamento neste momento seria de mau gosto. Ela pode não ter permissão para socializar com os Carroway, mas é amiga deles.

— É claro. Assim que essa pequena confusão for resolvida, no entanto, posso assumir que tenho sua permissão?

— Pode.

— E o posto na Índia?

— Não se preocupe, rapaz. Tenho influência suficiente para lhe garantir um posto de comando em Deli. Desde que você respeite os desejos de Lucinda quanto a permanecer aqui ou acompanhá-lo.

— É claro — concordou Geoffrey.

Assinado, carimbado e homologado. Era, no entanto, uma lástima que a "confusão" à qual estavam se referindo fosse a possível detenção de Robert Carroway. Era verdade que Geoffrey não parecia muito afeiçoado a Robert, mas referir-se à desgraça dele como uma "pequena confusão" era um tanto insensível.

— Tudo certo, então, senhor. Acha que ela descerá em breve?

— Creio que a qualquer momento. Você já teve a oportunidade de ler o capítulo dois?

— Estou quase no fim. É muito bom. O senhor capturou a euforia e o caos da marcha à Cidade Rodrigo com uma clareza impressionante.

O general bufou.

— Eu já lhe concedi a mão de minha filha. Não precisa me bajular.

— Estou falando seríssimo. Na verdade, será que eu poderia trazer o capítulo para o senhor esta tarde e pegar o próximo?

— Você precisará levar na sede da Cavalaria. O capítulo três está com o General Bronlin, mas ele deve terminá-lo hoje, a menos que haja alguma novidade quanto à investigação.

— O senhor ouviu mais alguma coisa?

— Nada. — Ele suspirou. — Além das buscas em todos os navios que estão partindo rumo ao continente, um pequeno destacamento iniciará a vigilância de Robert Carroway esta manhã, caso ele tente entregar os papéis a alguém ou fugir do país.

Lucinda empalideceu. Ela não havia considerado que alguém poderia estar seguindo Robert. Céus, e se eles o estivessem seguindo dois dias antes? Precisava avisá-lo, mas isso acabara de se tornar mais complicado.

Por mais que preferisse que as coisas fossem diretas, certificara-se de aprender a arte do subterfúgio — e, dadas as circunstâncias, estava totalmente disposta a fazer uso disso. Ela não ia abandonar seus amigos nem — como estava começando a perceber — gostava de ser controlada. Endireitando os ombros, afastou-se da parede e entrou no escritório.

— Bom dia, pa... Lorde Geoffrey. Não esperava vê-lo esta manhã.

Geoffrey se levantou com um buquê de margaridas em mãos.

— São para você, minha querida. Acredito que já tenha rosas suficientes.

Ela aceitou as flores com uma reverência breve.

— Obrigada.

— Também estive pensando se você gostaria de sair para cavalgar.

— Espero que entenda, Geoffrey, mas estou um tanto angustiada esta manhã. Se me permitirem, eu gostaria de escrever uma carta para Georgiana.

— Lucinda. — O general se levantou. — Não há motivo para ser rude.

— Estou sendo rude? Céus, perdoe-me. Eu só quis dizer que sinto falta de ver meus amigos e gostaria que eles soubessem que têm meu apoio.

— Como você pode sentir falta deles — argumentou o pai — se conversou com eles ontem à noite?

E os dois caíram na armadilha. Ela olhou para Geoffrey.

— Minha nossa, você costuma reportar a vida de todos ou apenas a minha?

— Lucinda!

Geoffrey, contudo, parecia arrependido.

— Apenas quero o que é melhor para você, Lucinda. Espero que entenda isso.

— Acho que está pensando no que é melhor para *você*. — Ela respirou fundo, tentando se lembrar de que aquele era o homem com quem havia decidido se casar. Se não fosse pelo roubo ou por Robert, talvez Geoffrey já tivesse pedido sua mão. — Se me derem licença, não estou me sentindo muito bem hoje.

— Não, sou eu que devo ir. Eu só queria me desculpar. Pelo visto, não foi um bom momento. — Ele pegou sua mão. — Por favor, diga que ainda somos amigos.

Ao que parecia, todos os homens queriam ser seus amigos. Lucinda se surpreendeu. *O que havia de errado com ela?*

— É claro que somos. Eu só... preciso de uma manhã para mim.

O general se levantou para acompanhar Geoffrey até a porta, mas, ao perceber a expressão em seu rosto, Lucinda permaneceu onde estava. Sim, seu comportamento tinha sido abominável, considerando que Geoffrey havia apenas verbalizado os sentimentos de metade da Sociedade londrina. Ele podia ter respeitado seus sentimentos, contudo, em vez de pensar apenas nas próprias concepções.

— Você dançou com Robert ontem à noite — disse o general, retomando seu assento.

— Ele me convidou.

— E eu lhe pedi que não fizesse isso.

— Papai, sinto muito, mas não escolho meus amigos inconsequentemente e não os abandonarei por causa de um rumor.

O general a fitou com olhos raivosos, mas ela o encarou de volta e se recusou a desviar o olhar. Quanto tempo poderiam ficar parados ali olhando um para o outro, ela não saberia, porque Ballow bateu à porta semiaberta.

— O senhor recebeu um bilhete — avisou.

— Vejamos.

O mordomo entregou o papel e desapareceu. Lucinda observou o rosto do pai enquanto ele abria e lia o breve recado. Algo em sua expressão fez o coração dela congelar.

— O que aconteceu?

O general bateu o bilhete na mesa com tanta força que ela se sobressaltou.

— Seu "amigo" foi visto ontem à noite rodeando a sede da Cavalaria.

Lucinda empalideceu.

— Não! É um engano.

— Os guardas foram informados das características dele e instruídos a ficar atentos. Ele e outro homem chegaram a cavalo às onze e meia, percorreram o perímetro e foram embora.

A mente de Lucinda corria alucinada enquanto procurava por uma desculpa que não soasse tão ridícula.

— Ele foi acusado de invasão. Talvez quisesse ver o edifício com os próprios olhos.

— E talvez quisesse checar se nossa segurança permanece débil como na semana passada. Não permanece, eu garanto. — Ele se levantou, debruçando-se na mesa. — Não quero ter que lhe dizer de novo, Lucinda. Fique longe dele.

Lucinda ficou tentada, por um breve instante, a contar que Robert já havia passado uma noite em sua cama, mas apenas assentiu brevemente e se levantou.

— Como quiser, papai.

— Aonde vai?

— Subirei para ler e depois sairei para almoçar na casa de Lady St. Aubyn. — Ele percebeu a carranca do pai quando se virou. — Não se preocupe. Georgiana não estará lá.

— Quando tudo isso acabar, você verá que tudo foi para seu próprio bem, minha filha. Todos os navios saindo de Dover ou de Brighton para o continente estão sendo vasculhados. Se aqueles papéis estiverem a caminho da França, nós os encontraremos.

— Tenho certeza de que sim.

— E você deve um pedido de desculpas a Lorde Geoffrey. Ele tem feito tudo o que pode para agradá-la. Você não tem motivo algum para destratá-lo.

— Sim, papai.

Ela abriu o que faltava da porta do escritório.

— Lucinda?

Inspirando fundo, ela parou, os dedos ainda na maçaneta.

— Sim?

— De um modo geral, Geoffrey Newcombe é um homem melhor que Robert Carroway, mesmo sem esse desastre. Geoffrey é gentil, bonito, popular e tem uma carreira brilhante pela frente. Robert... mal consegue proferir mais que duas palavras e não tem futuro algum que eu consiga vislumbrar.

Subitamente, Lucinda sentiu vontade de chorar.

— Obrigada por sua opinião, papai — murmurou ela. — Fui eu quem sugeriu trazer Lorde Geoffrey para cá, se o senhor se lembra.

— Foi mesmo.

Lucinda subiu as escadas correndo e se trancou em seus aposentos. Detestava a tensão entre ela e o pai. Até aquele momento, costumavam se dar tão bem... E ela detestava o fato de não conseguir parar de pensar em Robert, quando tudo apontava que Geoffrey era uma melhor escolha de marido. E detestava perceber que ninguém sabia como Robert realmente era — nem ele próprio.

Durante uma hora, ficou mais andando de um lado para outro do que lendo, mas, por fim, chamou Helena para ajudá-la a se vestir para o almoço. Ela poderia se desculpar pelo horário, mas estaria apenas um pouquinho adiantada. Evie não se importaria e havia coisas que Robert precisava saber com urgência. A Cavalaria provavelmente já havia mandado alguns homens para segui-lo.

Lucinda franziu o cenho. Se reportassem que ela e Robert estavam na Residência Halboro ao mesmo tempo, seria um problema. Bem, se isso realmente acontecesse, daria um jeito. Eles estavam merecendo um pouco de sorte, e aquele seria o dia para cobrar essa dívida.

Quando chegou à Residência Halboro, Evie estava descendo as escadas.

— Luce! Que sorte a sua me pegar em casa. Eu estava prestes a ir à rua Bond comprar um chapéu novo. Gostaria de me acompanhar?

Em retrospecto, talvez tivesse sido uma boa ideia informar que ela e Robert iam visitá-los no almoço.

— Para falar a verdade, acho que deveríamos almoçar por aqui — sugeriu ela, dando um sorriso encabulado.

Evie parou de amarrar o *bonnet*.

— Acha?

— Sim. Com certeza.

— Algum motivo em especial?

Lucinda olhou para Jansen, o mordomo dos Halboro, que estava parado discretamente ao lado do bengaleiro.

— O tempo está horrível lá fora.

Evie olhou pelas janelas dos dois lados da porta, encolhendo-se de leve com o reflexo do sol.

— Está mesmo — concordou, tirando o *bonnet*. — Jansen, por favor, peça à Sra. Dolley para preparar uns sanduíches de pepino e limonada.

— Sim, milady — respondeu ele, desaparecendo nas profundezas da casa.

Evie pegou o braço de Lucinda e a puxou para o salão matinal.

— Muito bem, o que está acontecendo, Srta. Barrett? Você parecia extremamente distraída no baile ontem à noite, e agora isso?

— Santo está em casa? — perguntou Lucinda, desejando conseguir se aquietar.

Meu Deus, ela daria uma péssima espiã.

— Ele está no estábulo, analisando o cavalo de caça que comprou de Lorde Mayhew. Por quê?

— Eu... Hum... Talvez ele também receba uma visita.

— Ah, uma visita. — Evie sentou-se no sofá, dramaticamente alisando a saia de musselina rosa e amarela de seu vestido enquanto um criado trazia uma chaleira e desaparecia novamente. — Lucinda, talvez fique surpresa ao saber que posso guardar um segredo melhor do que quase todo mundo que você conhece.

— Ah, sim? O que isso tem a ver com...

— Por exemplo — continuou ela, servindo o chá e entregando uma xícara a Lucinda —, no início deste ano, quando eu estava começando a ensinar minhas lições a Santo, ele desapareceu por uma semana. Você se lembra disso?

Devagar, Lucinda sentou-se diante da amiga, tomando um longo gole e desejando que fosse de conhaque, uísque, ou algo assim.

— Lembro.

— Pois então. O motivo do desaparecimento foi que eu o sequestrei.

Lucinda se engasgou, derramando chá no belo tapete persa de Evie.

— Você *o quê?*

Evelyn confirmou, indiferente, bebericando seu próprio chá.

— Sim. Nós havíamos discutido, e ele anunciara que ia demolir o orfanato que eu estava lutando para salvar, então o prendi no porão por uma semana para convencê-lo a mudar de ideia.

Por um bom tempo, tudo que Lucinda conseguiu fazer foi olhar para a amiga. E pensar que ela e Georgie consideravam Evie a mais tímida das três.

— Hum... Funcionou. — disse, por fim.

Evie sorriu, perfeitamente serena, a despeito do brilho em seus olhos cinza.

— Sim, funcionou. De toda forma, estou lhe contando isso porque quero garantir a você que, não importa o que esteja tramando, pode confiar em mim.

— Eu...

A porta do salão matinal se abriu. Santo entrou, seguido por Robert.

— Boa tarde, Lucinda — cumprimentou o marquês.

Lucinda levantou-se de imediato, olhando para Robert, sem ouvir o restante do cumprimento do marquês. A noite anterior, no salão de baile, já havia sido ruim o suficiente. Mas, ali, precisou reunir todo o seu autocontrole para não atravessar o salão correndo, abraçá-lo e beijá-lo até que a dor se esvaísse dos olhos dele e até satisfazer o calor que borbulhava dentro dela.

Santo se apoiou no batente da porta.

— Alguém está preparando sanduíches ou algo assim, Evelyn?

— Sim.

— Ótimo. Eu gostaria que você me informasse quando formos receber amigos para o almoço.

— Eu informaria, se eles tivessem *me* informado.

— Olá — disse Robert, ignorando o diálogo entre os dois e admirando Lucinda dos pés à cabeça.

O calor subiu pelas bochechas dela diante daquela apreciação, e o desejo a atingiu como uma brisa quente. Lucinda pensou que seria bom se Geoffrey a fizesse sentir assim, mas, não, precisava ser o único homem de quem seu pai realmente parecia não gostar.

— Nós nos esquecemos de avisar Evie e Santo que viríamos visitá-los hoje — comentou ela.

— Sim, bem, vocês estão aqui — interveio Santo —, então sentem-se. A menos que prefiram que eu e Evie os deixemos a sós.

— Nós *não* vamos sair — afirmou Evelyn. — Insisto que mantenhamos um pouco de decoro nesta casa.

Robert piscou, como se tivesse esquecido que havia qualquer outra pessoa no recinto.

— Talvez seja melhor vocês saírem mesmo — ponderou, virando-se novamente para Santo. — Sou uma espécie de pária no momento.

— Você já entrou na minha casa pela porta da frente. Obviamente, os dois precisavam de um lugar seguro para conversar — respondeu Santo. — E este lugar é aqui. Sentem-se. — Ele caminhou até a mesa posta debaixo da janela. — Conhaque?

Balançando a cabeça, Robert acomodou-se na cadeira ao lado de Lucinda. Parecia que ele não tinha dormido muito nos últimos dias, embora ela mesma também estivesse passando por isso. Algo além de cansaço espreitava em seus olhos azuis, contudo — preocupação, a menos que ela estivesse totalmente enganada. E agora ela só pioraria as coisas.

— Alguém o seguiu até aqui? — perguntou, abaixando a voz.

— Tentaram — respondeu ele. — Dois homens. Soldados, suponho?

Lucinda empalideceu.

— Sim. Eles não podem saber que estou conversando com você, Robert. Meu p...

Ele pegou sua mão e, apesar do toque reconfortante e da onda de calor que se espalhou por ela com o contato, Lucinda podia sentir a tensão em seus dedos.

— Eles pensam que estou em Piccadilly, Lucinda. Está tudo bem. Eu já esperava.

— Por causa de ontem à noite?

Robert franziu o cenho.

— Ontem à noite? — repetiu, a surpresa transparecendo em seus olhos pela primeira vez.

— Alguém da Cavalaria mandou um bilhete para meu pai avisando que você foi visto lá ontem à noite. Você e outro homem.

— Bradshaw — contou ele, franzindo a testa. — Eu queria dar uma olhada no edifício para ver se seria fácil entrar.

— Você não deveria ter ido por conta própria — ponderou Santo, afundando no sofá ao lado de Evie.

— Eu não poderia simplesmente pedir para qualquer outra pessoa assumir esse risco — retrucou Robert, seco. Lucinda podia perceber sua relutância em envolver mais pessoas no caso, mas, ao mesmo tempo, estava aliviada por ele ter agido assim. — Eu não teria levado nem Bradshaw, mas ele me pegou escapulindo pela janela.

— Pela janela? — murmurou ela, observando um lampejo de divertimento no olhar de Robert.

Ao menos havia alguns segredos que eles não teriam que compartilhar.

— Já que você está aqui — disse Santo —, e tendo em vista que isso poderia prejudicar meu status na Sociedade, se eu me importasse com isso, eu tenho algumas perguntas a lhe fazer, Robert.

— Pessoas demais já sabem mais do que deveriam — retrucou Robert.

— Você não pode esperar...

— A culpa é minha, Robert — interrompeu Lucinda, levantando-se novamente. — Não de Santo. Se eu não tivesse confiado a meu pai o que você me contou em segredo, ninguém suspeitaria de você mais do que do... Duque de Wellington.

Robert parecia querer falar algo, mas levantou-se para olhar pela janela da frente.

— Isto aqui foi uma má ideia.

Lucinda olhou para Evie e indicou a porta com a cabeça. Não podiam forçar Robert a confiar neles; nas mesmas circunstâncias, se tivesse sobrevivido ao mesmo que ele, ela também não se sentiria muito à vontade para confiar em qualquer pessoa. O fato de que ele confiava *nela*, mesmo depois do que tinha feito, tanto a surpreendia quanto lhe causava remorso.

Evie pigarreou.

— Preciso averiguar como está indo o almoço — disse, levantando-se. — Michael, por favor, vá pegar um xale para mim.

Santo cruzou os tornozelos.

— Vou ficar aqui.

— Não vai, não.

— Pensei que estivéssemos atuando como acompanhantes.

Lucinda olhou de Santo para Robert, que permanecia parado à janela.

— Cinco minutos, por favor.

Ela não tinha certeza de que ele mudaria de ideia, mas, após um instante, Santo expirou pesadamente e se levantou.

— Cinco minutos.

Quando eles saíram e a porta se fechou, Lucinda forçou uma risadinha.

— Eu definitivamente vejo os contras de incluir Santo nisso tudo.

Robert se virou. Indo até ela, segurou seu rosto e a beijou com uma ferocidade que a deixou sem fôlego. O calor percorreu seu corpo da ponta dos pés ao topo da cabeça. Com um gemido, Lucinda se derreteu nos braços dele, enfiando as mãos por debaixo de seu paletó e agarrando a parte de trás de sua camisa.

Não importava como nem por quê, aquilo a intoxicava. *Ele* a intoxicava, e Lucinda sabia que isso não deveria acontecer. Sua boca se moldou à dela, pressionando-a com força contra o encosto do sofá à medida que ele intensificava o enlace.

Por fim, ele ergueu a cabeça.

— Não é culpa sua — sussurrou. — O jeito que eu sou... Algo iria acontecer, cedo ou tarde.

— Não, Robert. Não há nada de errado com seu jeito. Você sobreviveu a algo que mataria a maioria dos homens.

— E me matou também, Lucinda.

Ela balançou a cabeça.

— Não o matou ainda. E não acho que matará.

Um sorriso leve curvou os cantos da boca dele.

— A cada dia que passa, concordo cada vez mais com você. — Lentamente, a expressão sóbria retornou aos seus olhos. — Pensei que talvez tivesse sido visto ontem à noite, mas eu precisava saber uma coisa.

— Espero que tenha sido importante.

Percebendo que queria passar os dedos pelo cabelo escuro e fino dele, Lucinda se afastou e se sentou novamente. Eles tinham cinco minutos, e era melhor usá-los com sabedoria.

— Era importante, sim. Sou bastante hábil em entrar e sair de lugares furtivamente e...

— Já percebi.

A apreciação brilhou nos olhos dele.

— A sede da Cavalaria é uma verdadeira colônia de coelhos. Seu pai lhe disse se algo além da lista de simpatizantes e dos mapas foi levado?
— Não.
— Então alguém devia saber com antecedência onde esses papéis estavam e tinha fácil acesso ao edifício. — Ele fez uma careta, indo até a janela e retornando. — Acho que quem quer que tenha feito isso...
— Trabalha na Cavalaria? — concluiu ela. Refletiu por um instante.
— Não tenho tanta certeza, Robert. Eu mesma já estive lá várias vezes. Homens, soldados entram e saem o tempo todo. Wellington e sua comitiva, velhos amigos do meu pai e dos outros oficiais seniores, qualquer um com quem meu pai esteja conversando sobre seu livro, mensageiros que vão e vêm do Parlamento e do Departamento de Guerra, o...

Ele resmungou um xingamento.
— Os visitantes ou funcionários precisam se reportar a alguém? Existe algum registro de quem entre e quando?
— Apenas visitantes. Existe um livro que todos deveriam assinar na entrada. — Por um instante, a esperança se expandiu, até ela se lembrar de como Robert tinha sido facilmente identificado na noite anterior. — Na entrada, vigiado por um guarda.
— É um começo — ponderou ele, dando de ombros.
— Ah, é inútil. — Expirando fundo, ela se encaminhou até a mesinha de bebidas e serviu-se de uma dose de uísque. — Já tentei dizer a meu pai diversas vezes que você não tem nada a ver com isso, mas sua única preocupação é que eu não ofenda Lorde Geoffrey e não me meta em encrenca.
— Você ofendeu Lorde Geoffrey?
— Eu discordei quando ele sugeriu que eu ficasse longe dos meus amigos para preservar as chances *dele* de ser promovido.
— E o que ele fez?
— Trouxe flores para mim hoje de manhã, embora eu ache que ele passa mais tempo cortejando meu pai do que a mim.
— Que tipo de flores?
Lucinda o encarou.
— Com tudo isso, você quer saber que tipo de flores eu ganhei?
Ele permaneceu onde estava, vendo-a andar para lá e para cá, observando a bebida em sua mão com uma expressão compenetrada no rosto.

— Eu chutaria margaridas — disse.

— Como é que você pode saber isso?

— Você cultiva rosas, então ele concluiria que já tem rosas suficientes. As margaridas estão abundantes este ano.

— Você quer dizer que são menos caras.

— Quero dizer que são simples — corrigiu ele. — Fáceis de encontrar, fáceis de agradar.

— Entendo. E que tipo de flores você teria me dado, pode me dizer?

— Rosas lilases — respondeu ele, sem pestanejar.

O coração de Lucinda deu uma cambalhota.

— Por quê?

— Porque lilás é sua cor preferida e rosas são sua flor preferida.

Robert se aproximou novamente dela, deslizando o dedo por seu rosto. Lucinda não conseguia respirar, não queria se mover. De súbito, desejou que pudessem ficar daquele jeito para sempre, apenas olhando um para o outro, quase sem se tocar.

— Como você sabia disso? Quero dizer, sobre lilás ser minha cor preferida.

— Eu presto atenção — respondeu ele, baixinho, abaixando-se para beijá-la novamente.

Dessa vez foi lento, carinhoso e suave, como um sopro de ar quente em seus lábios. Lucinda fechou os olhos, entregando-se ao enlace.

— Lucinda?

Ela abriu os olhos, encarando aquele azul sem fim.

— Sim?

— Geoffrey já a beijou?

Uísque. Erguendo o copo, ela virou tudo em um único gole. A bebida queimou sua garganta, fazendo-a tossir e enchendo seus olhos de água.

— Minha... Minha nossa!

A porta do salão matinal se abriu.

— Cinco minu... — Santo se aproximou deles, segurando o ombro de Lucinda e batendo em suas costas. — Você está bem?

Ela tossiu novamente.

— E... Estou.

— Ela tomou uísque — explicou Robert.

— Ah, eu gostaria de ter visto isso. Venham, o almoço está servido.

O marquês conduziu-os pelo corredor até o salão de refeições, mas, ao perceber que Robert ficara um pouco para trás, Lucinda também desacelerou o passo.

— Por que você tinha que me perguntar aquilo? — sussurrou ela.

— Porque, se vai se casar com ele, deveria ao menos experimentar o beijo.

— Então suponho que nós deveríamos parar de nos beijar também?

Robert abriu aquele sorriso irresistível, então tornou a ficar sério.

— Duvido que eu consiga fazer isso.

Aquele era o problema. Ela também não.

Capítulo 19

*Minhas esperanças e perspectivas futuras
guardam ligação direta com nossa união.*
— Victor Frankenstein, *Frankenstein*

Robert apoiou-se na porta do estábulo, observando um dos cavalariços pentear e guardar Tolley. Ele e o cavalo certamente haviam se exercitado bastante nos últimos dias. Cavalgar por quase cinco quilômetros antes do almoço não estava em seus planos, mas, evidentemente, precisava levar em consideração o tempo que precisaria para despistar qualquer um que pudesse estar o seguindo. O subterfúgio tinha valido a pena, para ver e tocar Lucinda mais uma vez.

A pista que ela lhe dera era melhor do que percebera. Um livro de visitantes. Considerando que ele não havia visitado a sede da Cavalaria, o fato de que pessoas que não trabalhavam lá pudessem ter visitado nem sequer lhe ocorrera. E a ideia de que talvez alguém pudesse ir com frequência também não tinha passado por sua cabeça.

É claro que poderia ser um dos funcionários — era uma possibilidade provável demais para ser descartada. Mas um visitante — ao menos para Robert — fazia mais sentido. Os oficiais, empregados e guardas da Cavalaria tendiam a passar a vida inteira no serviço militar. Não precisavam causar uma guerra para garantir rendimentos no futuro.

Dinheiro também não precisaria ser o motivo, supunha Robert. Alguns ingleses e pessoas de outras nacionalidades podiam ser apoiadores ferozes de Bonaparte. A guerra, contudo, havia acabado fazia três anos. Não teriam todos os admiradores de Bonaparte sido elencados ou presos pela Coroa àquela altura? A menos que se tratasse de algum tipo de espião... Isso poderia...

— O que você está fazendo? — indagou Edward, entrando no estábulo com Tristan em seu encalço.

— Arrumando dor de cabeça. O que vocês estão fazendo?

— Tristan vai me levar para pescar. Eu ia cavalgar com William Grayson e o tio dele, mas eles enviaram um bilhete avisando que William está doente.

Tristan encarou Robert, sem deixar Nanico ver. Aquilo respondia à pergunta. A família de William estava morrendo de medo de que seu caçula fosse visto com um Carroway.

— Tenho certeza de que ele logo estará melhor — disse ele, tentando não engasgar nas próprias palavras.

— Espero que sim, porque Shaw prometeu nos levar a Portsmouth na semana que vem para ser seu navio.

— Nanico, por que você não vai ajudar John a selar o Temporal? — sugeriu Tristan, cutucando as costas do irmão.

Edward bateu o pé. Encarando os irmãos, cruzou os braços.

— Não sou estúpido, sabia? Se você quer conversar sobre alguma coisa e não quer que eu ouça, é só falar: "Nanico, saia daqui um pouquinho para eu conversar com Bit".

Tristan abriu um sorriso preguiçoso.

— Nanico, saia daqui um pouquinho para eu conversar com Bit.

— Está bem. Mas, uma hora ou outra, vocês vão ter que me contar o que está acontecendo.

— Fora, Edward. — Os dois ficaram observando o garoto sair do estábulo, então Tristan se virou novamente para Robert. — Como foi seu almoço com Santo? Foi lá que você foi, não é?

— Eu o notifiquei, conforme solicitado. Ele e Evie mandaram seus cumprimentos e querem saber se podem fazer algo para ajudar.

Robert estraçalhou um pedaço de feno com as mãos.

— Eles são bons amigos.

Robert concordou.

— Sim. Divirtam-se na pescaria.

— Robert, espere. — Franzindo o cenho, Tristan se aproximou. — Sei que você se culpa por isso tudo. E...

— Como sabe disso?

— Porque conheço você. E tenho olhos. Mas não faça isso. Não se culpe, quero dizer. O bom de ter uma família é que você não precisa aguentar tudo sozinho.

— Tristan — começou ele, mas teve que parar para respirar. Eles precisavam saber. Precisavam saber por que ele tinha que fazer isso sozinho.

— Tristan, eu me culpo, sim, porque tentei fazer algo três anos atrás que teria resolvido isso tudo, mas fracassei.

Os olhos azul-claros do visconde o estudaram por um longo momento.

— O que você tentou fazer?

— Tentei me matar. Ou melhor, tentei fazer os franceses me matarem, o que dá no mesmo.

O sangue se esvaiu do rosto de Tristan.

— Robert — sussurrou ele.

— Eu não conseguia ver outra saída de Château Pagnon e não suportava mais ficar lá. Não suportava, então eu... os convenci a atirar em mim até eu morrer. Só que a resistência espanhola me encontrou antes.

— Você não...

— Tentaria de novo? Não. Não voluntariamente. Mas é por isso que não posso explicar a mais ninguém sobre Pagnon e é por isso que preciso solucionar essa história. Porque a culpa é minha e porque, se qualquer um de vocês for detido por fazer algo para me ajudar, eu... não aguentaria. Pelo amor de Deus, Tris, você vai ser pai daqui a um mês.

Tristan segurou seu braço.

— Eu sei disso — sibilou. — E quero que meu filho tenha um tio.

— Ele terá pelo menos três.

Robert tentou se desvencilhar, mas Tristan não o largou.

— Sim, mas quero que ele tenha um tio com algum bom senso e inteligência. E esse tio é você. — Grunhindo, o visconde o soltou. — Só estou tentando pedir que você não me exclua, não exclua nenhum de nós, achando que é para nosso próprio bem. Deixe-nos decidir isso.

— Vou refletir. — Ele fechou os olhos por um minuto, pois sabia que jamais poderia incluí-los. Não achava que seria para o bem deles, tinha *certeza*. — Só para que você saiba, Dare, a Cavalaria mandou soldados para me seguirem.

— O quê? Como...

— Eu os despistei em Piccadilly. Estarão de volta a qualquer momento.

— Mas que droga. Há algo mais que você queira me contar? Porque, nesse caso, eu realmente gostaria de beber algo primeiro.

— É tudo que consigo pensar no momento.

Com exceção da parte sobre Lucinda, é claro, mas Robert achava que não conseguiria expressar em palavras nem que Tristan conseguiria compreender sua obsessão.

Quando os cavalos estavam selados, ele colocou Edward em sua montaria e os observou atravessar a via de entrada da casa. Um cavalariço partiu logo atrás, com o cavalo carregado de varas de pescar.

— Algo mais, senhor? — perguntou Gimble, colocando Tolley em sua baia.

Robert acariciou o pescoço do baio, que afagou seu ombro com o focinho.

— Não, isso é tudo.

— Está bem, senhor.

Precisava pensar, mas sabia que deixava os cavalariços nervosos quando ficava pelo estábulo, então se encaminhou para o jardim de rosas. As plantas o surpreenderam; duas semanas antes, não passavam de galhos ralos e espinhos que pareciam mortos, apenas com um leve verde nas folhas. Naquela tarde, novos brotos e folhas germinavam por toda parte, e, em uma das plantas maiores, ele jurava que podia detectar o prelúdio de um botão.

Algumas ervas daninhas também haviam conseguido brotar, e ele se abaixou para arrancá-las. Teria sido ótimo se identificar os vilões fosse tão fácil quanto achar as ervas daninhas, mas, como passara três anos portando--se e sentindo-se como uma verdadeira erva daninha, Robert supunha — e esperava — que a analogia não fosse compatível.

E, é claro, havia a metáfora estendida da impossibilidade de uma existência tranquila para ele: ele, a erva daninha esquelética e moribunda, e Lucinda, a rosa prestes a desabrochar — mas isso também não ajudava muito. Não que importasse. Ele a tinha envolvido em seus braços, contado seus segredos mais secretos, e ela ainda planejava se casar com Geoffrey Newcombe.

Geoffrey Newcombe. Robert nunca o estimara muito e, desde que Lucinda o definira como sua preferência para parceiro de matrimônio, a indiferença se transformara em desagrado. Agora, com esse desastre em sua vida e Geoffrey se apresentando como o retrato perfeito de um jovem patriota — ao passo que a figura de Robert se tornava mais imunda a cada dia —, não se tratava nem de desagrado. Não, Robert percebeu, enquanto arrancava a última erva daninha, que não era mais desagrado. Era ódio. Ele odiava Lorde Geoffrey Newcombe com tanto fervor que até se surpreendia.

Robert deu um soco na terra. E o que deveria fazer? Permanecer sentado ali, na terra, e permitir que Lucinda se resignasse com outro porque esse outro era aprazível? Mas quem seria, então, senão Geoffrey? O próprio Robert? Ele bufou. Ele, casando-se. E com ninguém menos que Lucinda Guinevere Barrett. Mesmo que quisesse, seria impossível com a corda da forca basicamente circundando seu pescoço por traição. No mínimo, precisava — queria — provar que todos estavam errados quanto a isso.

— Bit, você está surrando as minhocas? — perguntou a voz suave de Georgiana atrás dele.

Ele levou um susto.

— Não. Apenas pensando.

Abrindo o punho, limpou a terra dos dedos.

— Sobre o quê?

— Sobre como eu poderia conseguir um pedaço de papel ao qual eu não posso ter acesso, de um lugar onde não tenho permissão para entrar. Enquanto estou sendo observado por homens que eu não deveria estar vendo espreitando ali nos arbustos.

— Ah. Então peça para alguém fazer isso por você.

Robert se virou para ela.

— Isso significaria envolver outra pessoa nesta confusão.

Georgiana comprimiu os lábios.

— Bem, eu poderia constatar o óbvio: que outras pessoas já estão envolvidas. Ou poderia dizer: por que você não pergunta e vê se sua família e seus amigos estariam dispostos a ajudar?

— E como é que eu poderia pedir...

— Ora, é claro, eu adoraria ajudar. De que papel você disse que precisava?

— Georgiana, você não pode...

— Tarde demais. Já me voluntariei. — Ela sorriu. Divertimento e uma determinação surpreendente transpareciam em seus olhos. — Não gosto de ver as pessoas que amo serem acusadas de coisas que não fizeram. Isso me irrita. Que papel é esse?

Robert se levantou. A vida de todos os Carroway havia mudado desde que Georgiana viera morar com eles. A dele mais que a de todos os outros — à exceção de Tristan. No mínimo, a chegada dela trouxera Lucinda para seu mundinho de escuridão e o inundara de luz.

— É uma página do livro de visitantes da Cavalaria. Preciso saber quem esteve lá semana passada.

— E onde fica esse livro?

— Logo na entrada principal. É vigiado por uma sentinela.

— Você acha que ainda estaria lá? Com uma investigação em processo?

— Por tudo que ouvi, eles suspeitam que um estranho tenha praticado o furto, não um visitante regular e aceito.

— Ótimo. — Ela olhou para a saída do terreno. — Há mesmo homens espreitando ali nos arbustos?

— Eles voltaram há uns cinco minutos. Eu... fiquei sabendo por fontes confiáveis que estão aqui para ficar de olho em mim.

— Quando tudo isso acabar, eu e o General Barrett vamos ter uma conversinha — disse Georgie, os olhos brilhando. — Muito bem. Fique aqui no jardim até eu sair.

— Sair? Você não vai...

— Nunca pensei que fosse dizer isso a você, Robert, mas fique quieto. Isso é trabalho de mulher. Tenho que escrever um bilhete. Lembre-se: não volte para a casa até eu sair.

Pelo visto, ela estava mais irritada do que ele imaginava. Robert ergueu a sobrancelha enquanto Georgie marchava de volta para a casa. Um criado saiu depressa um instante depois e chamou um coche de aluguel. Robert pegou um regador e, de propósito, deu as costas para a casa e a via de entrada do terreno. Independentemente do que ela havia planejado, ele não iria complicar as coisas ainda mais.

Dez minutos depois da saída do criado, um coche entrou no terreno. Ele conseguiu olhar discretamente para a casa enquanto fingia arrancar um inseto de uma folha. O brasão vermelho e amarelo de St. Aubyn brilhava na porta da carruagem. O que quer que Georgie escrevera, tinha funcionado.

A cunhada foi até o coche e entrou, auxiliada pela aia e por Evelyn, e as três partiram. Robert terminou de regar as plantas e voltou para casa. Agora só restava esperar.

―⚘―

— Lucinda!

Lucinda levou um susto, quase tropeçando quando descia do coche do pai.

— Geoffrey?

Ele fez seu cavalo parar e saltou, atravessando a via de entrada da casa.

— Preciso conversar com você.

Lucinda olhou para a casa, onde Ballow já havia aberto a porta, aguardando sua entrada.

— Acabei de retornar do almoço — gaguejou.

Ela deveria se sentir culpada; vinte minutos antes, estava beijando Robert Carroway. Seu primeiro sentimento quando Geoffrey pegou sua mão, no entanto, foi irritação. Precisava pensar em como obter a lista de funcionários da Cavalaria sem alarmar o pai e não tinha tempo para discutir com Geoffrey.

— Se você puder aguardar no salão de visitas por um mi...

— Não, por favor, caminhe comigo. Preciso conversar com você agora.

Geoffrey pegou o braço de Lucinda. Ela jamais o vira tão inflamado antes. Começando a se sentir um pouco aflita, assentiu, apontando para o jardim de rosas, onde ao menos não precisariam de um acompanhante.

— Uma caminhada rápida.

O ritmo de suas passadas enquanto davam a volta na casa estava mais para um trote, e Lucinda puxou o braço dele para contê-lo. Geoffrey apenas desvencilhou-se dela, pegando sua mão e arrastando-a até o banco de pedra no canto do jardim.

— Aqui — disse ele, gesticulando para que ela se sentasse.

— Geoffrey, o que está acontecendo?

— Sente-se, por favor.

Lucinda obedeceu, mas ele continuou caminhando de um lado para outro na frente dela. Até aquele momento, nada — nem mesmo o fato de ela ter sido rude — havia suscitado qualquer coisa além de um pedido de desculpas dele. O que poderia tê-lo chateado?

— Geoffrey, não importa o que seja, por favor, me conte.

Ele parou diante dela.

— Eu a segui.

O coração de Lucinda gelou.

— O quê?

— Não sou cego, Lucinda. Já percebi como você olha para aquele... para Robert Carroway. E, como discutimos hoje de manhã, pensei que talvez você... fosse vê-lo. Então eu a segui até a residência de St. Aubyn.

Por um instante, pensou que seu coração explodiria dentro do peito. *Ah, não.* Se o pai descobrisse que ela havia escapulido sem seu consentimento, jamais a perdoaria.

— Eu não sabia que ele estaria l...

— Não importa. Você é mulher. Entendo sua adorável propensão a tomar conta de vira-latas e passarinhos feridos. — Ele se sentou ao seu lado, segurando sua mão. — Eu disse a seu pai que esperaria até essa confusão passar, mas percebi que não sou tão paciente assim.

Lucinda resistiu à vontade repentina de correr para casa. Era isso que queria, lembrou a si mesma. Era por isso que tinha escolhido Geoffrey para suas lições. *Fique calma, fique calma.*

Ele ergueu a outra mão e, lentamente, levantou seu queixo. Aproximando-se, tocou os lábios nos dela. Dentro do estábulo, ela podia ouvir o burburinho dos cavalariços, enquanto uma carruagem descia uma rua próxima e um casal de corvos gralhava um para o outro no telhado.

Após um instante, ele se empertigou, sorrindo e muito mais controlado.

— Veja, somos perfeitos um para o outro.

Lucinda analisou a expressão dele, a confiança em seus ombros retos. Como era estranho que se sentisse mais eufórica quando o pai acatava as correções que ela propunha em seu manuscrito do que com o beijo do belo Geoffrey? Se era isso que Robert queria dizer quando falava de uma "existência aprazível", ela não sabia ao certo se gostava tanto assim.

Geoffrey desceu do banco e se ajoelhou.

— Pode me chamar de atrevido ou me acusar de indecoro, mas preciso saber, Lucinda, você aceita ser minha esposa?

— Meus amigos estão passando por um momento difícil, Geoffrey. Você não pode esperar que eu me esqueça disso em prol de qualquer outra coisa.

— Não precisamos nos casar amanhã. Só quero saber se você me dará essa honra. Quando tudo isso terminar, se preferir.

Tudo que Lucinda precisava fazer era dizer "sim". O pai ficaria feliz, ela teria um futuro seguro e confortável e Geoffrey ganharia seu posto de major na Índia. Céus, se quisesse, até poderia ir para lá também. O general provavelmente viajaria com eles. Mesmo assim, ela não conseguia se desvencilhar dos olhos de outra pessoa, da voz de outra pessoa, do toque de outra pessoa.

— Ainda não tenho certeza — respondeu, medindo as palavras. — Minha mente está... Estou preocupada com outra coisa.

Ele apenas a encarou por um momento.

— Acabei de pedi-la em casamento e você está me dizendo que está ocupada demais para considerar o pedido?

— Não! É claro que não. É só que nós podemos discutir isso amanhã, ou semana que vem, ou mês que vem. Robert Carroway precisa de ajuda agora, ou será tarde demais.

Geoffrey se levantou.

— Preciso admitir, eu realmente admiro sua lealdade — murmurou ele, sentando-se novamente ao lado dela. — Pelo seu próprio bem, contudo, espero que tenha considerado a possibilidade de Robert Carroway estar mentindo para você.

— Ele n...

— Se ele tiver pegado aqueles papéis, acha que admitiria? Para você? Você é filha do General Barrett. Quem poderia ser uma aliada melhor? Imagino que, durante a última semana, mais ou menos, ele tenha se esforçado ao máximo para criar um laço com você, Lucinda. *Você* é a melhor, a última e a única esperança real dele.

— Você não deveria dizer essas coisas — ralhou Lucinda, desolada por perceber que sua voz soava tão abalada quanto seus nervos.

O problema era, como acabara de perceber, que Geoffrey tinha razão. Culpado ou inocente, ela *era* a melhor chance que Robert tinha de escapar disso.

— Eu sei que não deveria, e não quero magoar você. — Respirando fundo, ele se levantou, puxando-a consigo. — Eu lhe fiz uma pergunta. Que assim permaneça, enquanto você reflete. E quero que saiba que, independentemente do que aconteça com seu amigo, *eu* não a abandonarei.

— Obrigada, Geoffrey. — Ela forçou um sorriso. — Eu realmente preciso pensar um pouco.

O que havia de errado com ela? Tinha acabado de conquistar tudo que queria, mas precisava pensar no assunto? E as pessoas diziam que Robert é que era louco.

— Leve o tempo que precisar, minha querida.

Com isso, ele se despediu, dessa vez dando um beijo mais breve no rosto de Lucinda. Ela desabou no banco e apoiou a cabeça nas mãos. Que confusão. Que desastre. Era exatamente isso que queria evitar: confusões, lealdades questionadas, complicações. Tudo que precisava fazer era dizer "sim" a Geoffrey e, com um movimento da varinha de uma fada mágica, sua vida poderia ser simples e aprazível novamente.

Lucinda soltou um suspiro profundo. Ao menos ainda tinha um tempinho.

Quando Geoffrey deu a volta na casa, saindo do campo de visão de Lucinda, ele bateu sua chibata de equitação com tanta força na coxa que ela se partiu em duas. Ele jogou os pedaços no arbusto e pegou seu cavalo. Odiava complicações. E também não era muito fã de Robert Carroway.

A porta da frente da Residência Carroway se abriu. Antes mesmo que se fechasse novamente, Robert saiu da biblioteca feito um furacão. Bradshaw e Andrew estavam no saguão, entregando seus casacos e chapéus a Dawkins.

— Maldição — resmungou.

Shaw olhou para ele.

— Boa tarde para você também.

— Boa tarde. Desculpe. Estou esperando por Georgie.

— Ah. E você sabe alguma coisa sobre os dois homens que estão se escondendo nos arbustos do outro lado da rua?

— Eles estão me vigiando.

— Não estão fazendo um bom trabalho, diga-se de passagem. Devo enxotá-los?

Robert fez que não.

— Prefiro que saibam onde estou.

Bradshaw franziu o cenho e largou as luvas dentro do chapéu.

— Bem, estou com vontade de massacrar alguém. — Ele olhou para Andrew. — Quer jogar uma partida de bilhar?

— Muito engraçado. — Andrew pegou a pilha de cartas que Dawkins lhe entregou. — Felizmente, ainda tenho alguns amigos que não sabem o que está se desenrolando em Londres. — Ele olhou para Robert com uma expressão meio pesarosa, meio raivosa no rosto. — Preciso escrever de volta para eles e ver se consigo manter as coisas assim.

Ele se encaminhou para o escritório de Tristan.

— Andrew — ralhou Shaw. — Isso foi desnecessário.

— Deixe ele em paz — aconselhou Robert. — Essa situação o afeta tanto quanto afeta você.

— E a você deve afetar quatro vezes mais — respondeu Shaw, subindo as escadas. — Jogue uma partida comigo.

Robert decidiu que não havia motivo para recusar e seguiu o irmão. Lera a mesma página de *Frankenstein* nove vezes seguidas e ainda não conseguia se lembrar do que dizia.

— Engraçado — comentou, pegando um par de tacos e jogando um para Shaw —, agora que não posso ir a lugar algum, eu me pego desejando ter passado mais tempo ao ar livre.

— Você não vai voltar para a prisão, Bit. Eu não permitirei.

— Isso é um pouco de presunção da sua parte, não acha?

Shaw balançou a cabeça enquanto alinhava as bolas.

— Não sei se você percebeu, mas está assustadoramente parecido com o Robert que eu conhecia uns cinco anos atrás. Gosto de tê-lo por perto de novo. — Inclinando-se para a frente, ele se preparou para a primeira tacada. — E apenas para mantê-lo atualizado, meu navio deve terminar de ser reequipado em Portsmouth daqui a três dias.

O coração de Robert ficou apertado.

— Ao menos você estará livre disso tudo.

— Você não entendeu. Pedirei licença por mais algumas semanas, até essa idiotice ser resolvida. O que eu quis dizer é que, se necessário, poderei navegar livremente para as Américas, em um navio que o presidente deles com certeza ficaria feliz em angariar para sua própria Marinha.

Por um bom tempo, Robert apenas olhou para o irmão.

— Bradshaw, você não pode estar falando sério.

— Seríssimo. Ninguém vai levá-lo de volta para a prisão, Bit. Não depois do que você passou em Château Pagnon. — Ele hesitou. — Encontrei Tristan no Hyde Park. Ele me contou sobre... o que você contou a ele hoje de manhã. Mas não se preocupe, Andrew e Edward não sabem.

— Não. — Robert balançou a cabeça. — Prometa-me que você não vai jogar sua carreira fora por minha causa. Não importa o que aconteça.

— O Nanico vive dizendo que eu deveria me tornar um pirata. — Ele sorriu. — É sua vez.

Antes que ele pudesse concluir se Shaw havia dito aquilo apenas para atrapalhar seu jogo ou porque estava realmente falando sério, ouviu risos femininos vindo da escada. Graças a Deus. Ao menos Georgiana e Evelyn não tinham sido presas por sua causa. Todos estavam enlouquecendo. E a situação era mesmo triste se, de todos do grupo, *ele* fosse o único racional.

— Bit?

— Estamos aqui dentro — gritou Shaw.

As duas marcharam pela porta do salão de jogos e, então, desabaram nas cadeiras perto da parede. Ambas estavam rindo e Lady St. Aubyn, em especial, parecia prestes a desmaiar.

— O que vocês duas aprontaram? — perguntou Shaw, apoiando-se no taco de bilhar.

Assumindo uma postura um pouco mais séria, Georgie olhou para Robert.

— É uma espécie de segredo — respondeu ela.

— Podemos incluí-lo — ponderou Robert, apontando para Bradshaw. O irmão tinha se oferecido para virar um criminoso por sua causa, no fim das contas, então provavelmente tinha o direito de saber o que estava acontecendo. — Vocês conseguiram pegar?

— Pegar o quê?

Georgiana pigarreou.

— Bem, fomos à sede da Cavalaria, e eu perguntei...

O taco de Bradshaw caiu no chão.

— Vocês fizeram o quê? — perguntou, pasmo.

— Ah, está tudo bem. Nós tínhamos um plano.

— Preciso me sentar. — Shaw desabou em uma cadeira ao lado de Evelyn, mas seus olhos raivosos estavam focados em Robert. — Você sabia disso?

— É claro que sabia — disse Georgiana. — Não se engane, nós sabemos que é a segurança de Robert que está em risco aqui, não a nossa.

— Eu confio nelas — afirmou Robert, apoiando-se na mesa de bilhar e lutando contra a vontade surpreendente de sorrir.

Estava começando a perceber que, se havia algo de que não tinha medo, era de ser morto. Já havia sido morto uma vez. E isso significaria que não precisaria ir para a prisão, independentemente do que acontecesse.

— Podemos contar nossa história agora?

— Por favor — respondeu Shaw com a voz fraca, gesticulando para que elas prosseguissem.

— Nós entramos na sede da Cavalaria, e eu exigi falar com o General Barrett. Evie tentou me impedir, mas eu estava muito indignada, visto que o general proibira Lucinda de me ver. — Ela se apoiou no ombro de Evie. — E ando muito irracional, pois meu filho pode nascer a qualquer momento.

— Só umas cinco semanas antes — comentou Evie, rindo.

— É claro que o guarda ficou muito nervoso e tentou me dizer que o general não estava no escritório, mas não dei ouvidos a ele.

— E então ela teve um chilique e desmaiou bem nos braços do guarda — continuou Evelyn. — Foi uma performance maravilhosa. Você quase *me* convenceu de que aquele pobre homem precisaria fazer o parto do bebê.

— Meu senhor do céu — murmurou Bradshaw, apoiando a cabeça nas mãos. — Dare vai matar todos nós. Vocês sabem disso, não sabem?

— Agora vem a melhor parte — anunciou Georgiana. — Evie ficou histérica, e todos começaram a sair de seus escritórios, tentando ajudar. Ela pegou o livro de visitantes e começou a me abanar, então, após um ou dois minutos, eu me sentei e comecei a gritar que precisava voltar para casa, para Tristan. Eles tentaram nos fazer ficar lá enquanto chamavam um médico do Exército, mas, como insisti, eles nos ajudaram a subir no coche e nós viemos embora. E cá estamos.

— E? — indagou Robert. — Vocês não fizeram isso tudo apenas por diversão, não é?

— E — repetiu Evie, enfiando a mão dentro do vestido e tirando umas folhas de papel amassadas — aqui está.

Robert pegou as folhas e as alisou. As duas haviam feito aquilo por ele. E, não importava o que dissessem quanto a quem realmente corria algum risco, talvez houvesse consequência para uma delas, ou para as duas. Consequências graves.

— Obrigado.

Shaw se levantou para olhar por cima do ombro de Robert.

— O que é isso?

— As assinaturas de todos os visitantes da sede da Cavalaria na semana passada — explicou Robert, descendo o dedo pela lista.

Lucinda tinha razão. Dezenas de visitantes haviam passado por lá, em todos os horários e durante períodos de tempo diversos. A maioria dos nomes, ao menos, era familiar, embora alguns fossem pouco legíveis.

— Então esses são os seus suspeitos — murmurou Shaw. — Uns cinquenta nomes diferentes? É uma coleção a tanto, Bit. E tenho a sensação de que cedo ou tarde alguém vai dar falta das páginas dos livros e conectar isso com a visita espetaculosa de nossas caras damas.

— Eu sei — respondeu Robert, mal prestando atenção na conversa.

Um nome da lista aparecia várias vezes nas três páginas que Evelyn havia arrancado: um homem que sempre incluía sua patente na assinatura, embora estivesse voluntariamente em licença estendida, com metade da remuneração. Capitão Lorde Geoffrey Newcombe.

— Isso, sim, é interessante — murmurou Robert.

Capítulo 20

*Poderia eu, em desonrosa deserção, abandoná-los expostos
e desprotegidos à perfídia do demônio que eu havia libertado entre eles?*
— Victor Frankenstein, *Frankenstein*

Sentada em seus aposentos, Lucinda passava metade do tempo estudando o próprio reflexo na janela e a outra metade olhando para o quintal do estábulo — e tentando convencer a si mesma de que não era uma idiota. Ela tinha uma desculpa perfeitamente legítima para não aceitar o pedido de casamento de Geoffrey: só havia ensinado duas das quatro lições de sua lista.

Mas o problema era muito mais que uma simples questão de matemática. Suspirando, ela abriu a folha de papel no colo. Pouco mais de um ano antes, quando tinha escrito a lista, as lições pareciam importantes. A disposição a prestar atenção à companhia de alguém, a dançar com diversas parceiras, a ter interesses além de si próprio e a honestidade de ser direto com relação à opinião das pessoas.

— Besteira — disse, amassando o papel e jogando-o na cesta de lixo.

Ela não deixara de responder Geoffrey por causa das lições. Deixara de respondê-lo por causa de Robert. Porque, quando pensava em noites tranquilas diante da lareira, era a voz de Robert que ela ouvia, e, quando dedos quentes tocavam sua pele, esses dedos eram de Robert.

Não fazia sentido; primeiro porque o pai nunca aprovaria, e segundo porque Robert jamais pediria sua mão em casamento. E, a menos que alguém se entregasse e confessasse a traição nos próximos dias, ele nem sequer teria a oportunidade.

A ideia de Robert preso por correntes em uma cela pequena e sem janelas fazia sua garganta se fechar até ela não conseguir mais respirar.

Não podiam fazer isso com ele. Se alguém simplesmente parasse por um instante para pensar, perceberia que Robert era o homem menos provável de Londres — de toda a Inglaterra — a querer que a guerra com Bonaparte fosse retomada. Ele era um dos poucos que compreendiam o verdadeiro custo da guerra.

Quem, então? Quem tinha roubado aqueles papéis? Franzindo o cenho, Lucinda levantou-se para caminhar pelo quarto. Poderia ser qualquer pessoa. Um apoiador de Bonaparte, um mercenário que lucrava sempre que dois lados travavam uma batalha, alguém que achasse que teria algo a ganhar com a guerra.

Algo bateu em sua janela e ela se virou, com a mão no peito. Nada.

— Ora essa, Lucinda, você achava que seria Robert, vindo visitá-la de novo? — murmurou para si mesma.

O pensamento, no entanto, não a desagradava nem um pouco. Para alguém que era virgem até poucos dias antes, a ideia de fazer sexo novamente parecia ocupar uma quantia excessiva de seu tempo e de sua imaginação. Depois que Geoffrey lhe dera um beijo e pedira sua mão em casamento, ela tinha tentado se imaginar nos braços dele. Ele era bastante bonito, e seu beijo tecnicamente proficiente, mas, além do leve burburinho de nervosismo diante da ideia de ter intimidade com alguém tão perfeito, Lucinda não se sentira nem um pouco eufórica.

Ouviu um barulho na janela mais uma vez. Decidindo que devia ser o estorninho que havia montado seu ninho ali perto, foi até a janela e a abriu.

— Xô.

Olhando para cima, só conseguia ver os olhinhos brilhantes do pássaro fitando-a do conforto de seu ninho. A pulsação de Lucinda acelerou, e ela olhou para baixo. A princípio, não avistou nada além do estábulo, das árvores e dos arbustos que o separavam da rua, até alguém se mover debaixo do carvalho mais próximo. Robert.

— O que você está...

Ele colocou o dedo diante dos lábios, então gesticulou para que ela descesse. Um sorriso leve tocou seus lábios, e o coração de Lucinda deu uma cambalhota.

Antes que pudesse mudar de ideia, Lucinda assentiu e fechou a janela. O pai estaria no escritório, mas, como eles não estavam se falando, não esperava que ele a detivesse. Para não correr riscos, no entanto, saiu pela porta dos fundos, passando pelo corredor dos funcionários e pela cozinha.

— Robert, você não deveria estar aqui — sussurrou ela. — Se meu pai...

— Ele não descobrirá.

Ele a puxou pela mão até o estábulo.

— E os homens atrás de você?

— Estão na Residência Carroway. Eu precisava conversar com você.

— Então você deveria ter enviado um bilhete pela Evie ou algo assim — retrucou ela. — Você não percebe como as coisas poderiam ficar terríveis para você?

— As coisas já estão terríveis. — Ele deslizou o dedo pela bochecha dela. — Você que melhora tudo. Eu poderia desejar, pelo seu próprio bem, que não fosse assim, mas é.

Lucinda queria que ele a beijasse, mas, obviamente, Robert estava tentando ser um cavalheiro. Considerando que outro homem a havia pedido em casamento uma hora antes, o comedimento dele parecia apropriado, embora indesejado.

— Por que você precisava conversar comigo, afinal? — quis saber ela. Seus dedos tremiam com o desejo e a necessidade de tocá-lo.

— Eu consegui a lista — respondeu ele, olhando em volta mais uma vez. — A lista de visitantes da Cavalaria.

Lucinda congelou.

— Você o quê?

Um sorriso leve tocou a boca dele.

— Para falar a verdade, umas amigas minhas que conseguiram.

Ela estreitou os olhos. Aliados eram bem-vindos, mas totalmente inesperados.

— Que amigas?

— Georgiana e Lady St. Aubyn.

— Georgie e Evie? O que...

— É uma longa história. Com sorte, elas mesmas poderão contar a você daqui a alguns dias.

— E então, o que o livro de visitantes lhe mostrou?

Ele hesitou.

— Ele me mostrou que tenho um ótimo motivo para ficar longe de você. Perto desse motivo, o fato de você estar praticamente noiva e de, só por isso, já ser errado eu estar aqui não é nada.

Ela não conseguiria conter a careta por nada no mundo.

— Ficar longe de *mim*? Você acha que *eu* roubei aqueles papéis?

— Não. Mas... — Ele respirou fundo. — Apenas tome cuidado nos próximos dias. Com tudo.

Parecia que ele planejava não estar por perto. A voz de Lucinda ficou embargada.

— Do que você está falando?

— Ainda não tenho certeza. — Olhos azuis estudaram seu rosto por um longo momento. — Nada, espero. — Ele olhou para além dela, evidentemente inquieto. — Eu não deveria ter vindo. Só queria ver você de novo. Tome cuidado, Lucinda.

Com um breve meneio da cabeça, ele se virou.

Lucinda segurou seu ombro.

— Não. Você não vai me deixar assim. Conte.

— Eu...

Ela sabia um jeito que talvez o convencesse a falar. Lucinda emaranhou os dedos no cabelo fino dele, puxando seu rosto e lhe dando um beijo. Ao ser correspondida, uma umidade quente imediatamente começou a se acumular entre suas pernas.

Agarrou o pescoço dele, esticando-se contra o corpo esguio. Podia dizer a si mesma que a intenção era tranquilizá-lo, mas na verdade era só seu desejo falando mais alto. Parecia uma eternidade, e não algumas horas, desde a última vez que o vira, e mesmo quando estava longe todos os seus pensamentos pareciam girar em torno dele — torcendo para que estivesse bem, rezando para que ninguém o tivesse prendido, querendo conversar com ele sobre tudo e sobre nada. Robert não iria a lugar algum. Não sem tocá-la novamente.

Com um grunhido, ele desabou na grama com ela, apoiando as costas na parede do estábulo e colocando-a sobre suas coxas. As mãos dele acariciaram e apertaram seus seios por cima da musselina fina do vestido, deixando-a sem ar e ansiando por mais. Naquele horário de fim de tarde, a maioria dos criados estaria na cozinha, comendo, mas bastaria um ruído por parte deles para provocar a suspeita de alguém. E apenas um tonel de água e uma carruagem os ocultariam de olhos curiosos se alguém aparecesse daquele lado do estábulo.

Ela não se importava. Nada poderia fazê-la deixar esse momento passar sem agir. Sentia a excitação dele debaixo das nádegas e, com dedos trêmulos, desabotoou sua calça.

— Ah, céus — gemeu ela, iniciando um beijo quente, de boca aberta.

Robert a ergueu em seus braços, puxando o vestido até a altura das coxas, e então a posicionou para que ela pudesse ajoelhar sobre seu membro enrijecido. Ele a fazia se sentir perfeitamente preenchida. Lucinda se agarrou a Robert, que gemia e afundava os dedos em seus quadris, conduzindo-a para cima e para baixo em seu colo.

— Lucinda — sussurrou ele, jogando a cabeça para trás e projetando os quadris para cima.

Não era suficiente.

— Mais, mais — entoava ela, cavalgando-o.

Os olhos azuis de Robert encontraram os seus, profundos, perenes, enquanto a tensão descia por sua espinha, intensificando-se, até finalmente se libertar.

Ela gritou, mas ele abafou o barulho com a boca, e ela por sua vez engoliu seu grunhido quando ele gozou. Ofegando, Lucinda apoiou a testa no peito dele enquanto subia às nuvens e retornava à terra.

Lentamente, Robert deslizou as mãos pelas coxas dela, por debaixo do vestido.

— Um dia, eu gostaria de fazer isso quando tivermos o dia todo — murmurou ele.

Lucinda fechou os olhos, deliciando-se com a ideia.

— Ou a noite toda. — Beijando a linha de seu maxilar, colocou os braços sobre os ombros dele. — Este é o quintal do meu estábulo — disse, baixinho. — No meio da tarde, a quinze metros da porta dos fundos da minha casa. Só estou dizendo isso para ilustrar o quanto confio em você, Robert. Quando decidir que pode confiar em mim, conte-me o que descobriu.

Ela teria saído de cima dele, mas ele a segurou, permanecendo dentro dela.

— Fique.

Aquela palavra reverberou até seu coração. Lucinda o beijou de novo, devagar, e ele apoiou a cabeça na parede, permitindo que ela o explorasse e acariciasse como bem entendesse. A sensação era gloriosa, com Robert ainda a preenchendo e a satisfação de saber que o excitava, que era a única mulher que ele desejava, após quatro anos infernais.

Inspirando fundo e erguendo as mãos para acariciar o peito rijo e musculoso dele por cima da camisa fina, Lucinda o encarou.

— Então me conte o que descobriu.

— Olhei os nomes da lista — respondeu ele, desejando ter dado ouvidos a seus instintos e ido embora enquanto podia, apesar do puro deleite que era estar com ela.

— E?

Robert ouviu a porta da cozinha se abrir e dobrou as pernas.

— Shh — sussurrou ele.

No entanto, com Lucinda se movendo em cima dele, ele próprio estava tendo dificuldades em permanecer em silêncio.

Uma baldada de água foi despejada nos arbustos atrás da casa, e então a porta se abriu e se fechou. Provavelmente já tinham abusado demais da sorte e, com imensa relutância, ele a tirou de cima de si. Os olhos cor de mel dela brilharam sob o sol da tarde quando ela se levantou, ajeitando a saia. Robert também se levantou, fechando a calça e sentindo-se mais satisfeito consigo mesmo do que deveria, dadas as circunstâncias.

— Eu reconheci a maioria dos nomes, mas nenhum me pareceu suspeito. Exceto...

— Exceto...? — repetiu ela, após um instante.

Ela não iria gostar do que ele tinha a dizer, e ele não poderia culpá-la. Mesmo assim, aprendera a ouvir seus instintos, e Lucinda precisava saber.

— O que Geoffrey Newcombe foi fazer na sede da Cavalaria?

— O quê?

— Ele esteve lá quatro vezes na semana passada. Você sabe por quê?

— Ele está... Ele está lendo o manuscrito de meu pai. Sei que foi buscar ou deixar algumas páginas lá.

— "Buscar algumas páginas"? — repetiu Robert.

Se todos sabiam que ele estava levando e tirando papéis de lá, uma ou duas folhas a mais não levantariam suspeitas.

— Ele esteve lá para ver meu pai. — Lucinda cruzou os braços diante do belo colo. — Quem mais está na lista?

Robert tirou o papel do bolso e entregou a ela.

— Não vai levar muito tempo até alguém perceber quem pegou e por quê. Se você conseguir pensar em qualquer coisa, Lucinda, precisa me contar.

Ela olhou a lista, mas, antes que pudesse ler todos os nomes, devolveu-a.

— Não foi Geoffrey. Ele já tem a vida toda planejada: casar-se comigo, ser promovido a major, ir para a Índia e fazer fortuna. Por que é que arriscaria roubar papéis que poderiam resultar em sua prisão ou dar início a outra guerra com a França?

— Não sei. Ele tem tanta certeza assim de que vai se casar com você?

O rubor subiu por suas bochechas.

— O que isso tem a ver com o assunto?

Algo tinha acontecido entre ela e Geoffrey. Robert tinha certeza.

— Casar-se com você é a base da pirâmide dele, Lucinda. Sem isso, ele não tem plano algum. Então tem tudo a ver com o assunto.

Ela franziu a testa.

— Não estou gostando disso, Robert. Você não acha que é conveniente para você passar de suspeito para acusador de Geoffrey em um piscar de olhos?

— Talvez seja. — Ele pausou por um instante, prestando atenção nos sons vindos da Residência Barrett. — Você disse que confiava em mim. Estou apenas pedindo sua opinião.

Por um bom tempo, Lucinda estudou o olhar dele.

— Não — afirmou, por fim. — Eu acredito em *você* e, da mesma forma, não tenho motivos para suspeitar *dele*.

— Lucinda!

Ambos se sobressaltaram com o berro do general.

— Robert, esconda-se — sibilou ela.

— Ele provavelmente ficou sabendo do tumulto na sede da Cavalaria.

— Ah, não.

Ela teria corrido para encontrar o pai, mas Robert segurou seu braço.

— Geoffrey pediu sua mão em casamento? — perguntou ele, tentando fingir que não se importava.

— Rob... Sim. Pediu. Hoje pela manhã, aliás.

O peito de Robert ficou gélido.

— E o que você respondeu?

Ele não conseguia respirar, mas precisava saber. Tinham acabado de fazer amor novamente, mas ela parecia decidida a separar seus sentimentos de seus pensamentos quando se tratava do futuro. Era assim que pretendia manter as coisas simples e aprazíveis, ele supunha. De sua parte, contudo, se Lucinda tivesse concordado em se casar com Geoffrey, a abordagem que ele pretendia usar mudaria.

— Eu disse... Eu disse que precisava de um pouco mais de tempo para pensar — respondeu ela lentamente, empurrando o peito dele antes de se afastar. — *Vá*.

Lucinda não tinha concordado em se casar com Geoffrey. Por um instante, nada mais importava. Uma recusa direta teria sido melhor, mas adiar a resposta também significava alguma coisa. Ele poderia usar esse tempo para resolver o que ia fazer e o que ela pensaria dele como consequência. Mas, se havia algo com a qual não tinha paciência alguma, era a desonestidade. Quem quer que tivesse roubado aqueles papéis deveria simplesmente ter pegado o que queria e ido embora, não permanecido escondido nas sombras permitindo — e até encorajando — que outra pessoa levasse a culpa.

Passos pesados marcharam em sua direção.

— Eu perguntei o que você estava fazendo atrás do estábulo — disse a voz do General Barrett.

Robert desapareceu em meio aos arbustos, agachando-se na sombra de um grande olmo. O general apareceu na ponta do estábulo, com os punhos cerrados e o semblante enrubescido. Era óbvio que esperava vê-la com uma de suas amigas e virou-se para examinar os arbustos com fúria nos olhos.

— Eu lhe disse, estava pensando — alegou Lucinda, juntando-se a ele. — O que é que está acontecendo? O senhor quase me matou de susto, berrando desse jeito.

Boa menina. Ela devia odiar mentir para o general, mas isso significava que confiava em Robert, visto que havia decidido não mencionar sua visita. Mesmo assim, ele tentou não tirar muitas conclusões daquela atitude.

Independentemente do que havia chateado o general, Lucinda conseguiu levá-lo de volta para a casa antes que os vizinhos pudessem ouvir a discussão. Robert não gostava de deixá-la ali, mas, se ele se intrometesse, as coisas apenas piorariam para todos. Além disso, tinha algumas coisas a resolver — e só seria possível se o General Barrett não mandasse prendê-lo.

Ele escapuliu para a rua e chamou um coche de aluguel para deixá-lo de volta na Residência Carroway. Depois disso, era simples, mesmo com sua perna lesionada — bastava pular a cerca e escalar a videira de volta para o quarto. Para acobertar Lucinda, caso seu pai questionasse se ele aparecera por lá, Robert então desceu as escadas, saiu e deu a volta na casa para regar as rosas novamente. Ambos os soldados que o vigiavam ainda estavam em meio aos arbustos do outro lado da rua e não faziam ideia de que ele tinha ido a qualquer lugar. Se não tomasse cuidado, mataria as plantas de tanta água.

— Eu gostaria que o Nanico se dedicasse aos estudos tanto quanto você se dedica a essas rosas — disse Tristan, com sua fala arrastada, observando-o.

— Estou fazendo cena — respondeu Robert, apontando com a cabeça na direção da plateia à paisana.

— Lucinda teve alguma ideia?

Robert se levantou.

— Eu não pretendia perguntar a ela, de toda forma, mas no final das contas não importa. Ela não vai ajudar. Disse que não é justo que ela confie em mim, mas que não deva confiar em Geoffrey.

O fato de que ela se recusava a diferenciá-los o enraivecia, mas ele lidaria com isso depois.

— Faz sentido.

— Sim, faz. O que significa que precisarei resolver as coisas da forma mais difícil.

Tristan bufou.

— Eu gostaria que você parasse de dizer isso.

— Dizer o quê?

— "Eu". E sim, eu sei, você vai me dizer mais uma vez que esse é um problema seu, e que vai resolver tudo, e que o restante de nós deve se manter longe de confusão.

— Exatamente — concordou Robert, jogando o regador de volta no estábulo.

— Quanta bobagem.

Erguendo a sobrancelha, Robert cruzou os braços.

— Como é?

O visconde deu um passo para a frente, colocando a mão no ombro do irmão.

— Pense um pouco, Robert. Onde você quer estar amanhã? Semana que vem? Se não se importa, então realmente nos deixe fora disso. Caso se importe, estamos aqui por você.

Com isso, ele voltou para a casa. Robert limpou a sujeira da calça e o seguiu. Algumas semanas antes, não sabia ao certo se teria uma resposta para a pergunta de Tristan. Como poderia saber onde queria estar no futuro, sendo que não merecia um futuro?

Recentemente, no entanto, a pergunta — e a resposta — tinha se tornado muito mais complicada. Onde ele queria estar no dia seguinte? Com Lucinda. Semana que vem? Para sempre? Com Lucinda. Robert parou na escadaria da frente, ignorando Dawkins, que segurava a porta aberta para ele.

Céus. Ele estava com 28 anos. Desses anos todos, servira o Exército britânico por três e estivera praticamente morto por quase quatro. Sabia que estava melhorando, lentamente, nos últimos dois anos, embora seu progresso parecesse mais uma tentativa de sair de um poço escuro do que uma melhora de fato. Mas nas últimas semanas as coisas tinham mudado. Ele se sentia... vivo. E até as acusações e os rumores serviram para trazer suas emoções — a raiva e o instinto de sobrevivência, havia muito esquecidos — de volta à tona.

Com isso, estava redescobrindo seu senso de humor e seu vigor — e tinha Lucinda a agradecer por isso. No entanto, não era a gratidão que o guiava. Ele a queria; queria abraçá-la, conversar com ela, protegê-la e simplesmente olhar para ela. E com certeza não queria que ninguém mais a possuísse.

— Bit, você vai entrar? — perguntou Tristan.

— Em breve.

Então ele tinha mesmo um motivo para querer que Lorde Geoffrey Newcombe fosse o culpado por toda essa confusão. E queria dizer a Lucinda Guinevere Barrett algo que não seria fácil para ele mesmo antes de ter sido capturado e levado para Château Pagnon. Queria dizer a ela que a amava. Mesmo que isso não mudasse seus planos de uma vida simples, ele queria saber se ela poderia — um dia, quem sabe? — amá-lo um pouquinho também.

Se ele queria um dia ter a oportunidade de descobrir, precisava resolver tudo — e rápido. E para isso teria que fazer algo que não conseguiria fazer algumas semanas antes: pedir ajuda.

Lucinda queria arrancar os cabelos. Em vez disso, sentou-se no escritório do pai, cruzando as mãos no colo, enquanto ele andava de um lado para outro e queixava-se de suas amigas mais queridas.

— E o relatório do Tenente Staeley diz que foram arrancadas páginas do livro de visitantes! Devo acreditar que é mera coincidência?

Como ela sabia que não era, e chegara até a ver as páginas, permaneceu calada. Precisava pensar, de toda forma — por mais difícil que fosse, com o pai gritando daquele jeito. Mas, de todos os nomes listados naquelas páginas, Robert escolhera suspeitar de Geoffrey. Será que estava com ciúmes? Seus braços ficaram arrepiados.

— Aparentemente, os malditos Carroway conseguiram ludibriar Evelyn para que também participasse de seus joguinhos! Espero que St. Aubyn tenha mais bom senso.

Quando ela olhava para tudo de uma perspectiva lógica, sem apostar na inocência nem de Geoffrey, nem de Robert, nada apontava para nenhum deles. Robert sobrevivera a três anos de Château Pagnon, então ela não tinha uma explicação sensata que justificasse a decisão dele de se tornar um traidor havia uma semana. Quanto a Geoffrey, o general havia solicitado sua ajuda com o capítulo sobre Salamanca... quatro semanas antes? E...

E ele passara a visitá-lo na sede da Cavalaria desde então. Lucinda estremeceu. Não. Era apenas uma coincidência, assim como as notícias sobre Robert e o roubo haviam coincidentemente chegado ao conhecimento público ao mesmo tempo.

— Não acho que eu tenha mais escolha — disse o general. — Eu tentei dar a ele o benefício da dúvida por sua causa, mas, à parte desse fiasco, tivemos um furto, obviamente ordenado por ele, realizado em plena luz do dia, e mais uma vez na sede da Cavalaria! De quantas evidências mais você precisa, Lucinda?

Ela piscou.

— Pelo que o senhor disse, pelo menos trinta pessoas estavam na entrada da sede quando as páginas desapareceram, papai.

— Ah, então essa é outra coincidência? Você espera mesmo que eu acredite nisso?

— Espero que o senhor conheça Georgiana e Evelyn quase tão bem quanto a mim mesma. Elas não são criminosas.

— Eu não disse que elas roubaram para si. Foi aquele maldito irmão do Dare. De novo. — Grunhindo, ele desabou na cadeira, abriu uma gaveta e pegou uma folha de papel. — E está na hora de ele responder a algumas perguntas. Oficialmente.

— O senhor vai mandar prendê-lo!? — exclamou ela, aliviada por estar sentada.

— Vou requerer que ele se reporte à Cavalaria para um interrogatório. Se ele se recusar a cooperar, mandarei prendê-lo, sim.

— Não!

Lucinda se levantou de súbito, arrancando a caneta da mão do pai.

— Lucinda! Você enlouqueceu? Devolva imediatamente!

Ah, ela jamais deveria ter se recusado a ajudar Robert. Tudo de que ele precisava era um pouco de tempo — para resolver essa confusão ou para fugir para a Escócia ou para o exterior. Uma lágrima escorreu. Ela não queria que ele fosse a lugar algum. Queria Robert ali, em Londres, com ela.

— Lucinda!

— Você dará a ele mais um dia, papai — disse ela, com a voz oscilante.

— Se não der...

— Se eu não der, o quê? — ralhou ele, com o rosto vermelho.

— Se não der, eu nunca mais falarei com o senhor — completou ela lentamente.

Outra lágrima escorreu.

— Você... — Ele parou de falar, e a raiva em seu rosto foi desaparecendo à medida que analisava a expressão da filha. — Você está falando sério.

— Sim, estou.

O general abaixou a cabeça. Quando a ergueu, parecia mais velho e cansado.

— Alguns anos atrás, eu já o teria colocado na cadeia e arrancado uma confissão — falou ele em um tom mais baixo —, independentemente das consequências. Hoje, no entanto, percebo que a afeição de minha filha é mais importante que minha carreira e minha obrigação com meu país.

— Papai...

— Hoje é quarta-feira. Eu darei a ele até meio-dia de sexta-feira. Sugiro que você envie um recado para informá-lo do prazo. Mas ele estará sendo observado durante esse período. E, se sair do país, é melhor que não leve aqueles papéis consigo. Se não os encontrarmos aqui em Londres, eu *mandarei* caçá-lo.

— Obrigada, papai — sussurrou ela, levantando-se.

— E, Lucinda, sugiro que você deixe claro que fugir seria uma boa ideia. Não o quero na Inglaterra, independentemente do envolvimento dele com o furto.

Ela olhou para o pai por um instante. Pela veemência do protesto, sem dúvidas percebera que ela considerava Robert mais do que um mero amigo. Então o general tinha seus próprios motivos para querer se livrar do rival de Geoffrey — o homem que ele obviamente preferia. Ele já havia dado sua permissão para que eles se casassem, ora. Aquilo deveria deixá-la feliz. Mas não deixava.

— Robert é inocente — disse ela com firmeza.

— Espero que você esteja certa. Para o seu bem e para o meu.

Lucinda também esperava, porque, se ele *realmente* fugisse, ela não podia garantir que ele iria sozinho.

Capítulo 21

Meu coração acelerou; ali estavam o momento e a oportunidade do veredicto que confirmaria minhas esperanças ou concretizaria meus temores.
— O Monstro, *Frankenstein*

Robert estava entrando pela porta quando o mensageiro da Residência Barrett chegou. Ele mesmo pegou o bilhete, o que não agradou muito Dawkins, mas, quando viu o remetente e a letra, não se importou se tinha ofendido o mordomo ou não.

Se Lucinda tinha escrito para ele e enviado um dos criados de seu pai, o general sabia da correspondência. Seu coração palpitou. O que mais o pai dela sabia? Se tivesse descoberto sobre ele e Lucinda...

Sua letra, no entanto, era clara e bonita, com alguns pequenos floreios — exatamente como ela própria. Robert sorriu de leve ao abrir o bilhete. *Robert, meu pai sabe sobre o livro de visitantes*, leu ele em silêncio. Seu sorriso desapareceu. *Ele está convencido de que você é culpado por ambos os furtos e insiste que o encontre na sede da Cavalaria para um interrogatório.*

— Ops... — disse Bradshaw, descendo as escadas. — Você não parece feliz.

— Quieto, estou lendo — respondeu Robert, ignorando-o.

Pedi a ele, e ele assentiu, que lhe desse até o meio-dia de sexta-feira para fazer o que precisa fazer. Quando a hora chegar, ele enviará soldados para escoltá-lo, e devo informá-lo de que, até então, você será vigiado.

— De quem é?

— Lucinda.

Bradshaw deu meia-volta e desapareceu o salão de visitas. Quando retornou um instante depois, Tristan estava logo atrás.

— Bit, o que...

— Só um minuto! — ralhou Robert. — Ao menos me deixem terminar de ler.

Ele baixou a cabeça novamente. *Por favor, tome cuidado, Robert. E saiba que acredito que a primeira vez que Geoffrey esteve na sede da Cavalaria foi quatro semanas atrás. Com amor, Lucinda.*

Ele entregou o bilhete a seus irmãos, que imediatamente iniciaram uma discussão acalorada sobre se o General Barrett tinha enlouquecido ou não. Robert, contudo, percebeu que outra coisa ocupava seus pensamentos no momento — como Lucinda tinha assinado a carta. *Com amor.* "Amor". Será que aquilo significava alguma coisa ou ela estava apenas sendo gentil?

— Por que ela menciona Lorde Geoffrey e a sede da Cavalaria? — quis saber Andrew, arrancando a carta das mãos de Tristan e gesticulando com o papel na mão.

— Ela está nos dando uma pista — respondeu Robert.

— Uma pista do quê? — indagou Edward, que também tinha se juntado ao tumulto, com seu tutor logo atrás.

— Pensei que ela não fosse ajudá-lo — observou Tristan, olhando pra Robert.

— Quem? — quis saber o Nanico.

Robert deu de ombros.

— Algo a fez mudar de ideia.

E, obviamente, ele precisava descobrir mais algumas coisas sobre Lorde Geoffrey Newcombe. Informações além de sua intenção de se casar com Lucinda e se tornar major de seu próprio comando na Índia.

— Ele só lhe deu uma porcaria de um dia e meio — reclamou Shaw. — O homem realmente espera que você prove sua inocência até lá?

— Acho que ele espera que eu deixe a Inglaterra até lá — respondeu Robert, devagar.

Isso fazia mais sentido que qualquer outra coisa. Independentemente do que Lucinda havia feito para convencer o general a lhe dar mais tempo, ela também o convencera de que ele precisava mandar Robert para longe de sua filha.

— Você não pode deixar a Inglaterra! — protestou Edward, batendo os pés. — Alguém me conte que diabos está acontecendo aqui!

— Edward! — gritou metade dos adultos ao mesmo tempo.

— Não me importo! Diabos, diabos, diabos! Contem o que está acontecendo!

Robert segurou o braço dele, abaixando-se diante do irmão enquanto Bradshaw dispensava o Sr. Trost.

— Estou um pouco encrencado — explicou, odiando-se por não manter Edward longe de tudo aquilo. — Estamos apenas tentando esclarecer algumas coisas antes que piore.

— É a mesma coisa que estava preocupando você antes? — perguntou o Nanico.

— Sim. Mas está quase no fim.

— Quero ajudar.

Sorrindo, Robert bagunçou o cabelo escuro do garoto.

— Você já ajuda sendo meu irmão.

Subitamente, Edward enrolou os bracinhos nos ombros de Robert.

— Prometa que você não vai embora — pediu ele.

A cada instante, tinha mais consciência do que perderia se deixasse isso para lá — ou se fugisse.

— Eu prometo — disse ele, retribuindo o abraço do irmão.

— Então, o que vamos fazer agora? — questionou Andrew, dando um passo para o lado quando Georgiana se juntou a eles para ler a carta.

Robert indicou que o grupo migrasse para o salão de visitas.

— Primeiro, acho que precisamos sair do corredor.

— Lucinda deve estar muito chateada com isso — comentou Georgiana, liderando o grupo até o salão e acomodando-se no sofá.

Ela leu o bilhete novamente, olhando para Robert quando terminou.

— Eu também estou muito chateado — respondeu ele, sentando-se perto da porta. Assim que todos entraram e a porta se fechou, ele se inclinou para a frente. — Certo — disse, devagar, torcendo para que ninguém tivesse que pagar por sua má reputação. — Preciso de ajuda.

Tristan entrelaçou os dedos nos de Georgiana.

— Diga do que você precisa.

Robert respirou fundo.

— Em primeiro lugar, preciso que alguém consiga conversar com Geoffrey sem que ele desconfie.

— Isso exclui todos nós — ponderou Shaw. — Que tal St. Aubyn?

— Pode ser que sirva. — Robert franziu o cenho, então virou-se para Tristan. — O leilão de Tattersalls é amanhã, não é?

— Sim. Mas é um evento bastante movimentado.

— É isso que quero. Algum lugar onde eu possa observá-lo sem ser visto.

— Por que Dare e eu não o observamos e você fica aqui, longe de confusão? — sugeriu Bradshaw, franzindo a testa.

— Porque já fiquei sentado sem fazer coisa alguma por tempo suficiente para uma vida inteira. Se Santo for sozinho, talvez Newcombe fique desconfiado.

— Evie irá com ele — garantiu Georgiana, dando um leve sorriso. — Ela já se voluntariou para qualquer assistência necessária.

— Isso deve ajudar. Seria ainda melhor se... — Robert parou de falar. Lucinda tinha lhe dado uma pista, mas também havia deixado bem claro o que pensava quanto a se envolver em tudo aquilo. — Nada. Isso deve bastar.

— Pedirei a Evie que envie um bilhete para Lucinda — disse Georgie em uma demonstração de sua costumeira intuição aguçada. — Na verdade, deveríamos chamar Santo e Evie para vir aqui agora, enquanto estamos planejando.

Ela se levantou com a ajuda de Tristan e correu para o escritório. Um instante depois, um criado saiu, e Robert pôde ouvir Georgie informando Dawkins de que haveria mais dois convidados para jantar.

— Não entendo — confessou Edward, sentando-se no chão, na frente de Bradshaw, com uma expressão séria demais para sua pouca idade. — Vamos espionar Lorde Geoffrey?

Tristan se mexeu.

— Nanico, por que você não vai se trocar para o jantar?

— Porque também sou da família e quero saber o que está acontecendo. Não vou atrapalhar.

— Nanico, há coisas que você deveria saber, mas só quando for um pouco mais velho — ponderou Robert.

Os olhos cinza se encheram de lágrimas.

— Mas eu posso ajudar — sussurrou ele, como se não pudesse confiar em seu tom de voz normal.

Bom, aquilo bastou. Robert não deixaria seu irmão caçula e maior admirador chorar de jeito nenhum. Assentiu.

— Certo. Queremos espionar Lorde Geoffrey porque achamos que ele roubou algo e colocou a culpa em mim.

— Como ele colocou a culpa em você?

Andrew bufou.

— Isso não está ajudando.

— Quieto — ordenou Georgiana. — É uma pergunta válida. Como ele conseguiu calcular o tempo com tanta precisão?

Robert pigarreou. Algumas coisas seriam definitivamente mais fáceis sem Edward presente.

— Eu contei a uma pessoa sobre minha... estadia em Château Pagnon.

— Lucinda?

Edward se ajoelhou bruscamente.

— Ela pode ter contado a Lorde Geoffrey! Eles vão se casar, não vão?

— Não! — retrucou Robert, antes que qualquer outra pessoa pudesse responder. Então engoliu em seco. — Quero dizer, ela contou a apenas uma pessoa, o general.

— Então o General Barrett contou para ele — insistiu Edward.

O salão ficou em silêncio. Parte de Robert queria suspeitar de que tinha sido o general quem repassou a informação, mas, por menos que gostasse do homem, ele era, afinal, pai de Lucinda.

— Barrett contou ao comando sênior da Cavalaria. Pode ter sido qualquer um deles.

Andrew balançou a cabeça.

— Mas, se estamos considerando que Lorde Geoffrey tenha roubado aqueles papéis, ele enxergaria a sua... notícia como algo que poderia usar para sua vantagem.

— Os oficiais seniores divulgariam esse tipo de notícia sem investigar antes? — questionou Tristan.

— Provavelmente não. — Bradshaw se inclinou para a frente, bebericando o conhaque que servira para si mesmo. — Se forem como o Almirantado, certamente odeiam compartilhar uma boa fofoca sem se divertir ao máximo e explorar todas as possibilidades de autopromoção antes.

Inferno. Aquilo fazia sentido.

— Considerando que o General Barrett está ansioso para casar Lucinda com Geoffrey, talvez ele tenha se sentido confortável em confiar nele. É uma pena que não possamos confirmar essa informação com o Barrett, contudo.

— Talvez nós não possamos — comentou Georgiana —, mas Lucinda pode.

— Não. Não pedirei que ela espione o próprio pai.

— Bit, seja racio...

— Se ela nos ajudar a levar Geoffrey ao Tattersalls, já será mais que suficiente.

Ele não gostava da ideia. Lucinda tinha deixado claro que não se sentia confortável suspeitando de Geoffrey; pedir a ela que questionasse o próprio pai seria ainda pior. Ao mesmo tempo — e se sentia um idiota por sequer admitir para si mesmo —, ele já sentia falta dela. Qualquer desculpa que a trouxesse para perto pareceria atraente.

— Não estou convencido de que ela sequer deva ser incluída. Ela é filha do homem que está tentando colocar Bit na prisão — ponderou Andrew.

A discussão sobre a inclusão ou não de Lucinda no plano durou mais alguns minutos. Robert deixou que falassem; precisava de uns instantes para refletir, afinal. Lucinda tinha razão quanto a uma coisa: ele *queria* suspeitar de Geoffrey. Queria odiar aquele imbecil bem-apessoado, charmoso e popular por pensar que levar um tiro raspão no braço e contar histórias sobre os pontos fracos e os infortúnios de outros soldados o transformavam em um herói. E queria odiá-lo porque todos — até mesmo Lucinda — o consideravam um melhor candidato a marido do que ele. Ele estava disposto a provar que estavam todos errados.

— Isso não está nos levando a lugar algum — observou Tristan, a irritação transparecendo na voz. — O General Barrett deu a Bit um dia e meio. — A expressão dele se fechou ainda mais. — Não gosto de ultimatos, mas, por mais que eu odeie admitir, com os malditos rumores que estão circulando, Barrett pode fazer o que bem entender.

— Então vamos encontrar Lorde Geoffrey e surrá-lo até que confesse — sugeriu Shaw, em um tom sombrio e seríssimo.

— Isso não vai ajudar em nada. — Georgiana parecia mais séria do que Robert a vira na vida. — Precisamos de evidências e precisamos de um motivo. No momento, não temos nem um, nem outro.

Como Viscondessa Dare e prima do Duque de Wycliffe, ela obviamente não estava acostumada a se encontrar em uma posição de impotência.

Robert, por outro lado, passara sete meses dependendo apenas da sorte e do bel-prazer de soldados que odiavam ingleses.

— Vamos conseguir o que precisamos — afirmou ele —, porque não quero deixar a Inglaterra. Levei quatro anos para retornar.

A porta da frente se abriu.

— Estão todos bem? — perguntou Lady St. Aubyn, entrando apressadamente no salão de visitas, antes que Dawkins pudesse anunciá-la.

Santo vinha logo atrás, e ambos estavam vestidos para uma noite de eventos.

Sem dizer nenhuma palavra, Georgiana entregou o bilhete de Lucinda a ela. O marquês o leu por cima do ombro da esposa, olhando para Robert quanto terminou.

— Suponho que estamos aqui porque vocês precisam da nossa ajuda? — comentou ele, deslizando a mão pelo braço de Evie. — Ou de *mais* ajuda, na verdade, já que, pelo visto, minha esposa agora é uma ladra.

— Foi por uma boa causa — protestou Georgiana.

— Não disse que me importo — retrucou Santo, dando um leve sorriso. — Ela me contou tudo. Gostei particularmente de ouvir onde ela escondeu a evidência.

Evelyn corou.

— Basta, Santo. O assunto é sério.

Ele assentiu, conduzindo-a a uma poltrona vazia e sentando-se no braço da poltrona.

— Estamos nos organizando para tirar você do país, Robert, ou vamos atrás de... — Ele olhou novamente para a carta. — Lorde Geoffrey Newcombe?

— Lorde Geoffrey — respondeu Edward.

Todos começaram a contribuir com ideias e teorias. Por um tempo, Robert apenas ouviu. Ver tanta agitação e vigor irrompendo por sua causa era extremamente interessante. Pelo andamento da discussão, Tristan estava tentando assumir o comando da pequena tropa, e Santo estava o desafiando. O que eles precisavam perceber, no entanto, era que essa peleja — e seu resultado — era de sua responsabilidade.

— Tudo depende de Lucinda — declarou, em voz alta, reparando que sua interrupção fizera todos se calarem. — Ela precisa convencer Geoffrey a ir ao Tattersalls, onde eles se encontrarão com Santo e Evie.

— E o que faremos lá? — quis saber Santo.

— Examinarão parelhas de cavalos e tentarão convencer Geoffrey a comprar uma nova montaria.

— Por que queremos que ele compre um cavalo? — indagou Edward.

— Não queremos. Queremos ver o que ele diz sobre suas finanças. — Robert olhou para Santo. — E, se possível, queremos saber quais são os planos de carreira dele se Lucinda não aceitar seu pedido de casamento.

— Será que ele sequer pensa que essa é uma possibilidade? — questionou Georgiana. — Lucinda é bastante direta, e ela tem sido...

— Tenho motivos para acreditar que Geoffrey estará incerto em relação à resposta dela — esclareceu Robert calmamente.

— Isso é bastante simples. — Santo limpou um salpico de poeira imaginário de seu paletó negro como a noite. — Mas o que você fará, Robert?

— Ouvirei escondido até estar convencido de que estamos no caminho certo e então farei uma visita à casa de Geoffrey. — Ele olhou para Edward. — O que é algo, muito, muito feio e só deve ser tolerado sob circunstâncias terrivelmente graves.

— E quanto a nós? — perguntou Andrew.

— Pensei que talvez pudessem se juntar a mim — respondeu Robert.

— Não teremos muito tempo para vasculhar a casa, e eu gostaria que ao menos um de vocês estivesse lá para atestar que não plantei a evidência.

— Seria melhor se tivéssemos alguém que não é da família para testemunhar isso — apontou Bradshaw.

Tristan pigarreou.

— Acho que posso cuidar disso. Quero dizer, de que adianta ser melhor amigo do Duque de Wycliffe se não for para envolvê-lo em algumas de nossas tramoias?

— Desde que ele esteja ciente dos riscos. — Robert não queria mais ver ninguém mais se envolvendo por acidente. Ele voltou-se novamente para Santo. — Vocês três precisarão manter Newcombe ocupado por tempo suficiente para que consigamos fazer uma busca.

— Quão corteses precisamos ser?

— Tendo em vista a relação dele com Lucinda e o General Barrett, não quero que ele suspeite de nada, se possível.

Santo assentiu, embora parecesse um pouco decepcionado.

— E se você não encontrar nada?

— É melhor eu encontrar — respondeu Robert. — Porque não vou para a cadeia e prometi não deixar a Inglaterra.

Dawkins bateu à porta para anunciar que o jantar estava servido, e todos se encaminharam para o salão de refeições. Georgiana ficou um pouco para trás, e, curioso, Robert a aguardou.

— Tenho duas perguntas — disse a viscondessa, dando o braço a ele.

Ele podia supor o que viria, mas indicou que ela continuasse mesmo assim.

— Estou ouvindo.

— Primeiro, o que você fará se realmente encontrar os papéis que foram roubados na residência de Geoffrey?

— Eu os entregarei.

— Ao General Barrett?

Um leve tremor percorreu o corpo de Robert. Torcendo para que ela não tivesse percebido, confirmou.

— Ele parece ser o oficial que está conduzindo a investigação.

— E também tem uma reputação a considerar. Todos sabem da amizade dele com Geoffrey. — Ela caminhou em silêncio por um tempo. — E da antipatia por você.

— É um sentimento mútuo — garantiu ele, seco. — Com Barrett, eu me entendo. — E, para sua surpresa, parte dele ansiava por isso. — Qual é a segunda pergunta?

— Como sabia que Lucinda não aceitou o pedido de casamento de Geoffrey?

— Ela me contou.

— Ela parece confiar bastante em você.

Robert sorriu.

— Sou um bom ouvinte.

Georgiana o fitou com seus olhos verdes calorosos.

— Tenho a sensação de que você é muito mais que isso, Robert Sylvester Carroway.

Ele a conduziu para o salão de refeições.

— O tempo dirá, suponho.

Muito em breve, de um jeito ou de outro.

Antes que ele pudesse se acomodar à mesa, uma mãozinha puxou seu casaco. Quando se virou, Edward gesticulou que ele voltasse ao corredor.

— O que foi? — perguntou.

— Eu ajudei?

Robert se agachou, tentando não se apoiar no joelho ruim.

— Você levantou uma questão que pode acabar sendo a chave de toda essa investigação, Nanico. Isso é mais que ajudar.

O garoto piscou.

— O que eu levantei?

— A peça principal desse quebra-cabeça é se o General Barrett contou ou não a Geoffrey sobre minha estadia em Château Pagnon. Você sugeriu isso.

Edward inflou o peito.

— Sou muito intuitivo. Mas eu não sabia que você tinha ficado em Château Pagnon. O que é isso?

Lentamente, Robert puxou o irmão em um abraço apertado.

— Vou fazer um acordo com você — sussurrou no ouvido do irmão caçula. — Se você não contar nada sobre nossa conversa de hoje para seus amigos ou para o Sr. Trost até o meio-dia de sexta-feira, eu contarei sobre Château Pagnon.

— Eu conco...

— Espere, eu não terminei. Eu lhe contarei sobre Château Pagnon daqui a sete anos.

Edward se afastou, fitando Robert em dúvida.

— Sete anos?

— É o melhor que posso fazer, Nanico. — Ele estendeu a mão. — Negócio fechado?

Após um breve instante, Edward suspirou e apertou a mão de Robert.

— Sim, negócio fechado.

— Você já vai se deitar? — perguntou o General Barrett, com a mão na maçaneta da porta do escritório.

Lucinda o olhou do patamar da escada.

— Pensei em deitar cedo. Estou um pouco cansada.

O general assentiu.

— Devo pedir que Helena leve o jantar?

— Não, obrigada. Não estou com fome.

Ela continuou subindo as escadas.

— Lucinda?

— Sim, papai?

— Por favor, aceite o fato de que Robert Carroway é o candidato mais provável a ter cometido esse crime. Você precisa estar preparada para o pior.

Ela desacelerou o passo, desejando poder explicar o verdadeiro pânico que se espalhava por seu corpo quando alguém sugeria que Robert seria mandado para a prisão — ou pior. Doía ouvir seu próprio pai dizer tais coisas, especialmente porque, até poucas semanas antes, podia confidenciar tudo a ele. *Por que isso era diferente?* Porque ela teria participação no resultado? Porque era algo — alguém — com que se importava? Talvez tivesse descoberto o segredo. A vida poderia ser simples e aprazível, desde que nada fosse particularmente importante.

Alguns dos colegas do general achavam que o trabalho de editar suas memórias seria terrível demais para uma mulher, e agora Lucinda pensava que talvez as histórias *devessem* incomodá-la. Mas não. Nada a incomodava, nada a afetava, até descobrir a verdade e o horror da guerra com Robert.

Lucinda debruçou-se na balaustrada, olhando para o pai.

— Por que ele é o candidato mais provável? — perguntou ela, esforçando-se para manter a voz baixa e controlada. — Porque foi torturado e sobreviveu? E se eu não tivesse lhe contado sobre isso? Quem seria o candidato mais provável?

O semblante do general se fechou.

— O fato é que *sei* e lhe agradeço por me informar. Tornou a investigação muito mais fácil.

— O senhor chegou a descobrir quem informou o restante de Londres?

— Lucinda, eu já lhe disse, não impor...

— Importa, sim, papai. O senhor consegue pensar em qualquer pessoa que teria algo a ganhar com outra guerra? Ou com o dinheiro que levantaria ao vender aqueles papéis? Porque, francamente, nenhuma dessas duas coisas beneficiaria Robert Carroway, e acho que o senhor sabe disso. E acho que é por isso que está dando a ele um pouco mais de tempo.

— Estou fazendo isso por sua causa.

Lucinda respirou fundo, sem querer muito acreditar que iria fazer a temida pergunta.

— O senhor, por acaso, mencionou Château Pagnon e Robert para Geoffrey? Em uma de suas histórias sobre a guerra, talvez?

Ele abriu a boca e a fechou novamente.

— Você suspeita de *Geoffrey*?

Rapidamente, ela negou com a cabeça e, ao mesmo tempo, deu meia-volta e desceu as escadas quase voando. Se não conseguisse mudar o curso de pensamento dele, nunca mais conseguiria arrancar qualquer informação do pai. E ela precisava de algumas respostas, pois era a única pessoa que poderia consegui-las.

— Não, não, não. Eu acho que Geoffrey, no início de nossa amizade, talvez sentisse ciúmes de Robert, sim. Da minha amizade com ele. Há maneira melhor de torná-lo impopular do que espalhando algumas fofocas, especialmente se ouviu a informação de uma fonte confiável e sabia que era verdade? — Ela franziu a testa. — Se Robert realmente roubou aqueles papéis, *ele* com certeza não teria espalhado os rumores.

— Lucinda, isso é ridículo. Se Robert Carroway é inocente, quanto antes o levarmos para responder algumas perguntas, melhor para todos nós.

— Não para Robert — retrucou ela, baixinho.

Se Geoffrey não tinha espalhado os rumores, poderia ter sido um dos colegas de seu pai — já em uma idade avançada, como o próprio general, e incapaz de discernir entre uma fofoca picante e algo que poderia arruinar a vida de um homem. E, então, não teriam outra pessoa a culpar se não o próprio Robert.

— Boa noite, papai.

— Boa noite, Luce. E tenho certeza de que, independentemente de quanto "ciúme" Geoffrey possa ter sentido, ele não teria contado a ninguém. O rapaz, dentre todas as pessoas, sabe como guardar um segredo.

Lucinda quase tropeçou nas escadas e fingiu estar ajustando o calçado para disfarçar. Geoffrey sabia. Seu pai lhe contara, e Geoffrey sabia.

Ah, precisava contar a Robert. Parte dela esperava que ele tivesse invadido seu quarto e a estivesse esperando, mas seu coração batia tão rápido que pensou que fosse desmaiar. Aquilo não significava que Geoffrey tinha feito as outras coisas das quais Robert o acusava, mas indicava que ele era menos inocente do que Lucinda imaginava.

Nada aconteceria naquela noite, contudo. Bem cedinho pela manhã, enviaria um recado para Robert. Ao que parecia, sua imparcialidade havia terminado. Acabara de escolher um lado.

Capítulo 22

Comprometo-me a destruí-lo na vida ou na morte.
— Victor Frankenstein, *Frankenstein*

LUCINDA NÃO DORMIU QUASE NADA. Sua mente se recusava a esquecer o enigma quanto a se Geoffrey tinha agido por ciúme ou se tinha um motivo mais nefasto. Assim que amanheceu, ela se levantou e foi direto para a escrivaninha. Estava na metade do bilhete, começando a se perguntar como é que o enviaria a Robert, quando recebeu uma carta de Evelyn.

"Lucinda", leu, "Santo e eu ficaríamos muito contentes se você e Lorde Geoffrey nos acompanhassem no leilão de cavalos de Tattersalls esta manhã, embora fosse melhor se você mesma contatasse Lorde Geoffrey e mencionasse seu desejo de comparecer na companhia dele."

Algo estava acontecendo. E, aparentemente, Robert tinha entendido sua menção de Geoffrey na carta que ela lhe enviara como um sinal de que estava disposta a ajudar, no fim das contas. Ainda bem. Ela voltou a atenção ao bilhete, lendo o horário e o local, mas Evie não mencionou nenhum motivo para o encontro. Talvez fosse melhor, contudo, caso o pai acabasse interceptando a carta.

Lucinda franziu o cenho. No momento, o pai não apenas estava sendo excluído, mas também não era uma pessoa confiável. Isso não poderia continuar assim. Seu coração não aguentaria. Ela compôs uma resposta rápida para Evie, aceitando o convite, então escreveu um bilhete para Geoffrey que o convenceria a acompanhá-la.

— Lucinda? — chamou o pai, batendo à porta de seus aposentos.

Droga.

— Entre, papai — respondeu, escondendo os bilhetes debaixo da agenda de compromissos. — O que foi?

— Tenho uma reunião agora pela manhã — avisou ele, olhando para a escrivaninha. — Antes de ir, eu queria me certificar de que... nada impróprio acontecerá durante minha ausência.

— "Impróprio"? — repetiu ela, indignada. — O senhor acha que vou fugir para me casar com um peixeiro, ou algo assim? Garanto que não. — Ela inspirou lentamente. — Para falar a verdade, eu estava escrevendo um bilhete para Geoffrey, perguntando se ele permitiria que eu o acompanhasse ao Tattersalls hoje. Ele pretendia dar uma olhada em um novo cavalo de caça e, bem, talvez eu tenha sido um pouco rude com ele ontem.

— Em que sentido?

— Ele... Ele me pediu em casamento.

O general ergueu as sobrancelhas.

— Pediu? Por que você não me contou? Como... O que você disse a ele?

— Eu disse que gostaria de esperar até essa confusão com Robert passar — respondeu ela, aliviada por poder contar a verdade, embora apenas em parte. As coisas eram tão complicadas. — Acho que talvez ele tenha entendido como uma recusa, e quero garantir que não é.

— Não posso reprimi-la por sua lealdade ou sua compaixão — disse o general —, embora eu possa desejar que você escolhesse melhor os seus amigos. — Assentindo, saiu do quarto. — Por favor, diga a Geoffrey que enviei meus cumprimentos e pergunte se ele terminou o capítulo.

— É claro, papai.

Robert e Bradshaw chegaram ao Tattersalls alguns minutos antes de Santo e Evelyn. Por sorte, uma multidão já estava se aglomerando nos currais e nas tendas do mercado, então permanecer invisível não seria tão difícil. Ouvir a conversa seria bem mais desafiador, mas Robert estava mais que determinado.

— Onde você quer que eu fique? — perguntou Shaw, enquanto deixavam Tolley e Zeus aos cuidados de dois moleques de aparência semelhante.

— Bem no alto, se conseguir — respondeu ele. — Você precisará garantir que conseguirá chegar à casa antes de Geoffrey, caso ele saia. Do contrário, talvez eu não seja o único a me encrencar.

Shaw assentiu.

— *Se* ele disser algo que o incrimine e *se* você decidir que é o suficiente para invadir a casa e procurar por aqueles papéis. Porque, caso contrário, você não fará nada, certo?

Robert olhou para o irmão mais velho.

— Posso não gostar de Geoffrey, mas gosto menos ainda de ideia de ser preso.

— Muito bem. — Shaw deu um tapinha em seu ombro. — Estarei por aí, então. E você?

— Estarei aqui. Com sorte, sem ser visto nem ouvido.

Ele se virou, mas Bradshaw segurou seu braço antes que ele pudesse sumir no meio da multidão.

— Por favor, me conte — disse, dando um leve sorriso — onde você encontrou essas roupas.

— No canto dos fundos do estábulo. Não queria ser reconhecido.

— Não acho que você precise se preocupar com isso.

Seu objetivo era parecer um dos homens que trabalhava nos estábulos do Tattersalls. Para isso, além do chapéu surrado que havia puxado quase até a altura dos olhos, emprestara um par de botas de trabalho sujas de lama e esterco de John, o cavalariço. Por sorte, elas cabiam bem o suficiente para que ele não se aleijasse ainda mais. Agora, desde que ninguém o reconhecesse, conseguiria perambular praticamente despercebido. E com um cheiro que não era particularmente convidativo, mas, no mínimo, isso ajudava em seu disfarce.

Assim que ele saiu em meio à multidão, permaneceu às margens da movimentação, esperando Santo e Evie chegarem. Um tanto atrasado, ocorreu-lhe que, com a combinação das hordas de pessoas que se apinhavam com a tensão que percorria seu corpo, ele deveria estar prestes a recair no pânico sombrio. Entretanto, o pânico permaneceu a certa distância, nas profundezas sombrias da mente, e Robert simplesmente não tinha tempo para contemplá-lo no momento.

Avistou Shaw quase de imediato, em um camarote, conversando animado com uma bela moça. Robert sorriu. Era de se imaginar. De alguma forma, Bradshaw sempre sabia como tirar o melhor proveito de uma situação.

Quando terminou de circundar o terreno, viu Lorde e Lady St. Aubyn chegarem. Robert ainda não conseguia acreditar que estavam dispostos a fazer isso por ele. Pelo visto, tinha amigos melhores do que imaginara — ou merecia.

Santo parecia perfeitamente tranquilo, mas estava mais acostumado com o subterfúgio do que a esposa. Evie ficava olhando para trás, vasculhando a multidão, obviamente procurando por ele ou por Bradshaw. Robert tentou se aproximar para avisar que tudo estava nos conformes, mas a multidão não se dispersava. Levou alguns minutos e uns pedidos de desculpas até conseguir alcançá-los.

— Bom dia, milorde, milady — cumprimentou, tocando no chapéu.

Evelyn cobriu a boca.

— O q... Pelo amor de Deus! Você me assustou.

Santo, contudo, sorriu.

— Você está fedendo — observou.

— Faz parte do plano. Shaw está aqui atrás, acima do meu ombro. — Ele se focou em Evie. — Tente não ficar procurando por nenhum de nós. Não estamos aqui, lembra?

Ela respirou fundo.

— Sim. Lucinda enviou um bilhete dizendo que tentaria convencer Lorde Geoffrey a acompanhá-la, mas não tive mais notícias. Tenho certeza de que ela conseguirá.

— Também tenho.

Lucinda queria ajudá-los, queria ajudá-lo. Ele tentou não sorrir feito um idiota enquanto desaparecia novamente em meio à multidão, mas queria sorrir, cantar e dançar. Ela tinha se decidido. É claro que, na realidade, aquilo só significava que ela não confiava cegamente em Lorde Geoffrey, não que tinha escolhido Robert no lugar do garoto de ouro da Sociedade. Seria uma tola se o fizesse.

Se realmente suspeitava de Geoffrey, contudo, também estava sendo tola de ser vista em sua companhia. Robert se culpava por isso. Se parecesse que Geoffrey suspeitava de alguma coisa, ele mesmo daria um fim àquela farsa — mesmo que isso significasse deixar a Inglaterra. Ele não permitiria que Lucinda se machucasse. Nem por ele, nem por ninguém.

Robert sentiu a chegada dela antes de vê-la. O calor percorreu sua pele, como uma brisa invisível, e, quando se virou, ela estava lá. Com *ele*.

Ela estava usando um vestido de musselina justo e decotado que se moldava ao corpo e chamava a atenção para a curva suave e macia dos seios. A boca de Robert ficou seca. Não era de se admirar que Geoffrey parecesse tão atencioso — e não era de se admirar que Robert quisesse esmagar sua cabeça, sendo ele um traidor ou não.

Quando Evie os avistou, ele se aproximou do grupo. Todos se cumprimentaram com apertos de mãos e abraços, tão amigáveis quanto se tivessem simplesmente saído de casa para ir a um leilão de cavalos. Robert se pegou analisando Geoffrey, procurando por algum sinal externo de que poderia ter feito algo de que eles agora suspeitavam. Aprazível e bem-apessoado, ele parecia a personificação do cavalheiro inglês perfeito.

Talvez, se Robert tivesse mantido a aparência — e o comportamento — mais como Geoffrey, a alta sociedade não tivesse acreditado nos rumores tão rápido. Ele olhou para baixo, para as roupas surradas e fedorentas. Ninguém teria problema algum em esperar o pior dele no momento. Tudo que podia fazer era esperar que ninguém o reconhecesse.

— ...comprar um para o aniversário do general, mas você sabe como ele é exigente — dizia Lucinda, de braços dados com Geoffrey.

— É sempre bom saber quem está criando animais de qualidade — respondeu Geoffrey —, seja para comprar hoje mesmo ou não.

— Não tenho tanta certeza. — Santo engachou o braço de Evie no seu e conduziu o grupo pela multidão até a primeira fileira de lançadores. — Um único cavalo de qualidade de um criador não significa, necessariamente, que os demais terão a mesma qualidade. Se vir um que chamou sua atenção, é melhor comprar. Você sempre pode revender depois, se seu pai não aprovar. Não acha, Lorde Geoffrey?

— Apenas Geoffrey, por favor. Embora eu admire essa maneira de pensar, tendo a ser um pouco mais cauteloso em minhas compras.

— É verdade, você é o quarto filho, não é? — comentou Santo, acertando com perfeição o tom entre a condolência e o insulto. — Não conheço Fenley tão bem assim, mas dizem os rumores que ele pode ser um tanto... Como posso dizer? Mão-fechada.

Geoffrey riu.

— Sim, é verdade. Ele sempre foi partidário da filosofia de que os filhos "a mais" devem traçar seu próprio caminho.

— Isso é um tanto severo. — Lucinda lhe lançou um olhar de empatia. — Espero que ele esteja orgulhoso do que você conquistou até agora.

Robert queria beijá-la. Ela estava fazendo sua parte. Pelo que ele sabia e estava descobrindo, Geoffrey queria uma promoção e o poder que a nova posição lhe concederia. Se não conseguisse se casar, uma guerra seria a melhor oportunidade. É claro que, se ele se casasse, precisaria jogar a culpa pelos roubos em alguém — e foi provavelmente nesse ponto que Robert e os rumores vieram a calhar.

Abrindo seu famoso sorriso, Geoffrey levou a mão de Lucinda aos lábios.

— Ele ficará ainda mais orgulhoso ao me ver casado e com uma carreira estável.

— Qual carreira seria essa? — indagou Santo. — Você ainda está no Exército, não está?

— Estou. E ainda há oportunidades lá. Pretendo tomar uma delas para mim. — Ele sorriu novamente para Lucinda. — Assim como pretendo tomar Lucinda para mim.

Maldito. Se ele não fosse culpado, Robert teria de pensar seriamente em outros métodos para se livrar do homem. Ele se aproximou, apoiando-se na roda de uma carruagem e abaixando o chapéu até cobrir os olhos.

— Aposto que os Carroway gostariam que Robert não tivesse escolhido uma carreira no Exército — comentou Santo.

Evie corou.

— Santo! Georgiana é minha amiga. Que coisa horrível de se falar.

— Continua sendo verdade — retrucou ele.

— Eu... Eu preciso admitir que essa confusão toda causou diversos problemas para o general — contou Lucinda.

Robert ergueu os olhos. Ela olhou diretamente para ele e, por um instante, o coração dele parou. Então, ela se virou deliberadamente para Geoffrey de novo.

— Robert é meu amigo e não me esquecerei disso, mas seria bobagem dizer que estamos todos contentes com o que aconteceu.

— O leilão de parelhas está quase no fim — avisou Santo.

Lucinda pareceu perplexa.

— Já? — Virando-se para Geoffrey, ela largou o braço dele. — Pode me dar licença por um instante?

— É claro. Mas você não deveria ir a lugar algum sozinha. Devo buscar sua aia na carruagem?

— Eu vou com você, Luce — disse Evie. — Também preciso de uma pausa.

Pensando rápido, Robert se afastou da carruagem, dirigindo-se para o edifício mais próximo. A alameda atrás da construção estava vazia, e foi ali que entrou. Lucinda e Evie o seguiram. Ele não pôde deixar de sorrir quando Lucinda apareceu.

— Como é que você sabia que eu estava...

Ela segurou as lapelas dele, aproximou-se e o beijou. Robert queria abraçá-la forte, mas, ao mesmo tempo que se lembrava de como estava imundo, ouviu Evelyn arfar.

— Lucinda — conseguiu dizer quando se afastou, beijando-a uma última vez simplesmente porque não conseguia se conter. — Cuidado. Alguém vai ver.

— Eu vi — confessou Evie, com os olhos ainda arregalados. — Há quanto tempo isso está acontecendo?

— Acho que não temos tempo para isso agora — respondeu Lucinda, ainda olhando para Robert.

O que ele viu naqueles olhos cor de mel o encheu de mais esperança e mais pavor do que qualquer coisa que havia enfrentado nos últimos cinco anos. Ele acariciou seu rosto com os dedos.

— Sinto muito por fazê-la passar por isso. Sei que você não queria se envol...

— Mudei de ideia — interrompeu ela, parando para observá-lo dos pés à cabeça. — Você está... interessante.

— Hum, com licença, mas se vocês não têm tempo para me contar o que está acontecendo, certamente não têm tempo para isso — ponderou Evie. — Precisamos voltar. Já ouviu o suficiente para se convencer?

— Quase — respondeu ele. — Evie, preciso de um momento.

Lady St. Aubyn fez uma careta.

— Sim, é claro que precisa. Estarei logo ali.

Ela retornou até a entrada da alameda, cruzou os braços e se virou de costas para eles.

— O que você quer saber? — perguntou Lucinda, puxando as mangas dele.

— Você é o motivo pelo qual eu ganhei mais um dia, não é? — indagou ele, examinando seus olhos.

— É melhor estarmos certos quanto a isso, Robert — sussurrou ela —, ou terei que pedir muitas desculpas ao meu pai.

— Por falar no General Barrett, preciso... Preciso saber se você estaria disposta a perguntar a ele quanto à fonte dos rumores novamente. Ninguém mais precisa ficar sabendo, mas eu teria a última resposta de que preciso.

— Sobre Geoffrey, você quer dizer — observou ela, baixinho.

— Lucinda, não sei de que outra forma eu poderia fazer isso. Sinto mui...

— Meu pai contou a Geoffrey sobre você e Château Pagnon. Deve ter sido um dia antes da reunião com os oficiais seniores — interrompeu ela. — Foi antes de eu confirmar que tinha ouvido a história de você, mas ele já sabia.

Um alívio imenso se espalhou por Robert. Eles estavam certos. Só podia ter sido Geoffrey. Seus lábios se curvaram em um sorriso, embora soubesse que não era apropriado, tendo em vista quanto ela devia ter odiado questionar o pai.

— Obrigado.

— Gosto disso — sussurrou ela.

— Do quê?

Ela ergueu a mão, passando os dedos por sua boca.

— Quando você sorri. — Aproximando-se, Lucinda o beijou mais uma vez, lentamente, como se saboreasse o toque tanto quanto ele. — Precisamos voltar.

— E eu tenho algo a resolver. Você consegue mantê-lo ocupado?

— Sim. Tome cuidado, Robert. E, se precisar sair do país para se salvar, vá. Mas é melhor dar um jeito de me avisar aonde foi.

Ele tocou no rosto dela.

— Você é o motivo pelo qual sorrio — murmurou, e se afastou.

Robert tinha uma casa a invadir.

Capítulo 23

*Ao deparar com um poder tão extraordinário nas mãos,
hesitei por longo tempo sobre como usá-lo.*
— Victor Frankenstein, *Frankenstein*

— Pare de enrolar — ralhou Robert, caminhando de um lado para outro. — Não gosto de deixar Lucinda lá, distraindo aquele imbecil.

— Acredito que St. Aubyn e Evie estejam com ela — retrucou Tristan secamente, sem tirar os olhos da pequena casa atrás da fileira de arbustos. — E prefiro não ser visto invadindo uma residência.

— Ele não está em casa, Dare. Essa é a questão. Meu Jesus. — Robert apontou para a máscara de leopardo que Tristan estava segurando. — E temos máscaras. Vamos.

O terceiro membro da trupe estava apoiado em um olmo, mas sem observar a casa. Em vez disso, estava olhando fixamente para Robert havia três minutos. E isso estava se tornando irritante.

— O que foi? — vociferou Robert, virando-se.

O Duque de Wycliffe inclinou a cabeça.

— Estou apenas tentando me acostumar com algumas coisas — explicou, com sua voz arrastada. — Suas roupas, por exemplo.

— Eu lhe disse, é um disfarce. Mas que droga.

— E a quantia de palavras que você tem usado, também.

— Acostume-se mais tarde. — Robert ergueu as mãos. — Eu vou entrar. Vocês podem ficar aqui papeando até morrer, mas não esperem que eu fique para ouvir.

Resmungando, colocou a máscara de tigre e atravessou a rua. Um instante depois, ouviu Wycliffe e Tristan o seguirem e acelerou o passo, tentando não mancar. Se algo poderia denunciá-lo, seria seu coxeio.

— Prontos? — murmurou ele, colocando a mão na aldrava da porta. — Primeiro, escritório; depois, biblioteca; e, por fim, aposentos pessoais. Se não estiver em nenhum desses lugares, botaremos a casa toda abaixo.

Os outros dois concordaram, e ele bateu à porta. Um instante depois, ela se abriu. O mordomo, um senhor decoroso, olhou para eles e gritou.

— Ladrões!

Cambaleando para trás quando Robert o empurrou para entrar na casa, o mordomo agarrou uma bengala e golpeou. Robert bloqueou o golpe com o braço e arrancou a bengala da mão do mordomo.

— Entre aí — rosnou, apontando para o armário anexo ao salão matinal.

— Mas...

— Para dentro — reforçou Wycliffe com seu tom grave, tirando o mordomo levemente do chão e jogando-o dentro do armário.

Dois lacaios apareceram no corredor de criados. Apontando a bengala como uma pistola, Robert avançou sobre eles.

— Vocês dois, ali dentro com o mordomo.

— Seis criados no total — avisou Wycliffe, soltando a gravata do mordomo.

— E apenas três de vocês — observou o lacaio mais corpulento, cerrando as mãos em punhos.

— Não estamos atrás de nada que pertença legitimamente a esta casa — disse Robert com rispidez, perdendo a paciência. — E não estamos aqui para machucar ninguém. Mas não se metam em nosso caminho.

— Às favas com isso.

O criado avançou. Abaixando-se, Robert girou a bengala e acertou a lateral da cabeça do homem, que desabou como uma pedra. Robert olhou para o outro rapaz.

— Para o armário ou para o chão. A escolha é sua.

Fazendo uma careta, o homem ergueu as mãos e entrou no armário. Tristan se agachou para segurar o homem abatido por debaixo dos braços e arrastá-lo para dentro também.

— Da próxima vez — disse, ofegando —, apague apenas os magricelas.

— Mais três — lembrou Robert, atravessando o corredor dos criados até a cozinha. — Verifiquem lá em cima.

Ouviu Tristan subir as escadas ruidosamente enquanto Wycliffe vigiava os três que já estavam no armário. Dificilmente os criados sabiam de qualquer coisa sobre as atividades de Geoffrey, mas ele também não queria que escapassem da casa e trouxessem metade da força policial de volta consigo. A busca precisava ser rápida, e eles precisavam ir embora antes que Geoffrey retornasse.

Uma cozinheira e sua assistente estavam lavando panelas na cozinha e foi necessário apenas um instante de persuasão para convencê-las a se juntar aos seus colegas. Dare desceu as escadas no mesmo momento, trazendo uma arrumadeira apavorada. Assim que todos criados estavam detidos, Wycliffe trancou a porta do armário e fez uma barricada.

— Certo — murmurou Dare. — Vamos encontrar esses malditos papéis.

— Este é um belo baio — observou Geoffrey, aproximando-se tanto que Lucinda podia sentir a respiração dele em seu rosto.

— Sim, é lindo — concordou ela, esforçando-se ao máximo para não se afastar dele. — Mas acho que já o vi em um leilão antes, ou estou enganada?

— Viu, sim — confirmou Santo. — Ele derrubou Lorde Rayburne na semana passada, e isso foi depois de morder o filho de Totley, no outono passado.

— Hum. Provavelmente um pouco rebelde demais para meu pai, então.

Ela tinha avistado Bradshaw alguns minutos antes, sentado em um camarote com meia dúzia de mulheres de reputação questionável. Com Santo ao seu lado e Shaw atuando como sentinela, deveria se sentir em total segurança. Mas não conseguia deixar de pensar que o homem ao seu lado estivera em sua casa, conversara com seu pai e mentira sobre sabe Deus o quê — tinha até a beijado e pedido sua mão em casamento.

E, se eles estivessem certos, ele roubara papéis cujo único propósito seria iniciar uma guerra. Havia espalhado um rumor sabendo do estrago que causaria a outro homem — contando com isso, inclusive. Por quê? Será que Robert era apenas um bode expiatório conveniente? Ou será que Geoffrey refletira sobre sua vítima e percebera que Robert seria um alvo fácil? De toda forma, eles estavam no processo de provar que ele estava errado.

— Boa parte da diversão com um animal teimoso está em amansá-lo — comentou Geoffrey.

Lucinda ficou olhando para o aprisco, torcendo que ele estivesse tratando de generalidades, e não tentando enviar um recado a qualquer pessoa — ela — em particular. Sabia que não era o caso.

— Lorde Geoffrey, você está esperando conseguir um comando na Índia, não é? — perguntou Evie, animada.

— Sim, estou. Wellington serviu lá, e a experiência não fez nenhum mal a *ele*.

— E você gostaria que sua esposa o acompanhasse?

Geoffrey voltou os belos olhos verdes para Lucinda.

— Espero que ela queira estar ao meu lado.

O general, contudo, deixara claro a Geoffrey que a decisão quanto ir para a Índia ou não caberia a ela. Lucinda não podia mencionar esse detalhe, contudo, sem que ele percebesse que ela ouvira a conversa escondido. Era estranho que, mesmo antes de saber do envolvimento dele nessa confusão toda, a ideia de Geoffrey ir à Índia e permanecer lá por alguns anos sem ela não lhe causara hesitação alguma — ao passo que a mera ideia de que Robert deixasse Londres a assolava de desejo e ânsia.

Ainda bem que aquela conversa amigável era apenas para manter as aparências. Forçou um sorriso.

— Já ouvi muitas histórias fascinantes sobre a Índia. Os temperos, a música... Tudo parece tão exótico. — Ela pausou quando outro pensamento lhe ocorreu. Já que estavam procurando por evidências... — Tenho certeza de que o general também iria gostar.

Algo lampejou nos olhos esmeralda dele, tão rápido que Lucinda não sabia ao certo o que era.

— O General Barrett? Ele seria bem-vindo, é claro, mas não acho que acharia interessante. Nenhum de seus velhos parceiros estaria lá, afinal de contas, para que ele os regalasse com suas histórias.

— Mas nós estaríamos.

— Sim, é claro. Ter um oficial superior com a reputação do General Barrett seria uma honra enorme, certamente, mas ele está ficando velho,

Lucinda. Não acha que ficaria mais confortável aqui? A mera travessia pelo oceano pode ser bastante angustiante.

Isso era interessante. A "reputação" de honestidade e justiça do General Barrett também tornariam a vida mais difícil para seu genro, se ele pretendesse usar de influência, coerção ou especulação — as maneiras mais rápidas e certeiras para um jovem e destemido major construir sua fortuna.

— Minha nossa. Angustiante? Talvez nem *eu* me sentiria confortável lá. Isso se eu sobrevivesse à viagem.

O sorriso de Geoffrey enfraqueceu.

— Certamente, essa é uma conversa para outra hora e ocasião — murmurou.

— Estou apenas me familiarizando com seus planos — alegou ela. — Ocorreu-me que você não me contou muito além do básico. Se quer que nos casemos, acho que tenho o direito de saber onde você espera que eu more, por exemplo.

— Você é filha de um general. Com certeza está acostumada com o estilo de vida militar.

— Eu era praticamente uma criança quando meu pai lutou no continente. Morei com minha tia e frequentei várias escolas de boas maneiras. Ele não queria que eu ficasse viajando por aí e morando em acampamentos militares.

Geoffrey a encarou.

— Então sua demora em responder meu pedido de casamento não era por causa dos problemas dos Carroway. Você não quer se casar comigo.

Maldição. Suspeitando dele como ela já suspeitava, Geoffrey a deixava cada vez mais zangada com cada frase que proferia, e Lucinda tinha ido longe demais.

— Não foi o que eu disse. Eu apenas gostaria de ter todas as informações possíveis primeiro.

— Veja, Lucinda — interrompeu Evelyn. — Aquele baio é maravilhoso.

— E você escolheu este local para essa conversa? — insistiu ele, ignorando Evie.

Ah, às favas com ser aprazível.

— Foi você quem disse que gostava de amansar animais teimosos — retrucou ela. — Como devo interpretar uma frase dessas?

Ele apertou seu braço com força.

— Responda-me, Lucinda. Depois que essa confusão com seus amigos terminar, você pretende aceitar meu pedido? Ou está apenas me usando para divertir seus amigos e perder meu...

Dessa vez, ela nem queria interpretar o lampejo nos olhos dele. Fechando a boca, ele deu meia-volta.

— Geoffrey! — gritou ela. — Aonde você...

— Maldição — sibilou Santo. — Acho que você foi um pouquinho grosseira, não é mesmo?

— Se eu estivesse saltitando e sorrindo sem parar, ele saberia que havia algo errado — respondeu Lucinda, voltando o olhar desesperado para Bradshaw. Ele também tinha sumido, com sorte para alertar Robert que Geoffrey muito provavelmente estava a caminho de casa. — Droga. Sou tão estúpida!

— Não, não é — afirmou Evie. — Você tem razão. Eventualmente, ele iria perceber, de um jeito ou de outro, que o estávamos retardando sem motivo. Era por isso que Bradshaw também estava de olho em tudo.

— Que veículo vocês utilizaram para vir aqui? — indagou Santo, pegando as mãos das duas damas e conduzindo-as para longe dos cavalos.

— Um cabriolé. Minha aia ficou lá, esperando por nós. Ah, céus. Ele não machucaria Helena, não é?

— Acho que não. Mas vai levar uns minutos para ele conseguir sair daqui. Shaw está a cavalo, então deve ter uma vantagem de uns cinco ou seis minutos. Espero.

— O que faremos? — perguntou ela, ainda se amaldiçoando.

Se tivesse ficado de bico fechado por mais alguns minutos... E se não tivessem tido tempo de encontrar os documentos? Talvez ela tivesse acabado de condenar Robert.

— Você disse que seu pai tinha uma reunião esta manhã — lembrou Santo.

— Sim, na sede da Cavalaria.

— Então vamos procurá-lo lá. Se Robert estiver com as provas, precisará de alguém para mostrá-las.

— Também não está aqui — grunhiu Robert, puxando a máscara para cima da cabeça.

Maldição. O escritório estava impecável, como se ninguém jamais tivesse trabalhado ali, embora o tivessem deixado em uma condição nada imaculada. Da mesma forma, os livros da biblioteca pareciam nunca ter sido abertos. O fato de que a maioria estava empilhada desordenadamente pelo chão não o incomodava nem um pouquinho. Lorde Geoffrey já tinha provocado mais desordem em sua vida do que eles estavam causando na casa dele.

— Também não está no armário — anunciou Tristan.

Ele se levantou, olhando para Wycliffe, que vasculhava os livros e papéis do aparador de carvalho. Após um instante, Wycliffe balançou a cabeça.

Robert praguejou.

— Está aqui, em algum lugar. Tem que estar. Se você rouba documentos que podem ou lhe render uma quantia enorme de dinheiro ou provocar sua prisão, vai querer mantê-los por perto, para não ter que se preocupar que alguém os veja. Ao mesmo tempo, não vai querer que os criados encontrem nem vai escondê-los em um lugar que levante suspeitas quando você precisar pegá-los ou checar para ver se estão seguros.

— Isso ainda nos deixa com vários esconderijos possíveis — observou Tristan, esfregando as mãos nas coxas.

Andando de um lado para outro, Robert revisou a planta da casa em sua cabeça. Era uma casa pequena, alugada. Isso, por si só, ratificava o fato de que Geoffrey não andava com os bolsos muito cheios. Ele era, no entanto, um herói de guerra autoproclamado, muito orgulhoso de sua aparência e de sua reputação. Um herói de guerra. Que poderia ou se casar para se tornar major, ou desencadear uma guerra para ganhar uma promoção.

— O uniforme — disse Robert, saindo e se encaminhando para as escadas. — Onde vocês acham que ele guarda o uniforme?

— O uniforme? — repetiu Tristan. — Por que...

— Ele ainda está no Exército — explicou Robert. — Deve ter mandado prensar e guardado, mantendo-o pronto para qualquer ocasião especial que possa lhe conferir a oportunidade de tirar o maior proveito possível, sem permitir que ninguém encoste nele. É a menina dos olhos dele. Seu futuro, de um jeito ou de outro.

— Mas os papéis atestariam que ele é um traidor — contrapôs Tristan, subindo as escadas atrás dele e atravessando o corredor até os aposentos pessoais de Geoffrey. — Guardá-los com o uniforme não seria um pouco estranho?

— Não para Geoffrey. São sua garantia de uma promoção. Como poderiam fazer dele um traidor?

Wycliffe deu um assobio baixo.

— Estou começando a acreditar nessa história, e nem encontramos provas ainda.

Robert escancarou a porta do quarto.

— Tenho pensado bastante sobre o assunto.

Considerando que Geoffrey estava recebendo uma remuneração bastante modesta, a quantidade de armários na ampla suíte era surpreendente. Obviamente, era com isso que gastava boa parte de seu dinheiro.

— E eu pensava que Georgiana tinha roupas demais — murmurou Tristan, dirigindo-se ao último armário da direita.

Robert abriu o armário ao lado, remexendo paletós, coletes, calças e culotes. Aparentemente, as camisas ficavam em outra seção do cômodo. Ajoelhando-se, escancarou a gaveta de baixo, encontrando meias e lenços, mas nenhum uniforme.

Silenciosa como a casa estava, o barulho da porta da frente se abrindo foi estrondoso como o tiro de uma pistola. Robert levantou-se imediatamente, indo até o corredor. A sugestão de Bradshaw de socar Geoffrey até ele confessar estava começando a parecer uma boa ideia.

— Algum invasor nesta casa? — perguntou Shaw, gritando e sussurrando ao mesmo tempo.

Robert se debruçou na balaustrada.

— Aqui em cima.

— Ele foi embora do Tattersalls — avisou Bradshaw, ofegando. — E não parecia feliz.

— E Lucinda?

— Ficou lá — respondeu Shaw, subindo as escadas enquanto explicava. — Parecia que estavam discutindo, e então ele foi embora. Estava indo direto para a carruagem, então deve estar, no máximo, cinco minutos atrás de mim.

— Encontrei algo! — gritou Wycliffe.

Robert voltou como um relâmpago para o quarto. O duque puxava um pequeno baú de carvalho de debaixo da cama.

— Está trancado — contou Wycliffe, puxando o baú ainda mais para o meio do recinto. — E suponho que não vamos encontrar a chave em lugar algum da casa.

— Não, se esse for o uniforme, a chave estará com ele — ponderou Robert, abaixando-se para analisar a fechadura.

Quando ele acidentalmente escapara de Château Pagnon, tudo que restara de seu uniforme eram os farrapos sujos de lama e sangue de sua calça e de uma fina. Se tivesse, de alguma forma, retornado com um casaco inteiro ou as botas, ele os teria queimado.

Geoffrey, no entanto, tinha orgulho de seu uniforme, do prestígio que lhe conferia e do dinheiro que, eventualmente, ganharia à sua custa. A tranca era de boa qualidade, melhor do que o baú requeria.

— É isso.

Tinha que ser.

— Você consegue abrir? — perguntou Bradshaw, juntando-se a eles.

— Sou um recluso, não um ladrão — respondeu Robert, dando um meio-sorriso.

Na verdade, *conseguiria* abrir, mas, com Geoffrey a caminho, não queria perder tempo. Tirou uma pistola do bolso.

— Robert — disse Tristan, assustado. — Para que você trouxe isso?

— Imprevistos — respondeu, puxando a trava da arma.

Ao menos sua mão não estava tremendo como quando surrupiara a arma do quarto de Bradshaw e a carregara.

— Atire no buraco — murmurou, puxando o gatilho.

No confinamento do quarto, o estrondo foi ainda mais alto do que se lembrava, e Robert não conseguiu evitar se encolher um pouco. Não manuseava uma arma havia quase quatro anos, mas ao menos a mira fora certeira. A parte da frente do baú havia se despedaçado e a tranca fora destruída.

— Acho não deu para ouvir lá de fora, não é? — comentou Bradshaw, sarcástico, franzindo o cenho. — Francamente, Bit.

— Estamos com pressa.

Robert abriu a tampa. Dentro, maculado apenas pelo buraco da bala do lado esquerdo da jaqueta, jazia um uniforme dobrado, perfeitamente prensado, de capitão.

— Belo tiro — observou Wycliffe, pegando o casaco e sacudindo-o. — Bem no coração.

Um calhamaço de papéis caiu no chão. Por um breve instante, Robert fechou os olhos. Graças a Deus. Ele estava certo.

— Confira — rosnou, vasculhando o baú.

Mapas haviam sumido também, e eles precisavam encontrar tudo — não apenas para condenar Geoffrey, mas para garantir que a Inglaterra não travasse outra guerra com Bonaparte.

— Ora, ora — disse Tristan, a raiva transbordando da voz. — Aqui estão as listas. Ingleses simpatizantes de Napoleão. É uma pena que não possamos ficar mais uns dias com elas e fazer algumas visitas.

Robert mal ergueu os olhos enquanto remexia o baú.

— Eles podem simpatizar com quem quiserem, desde que não tomem nenhuma atitude a respeito.

Seus dedos encostaram em um pergaminho enrolado, acomodado no cantinho do baú, debaixo do espadim de Geoffrey. Robert o puxou, abrindo-o em cima do baú. A Ilha de Santa Helena se estendeu diante dele, com anotações de altitude e distância, bem como plantas detalhadas do forte.

— Os mapas — disse Tristan, apertando o ombro de Robert. — Você conseguiu.

— Agora, vamos embora daqui, se não se importarem — sugeriu Bradshaw. — Eu gostaria de ser um herói, mas não estou muito interessado em ser preso por furto ou por ter cometido algo nefasto com os criados da casa.

— Eles estão presos no depósito — informou Tristan, empilhando os papéis e colocando-os debaixo do braço.

Desceram as escadas e saíram pela porta da frente. Nenhum sinal de Geoffrey, mas ele não ficaria feliz quando chegasse. Tinham deixado Tolley e os outros cavalos na rua lateral, mas Robert parou Tristan antes que ele pudesse montar.

— Preciso desses papéis — afirmou ele, estendendo a mão.

— Eu os levarei até a sede da Cavalaria — prometeu o visconde, franzindo a testa. — Não se preocupe com isso. Quero você em um lugar seguro.

— Os documentos não vão para a sede da Cavalaria.

Wycliffe congelou.

— Como é?

— Lorde Geoffrey conseguiu esses papéis por causa do General Barrett. A carreira o general seria arruinada se fôssemos direto à sede e anunciássemos que seu futuro genro é o traidor que todos estão procurando.

— Hum, Bit, eu tinha a impressão de que você não era muito afeiçoado ao General Barrett.

— E não sou — confirmou, pegando os papéis de Tristan e colocando-os no bolso interno do casaco de tratador de animais. — Mas sou afeiçoado à filha dele.

Magoar Barrett significaria magoar Lucinda, e ele não permitiria isso. Além disso, a animosidade que sentia pelo general era totalmente pessoal, e Robert tinha começado a perceber que não sentia desejo algum de arruinar a vida de um homem que, aos olhos de todos, era honrado e honesto.

— Então vamos para a Residência Barrett?

Ele montou em Tolley.

— Não, *eu* vou para a Residência Barrett. Vocês vão para a Residência Carroway para se preparar para dizer às autoridades que fugi para a América ou atestar que encontramos essas coisas no baú de Geoffrey.

— A escolha é sua, Bit — concordou Tristan, relutante. — Mas, pelo amor de Deus, tome cuidado.

— Tomarei — respondeu Robert, estalando a língua para Tolley.

É claro que sua saúde dependeria de como o General Barrett receberia a notícia, mas estava disposto a assumir o risco. O que estava em jogo era muito mais importante que o futuro de Geoffrey ou mesmo que o próprio futuro. O que estava em jogo era o futuro de Lucinda e sua felicidade.

Capítulo 24

*A história que aqui registro ficaria incompleta
sem esta espantosa catástrofe final.*
— Robert Walton, *Frankenstein*

LUCINDA PERCEBEU, PELA EXPRESSÃO DOS guardas, que eles não estavam muito felizes em ver Evie de volta à sede da Cavalaria, mesmo que na companhia da filha do General Barrett. A presença de St. Aubyn devia deixá-los ainda mais nervosos e, para ser sincera, ela ficou um pouco aliviada em saber que o pai estivera ali, mas já fora embora. Ele certamente também não ficaria feliz em vê-la com aquelas companhias.

— Ele deve estar em casa, então — ponderou Lucinda, enquanto Santo lhe oferecia a mão para ajudá-la a subir no cabriolé. — Provavelmente, é melhor assim. Posso conversar com ele e tentar fazê-lo ouvir a voz da razão. Se o afrontarmos juntos, ele apenas ficará na defensiva.

— Você não deveria confrontá-lo sozinho — argumentou Evie, o rosto enrugado de preocupação.

— Não se trata tanto de confrontá-lo, mas mais de garantir que ele mantenha a cabeça aberta — retrucou ela, esperando que, naquele intrincado estratagema de Robert, alguém tivesse sido designado a avisá-la se haviam encontrado os papéis e escapado da casa de Geoffrey em segurança.

— Você está assumindo um risco e tanto, Lucinda — ponderou Santo, sem tirar os olhos da rua. — Assim que fizer uma acusação a Geoffrey, não poderá voltar atrás. E Robert... dificilmente ficaria ao lado de alguém. Tem certeza de que você...

— Michael, ela sabe — interrompeu Evie, segurando a mão do marido.

Lucinda ficou grata pelo voto de confiança. Tinha consciência das implicações de acusar Geoffrey. Era Robert que a fazia se sentir insegura — não quanto a conseguir deter Geoffrey, mas quanto a se ele desapareceria em meio às sombras novamente, trancafiado dentro de si mesmo, quando tudo terminasse.

— Tem certeza de que não quer que fiquemos aqui com você? — perguntou Evie.

Piscando, Lucinda ergueu os olhos A carruagem parou diante de casa.

— Tenho.

— Se os outros encontraram o que estavam procurando — comentou Santo —, provavelmente seguiram direto para a sede da Cavalaria. Seu pai será chamado para averiguar as provas.

Lucinda concordou, e ela e Helena desceram do veículo.

— Talvez eu possa prepará-lo para isso.

— Boa sorte, então. Vamos para a Residência Carroway. O restante da diversão provavelmente acontecerá lá.

Estalando a língua, Santo fez a parelha voltar a andar.

Ballow abriu a porta da casa quando Lucinda se aproximou.

— O general está no escritório — avisou ele enquanto ela lhe entregava o xale. — Algo parece estar... fora dos eixos.

Ah, céus. Nada deveria ter acontecido ainda — era cedo demais. Segurando as saias, correu até o escritório, mas encontrou a porta trancada.

— Papai? — chamou, batendo. — Papai, preciso falar com o senhor.

Os passos pesados dele se aproximaram da porta, que chacoalhou e se abriu.

A expressão no rosto dele — nervosa, tensa e raivosa — a fez parar por um instante.

— Eu também preciso conversar com você — rosnou ele, dando um passo para o lado para que ela pudesse entrar.

— O que houve? — Lucinda arfou. Lorde Geoffrey estava apoiado no peitoril da janela, encarando-a. — Geoffrey? — perguntou, na falta de algo para dizer. — Por que você me abandonou no Tattersalls? E por que está aqui? Papai, o que está acontecendo?

— Eu já estava de saída — anunciou Geoffrey, acenando brevemente com a cabeça ao passar por ela no caminho para a porta.

A primeira coisa que ocorreu a Lucinda foi que, se Geoffrey estava ali, Robert teria mais alguns minutos para terminar de vasculhar a casa.

— Eu lhe ofendi de alguma forma?

À porta, ele se virou para ela.

— Estou decepcionado — murmurou. — Esperava mais de você.

Franzindo o cenho, ela o observou atravessar o corredor e sair pela porta da frente. Quando Lucinda se virou, o general a fitava.

— Você agiu pelas minhas costas — disse ele baixinho. — Depois de me pedir paciência, você usou esse tempo para prejudicar alguém, alguém que considero um amigo. Alguém que eu esperava que você enxergasse como mais que um amigo.

— O que foi que ele lhe disse?

Geoffrey não podia saber de tudo. Se soubesse, teria ido direto para casa, em vez de passar em sua casa para compartilhar fofocas com seu pai. Um pensamento congelou seu coração. Ele teria ido para casa, a menos que os papéis não estivessem lá ou que estivessem tão bem escondidos que ninguém jamais os encontraria — a menos que tivesse descoberto o plano todo e já estivesse tomando as medidas necessárias para se proteger.

— Ele me contou — começou o general, erguendo o tom de voz e sem se preocupar em fechar a porta do escritório — que você anda conspirando com seus supostos amigos para tentar acusá-lo do roubo da sede da Cavalaria, livrando Robert Carroway da culpa. E que você e seus amigos o elegeram como bode expiatório.

— Eu...

— Geoffrey até me contou que descobriu que aquele Carroway tinha planos de plantar a evidência na casa dele, visto que, a essa altura, já percebeu que não conseguiria se livrar dos papéis sem que soubéssemos.

Se havia algo que não faltava a Geoffrey era tenacidade. E a história dele parecia tão verossímil que era extremamente difícil repudiá-la.

— Papai, há mais coisas por trás disso que o senhor pode ver.

— Que *eu* posso ver? Sim, suponho que trinta anos servindo no Exército de Sua Majestade e três anos como membro sênior da Cavalaria não se comparem às tramoias que você e seus amigos maquinaram.

— Não é isso...

— Com licença, senhor, mas o senhor não pode entrar nesta casa! — disse a voz de Ballow, o nervosismo tornando seu tom muito agudo.

Lucinda se virou bem a tempo de ver Robert empurrar o mordomo contra a porta e marchar saguão adentro. Ela podia dizer, apenas pelo brilho nos olhos dele, que a missão tinha sido bem-sucedida. Seu coração deu uma cambalhota. Menos de um segundo depois, contudo, a tensão e o pavor a assolaram novamente. Se ele tinha encontrado os papéis, deveria ter ido direto para a sede da Cavalaria.

— Robert — disse ela, abalada —, o que está fazendo aqui? Você não tem...

— Lucinda — interrompeu ele, parando ao seu lado, mas encarando o general. — Preciso trocar umas palavras com o general. Em particular.

— Quero você fora da minha casa, seu patife maldito! Não confunda minha paciência com clemência.

— Luce — murmurou Robert, aproximando-se —, por favor, espere por nós na biblioteca.

Ela assentiu.

— Está tudo bem? — sussurrou, colocando a mão em seu braço.

— Vai ficar.

Robert esperou até ela entrar na biblioteca, então se virou novamente para o general.

— Faremos isso no seu escritório ou aqui no corredor mesmo?

— Não faremos coisa alguma — retrucou o general. — Não me obrigue a enxotá-lo daqui com minhas próprias mãos, Carroway. Tenha a dignidade de sair sozinho.

— Eu sairei. Em alguns minutos. — Robert apontou para o escritório, esforçando-se ao máximo para esconder a raiva e a frustração da voz. — Para dentro, senhor.

O General Barrett o estudou, obviamente calculando a diferença de oito centímetros de altura e vinte e cinco anos de idade entre os dois. Com uma expressão de quem preferiria mastigar vidro, Barrett aquiesceu.

— Dois minutos.

Provavelmente levaria mais do que isso. Robert o seguiu para o escritório, fechando e trancando a porta ao entrar.

— Sente-se, senhor — instruiu.

— Nada do que você possa dizer me convencerá de que é qualquer coisa além de um traidor, Carroway. Então, a menos que pretenda me matar, o que não recomendo, dada a quantia de testemunhas nesta casa, você precisa ir embora. Não apenas da minha casa, mas do país. Esse é um favor que só estou concedendo a você por causa de Lucinda.

— Em abril de 1814 — começou Robert, sentando-se em uma das cadeiras de frente para a escrivaninha e mantendo os olhos na mesa abarrotada do general —, o senhor era o responsável pelas divisões do Exército que circundavam Bayonne.

— Eu estava lá — ralhou o general. — Você não precisa me lembrar.

— Preciso, sim. Bonaparte havia caído. Ambos os lados tinham convocado um cessar-fogo.

— Eu sei...

— Mas o senhor sabia que o General Thouvenot ainda controlava Bayonne e não queria recuar. E também tinha ouvido, dos desertores franceses, que Thouvenot pretendia atacá-lo.

— Essas informações não eram confiáveis.

— Ah. Então foi por isso que o senhor enviou uma patrulha, no meio da madrugada, para fazer um reconhecimento das trincheiras francesas. Porque sabia que ninguém mudaria de posição.

— Sim. O que...

— Aquela era a minha patrulha, General Barrett. — Robert usava todas as suas forças para manter a voz baixa e estável. — Mil soldados franceses contra quinze patrulheiros ingleses. A maioria dos meus homens morreu antes mesmo de conseguir pegar as armas. Eles me espancaram até eu perder a consciência, pois seu comandante queria interrogar oficiais britânicos.

O general estava perfeitamente imóvel, o sangue se esvaindo do rosto quase sempre corado.

— Nós fomos informados — disse, após um instante. — Todos da patrulha de reconhecimento foram mortos.

— Todos menos um. E então, vinte dias depois de o senhor tê-lo derrotado em Bayonne, Thouvenot finalmente aceitou que Bonaparte havia abdicado, e a guerra acabou. — Ele se inclinou para a frente, levantando a cabeça para encarar o olhar cinza-aço do general. — Mas não para mim. Château Pagnon nunca se rendeu. O Exército britânico nunca tentou tomá-lo. A rede deles permaneceu ativa, planejando e esquematizando a fuga de Bonaparte. Eles me perguntaram sobre o senhor, sobre sua família, pois o senhor era o comandante da minha divisão, e estavam procurando maneiras de assassinar líderes britânicos ou de chantageá-los.

— Você...

— Eu não disse uma única palavra, General. Então, finalmente, após sete meses, quando percebi que não aguentaria muito mais, depois de ter visto... coisas que jamais conseguirei esquecer, eu os ludibriei para que me matassem. Ou ao menos que fizessem uma boa tentativa. Após concluírem que eu estava morto, eles me jogaram da muralha. A resistência espanhola me encontrou dois dias depois e fez os curativos que me mantiveram vivo.

Tinha sido bem pior que isso, mas contar tudo não serviria a propósito algum. Tudo que precisava fazer era convencer o General Barrett de que não era um traidor. O restante, guardaria para si, sem intenção alguma de compartilhar com qualquer pessoa.

— Então... Você me culpa pelo que aconteceu com você — disse o general com a voz rouca, como se sua garganta tivesse secado. — É por isso que...

— Sim, eu o culpei — interrompeu Robert. — Mas não quero vingança. E definitivamente não quero outra guerra. — Ele estremeceu. — Eu jamais poderia desejar a qualquer outra pessoa o que aconteceu comigo.

— Então...

— Agora, preciso que o senhor me ouça com muita atenção. E não apenas pelo meu bem, ou pelo seu, mas pelo de Lucinda. Sem interrupções, sem contradições, até eu terminar. Fui claro?

A expressão do general voltou a ficar brusca.

— Se for a única forma de eu me livrar de você — respondeu, embora sua voz não transparecesse muita convicção.

— É. Primeiro, há quanto tempo os documentos estavam desaparecidos da sede da Cavalaria quando os rumores sobre o roubo começaram a circular?

Barrett estreitou os olhos.

— Um dia — respondeu, por fim.

— E quanto tempo depois que o senhor contou a Lorde Geoffrey Newcombe que eu havia ficado preso em Château Pagnon a notícia se espalhou?

— Eu não...

— Responda à maldita pergunta.

O general refletiu. Robert podia ver a afirmação relutante em seus olhos.

— Doze horas. Talvez menos.

— Sou um bom bode expiatório — murmurou Robert —, mas não fui eu quem roubou os documentos.

— E você acha que Geoffrey roubou.

— Eu *sei* que Geoffrey roubou. — Respirando fundo, Robert tirou os papéis e mapas dobrados de dentro do casaco e os colocou na mesa do general. — Encontrei-os há alguns minutos, no baú do uniforme de Geoffrey. O Duque de Wycliffe pode confirmar essa informação, se necessário.

— Você os colocou lá. Ele me disse que você tentaria culpá-lo pelo roubo que você cometeu.

— Por quê? O que eu teria a ganhar ao roubá-los, para começo de conversa?

— Eu... — O general praguejou. — Mas o que Geoffrey teria a ganhar?

— Geoffrey quer um comando na Índia. No momento, é um soldado pobre com um nome respeitado. Pode se casar com Lucinda e conseguir uma promoção, mas só se ela o aceitar. Até lá, ele precisa de uma garantia. Com esses documentos, conseguiria dinheiro ao vendê-los e outra guerra com Bonaparte. Uma das duas situações, ou até mesmo as duas, seria suficiente para garantir exatamente o que ele quer.

— E quanto ao seu envolvimento?

Robert deu de ombros.

— Sou conveniente. Não sou muito popular, além de ser um potencial rival pela afeição de Lucinda. Mas a real pergunta, General, é: e quanto ao *seu* envolvimento?

O general levantou-se.

— Você está me acusando...

— Não, não estou. Mas o senhor é o responsável por Geoffrey ter acesso à sede da Cavalaria, e ele já deixou claro, para quem quisesse ouvir, que o considera como um mentor. Isso provavelmente terá repercussões para o senhor.

— Ele acabou de sair daqui — disse Barrett, quase que para si mesmo. — Newcombe. Disse que Lucinda e os amigos haviam tramado para remediar sua reputação e difamá-lo. Fiquei furioso, mas, ao mesmo tempo, lembro de ter pensado que as amigas de Lucinda se casaram com homens com fama de patifes, Dare e St. Aubyn, para ser exato, e eu não conseguia entender por que é que elas teriam decidido repudiar Geoffrey. Lucinda gosta dele, você sabe. Ou gostava.

— Sim, gostava. — Robert se levantou. — Então, agora, o senhor tem os documentos à sua frente e minha palavra contra a de Geoffrey. E sua própria reputação para levar em conta. Estarei na biblioteca quando o senhor decidir o que fazer.

— E então eu descreditarei Geoffrey e a mim mesmo e você seguirá seu caminho feliz e contente.

— Não, não farei isso, porque magoaria Lucinda. — Ele pausou, perguntando-se se o general podia perceber, em sua voz, como aquele ponto em especial era importante para ele. — Eu respeitarei sua decisão, qualquer que for. A única coisa que peço é que, se o senhor decidir me culpar por tudo isso, garanta de que minha família será ressalvada de qualquer delito.

O que faria se soldados aparecessem em sua porta para prendê-lo, Robert não sabia. O que sabia era que essa decisão precisava, legitimamente, partir do General Augustus Barrett. E conceitos como certo e errado, justiça e iniquidade, haviam se tornado muito importantes para Robert nos últimos anos.

Ele se retirou do escritório e fechou a porta. Lucinda estava sentada em um sofá na biblioteca, as mãos puritanamente unidas no colo, olhando para a janela. As articulações dos dedos estavam esbranquiçadas, e ela praticamente tremia de tensão, mas Robert supunha que qualquer pessoa que não a conhecesse julgaria que ela era a personificação da paciência serena.

— Lucinda — murmurou, entrando no recinto.

Ela se levantou de imediato.

— O que aconteceu? — indagou, correndo até ele e segurando suas mangas. — Você encontrou os papéis? Geoffrey esteve aqui. Não sei de tudo que ele contou ao meu pai, mas ele realmente era culpado...

Robert se aproximou e a beijou. Ela era tão quente e vivaz — tão diferente da história sombria e gélida que acabara de contar ao pai dela.

— Encontrei os papéis — contou ele baixinho, colocando uma mecha rebelde de cabelo castanho e acobreado atrás da orelha dela.

Lucinda o abraçou com força.

— Graças a Deus — disse, em um suspiro. Seu corpo esguio tremia.

— Graças a Deus. Eu estava tão preocupada. Quando vi Geoffrey aqui, pensei... Eu não sabia o que pensar.

Ele se afastou um pouquinho para olhar seu rosto. Estava se tornando cada vez mais difícil lembrar da escuridão de sua vida antes de Lucinda — tudo parecia colorido pela compaixão e beleza dela. Se os rumores tivessem sido espalhados um ano antes, Robert teria simplesmente ido embora. Nada importava, nada parecia... real — até ele conversar com Lucinda e sentir sua esperança tocá-lo. Nem mesmo o abraço dela naquele momento era suficiente. Ela parecia tão frágil, como se pudesse desaparecer em uma nuvem de fumaça se ele fechasse os olhos. Por outro lado, sabia como ela era forte, como era atenciosa e honesta.

Robert queria contar tudo. Queria dizer o quanto a amava. Isso, no entanto, não seria justo. Ela queria se casar com alguém simples e aprazível, alguém que seu pai aprovasse, alguém que não era ele.

— Robert — sussurrou a jovem, franzindo a testa —, o que foi?

Ele forçou um sorriso.

— Nada. Deixei tudo nas mãos de seu pai. Suponho que o próximo passo caiba a ele.

— O que você disse?

— Foi algo de soldado para soldado, Lucinda. Não posso lhe contar.

O General Barrett pigarreou. Ambos se viraram e o viram observando-os — Robert com os braços em torno da cintura de Lucinda, e ela com os braços em torno de seu pescoço. Ele teria se afastado, mas Lucinda travou os dedos atrás de seu pescoço, mantendo-o ali.

O general trazia o calhamaço de documentos roubados nas mãos.

— Lucinda, eu e Robert precisamos ir a um lugar.

O coração dela congelou. Os músculos de Robert se contraíram sob os dedos dela, mas ele não se moveu. O que eles tinham conversado? O que o pai decidira? Lucinda estava com medo de soltar Robert; estava apavorada, com receio de nunca mais poder abraçá-lo.

— Ir aonde? — questionou ela.

— Para a sede da Cavalaria e...

— Não, papai! Não foi Robert!

O general ergueu a mão.

— Eu sei. Agora. — Ele olhou para Robert, então voltou a encarar a filha. — Pode me fazer um favor, Lucinda?

Pela primeira vez, ela quis perguntar qual seria o favor antes de concordar. Respirou fundo, lembrando a si mesma de que sempre pôde confiar nele.

— É claro.

— Suponho que o restante dos conspiradores esteja na Residência Carroway?

Robert assentiu.

— É o local de encontro definido.

— Ótimo. Lucinda, preciso que você vá até a Residência Carroway e peça aos cavalheiros que localizem Lorde Geoffrey Newcombe. Eles não devem fazer nada, apenas localizá-lo e mandar um recado para a Residência Carroway. Robert e eu iremos para lá em breve.

— Promete?

— Prometo. — Ele pigarreou novamente. — Posso estar um pouco atrasado, mas pretendo fazer a coisa certa.

— Pegarei meu *bonnet* — disse Lucinda, correndo para subir as escadas.

— "A coisa certa" — repetiu Robert. — O senhor sabe as consequências que poderá sofrer com isso.

— Se for entendido que a culpa é minha, encararei as consequências — respondeu o general. — De toda forma, não permitirei que Geoffrey se safe apenas para me resguardar.

Robert não esperava por isso. Pensava que, no máximo, Geoffrey acabaria sendo enviado para a Austrália ou para as Américas, e que os documentos surgiriam, como em um passe de mágica, em algum lugar da sede da Cavalaria. Observara o General Barrett nos últimos anos, tentando encontrar alguma coisa que comprovasse sua ignorância e sua covardia, ou o que quer que o tenha feito enviar uma patrulha diretamente para uma emboscada. Talvez o tivesse julgado cedo demais.

Lucinda ressurgiu na porta, ofegante, ainda tremendo de tensão.

— Levarei Helena e iremos no cabriolé. Daremos início à busca.

— Tome cuidado, Lucinda — disse Robert.

Para sua surpresa, ela parou na metade do caminho até a porta e deu meia-volta. Caminhando diretamente até ele, puxou-o para baixo pelo cabelo e lhe deu um beijo intenso.

— Você tome cuidado — murmurou ela, saindo.

O general pigarreou mais uma vez. Estava olhando para Robert, que o fitou com olhos tranquilos. Ele podia tirar as conclusões que quisesse. No que lhe dizia respeito, Lucinda podia contar a história que lhe conviesse sobre os dois. Tudo que havia acontecido entre eles pertencia a eles e mais ninguém.

O General Barrett mandou selar seu baio, e os dois partiram para a sede da Cavalaria. Nenhum dos dois abriu a boca. Robert não queria conversar, e Barrett, obviamente, tinha muitas coisas na cabeça.

— Tínhamos informações contraditórias — declarou o general subitamente, mantendo os olhos na rua. — Foi-nos dito que talvez Thouvenot atravessasse St. Etienne na manhã seguinte. Por isso que eu queria informações sobre qualquer movimento de tropa ou posicionamento de canhão. Se eu soubesse, jamais teria mandado uma única patrulha.

Não era um pedido de desculpas, mas, se fosse, Robert não teria aceitado, de toda forma. Ele apenas assentiu.

— O que lhe contei sobre como saí de Château Pagnon fica entre nós dois.

— De acordo. Tal... Talvez seja melhor você esperar no saguão. Sua popularidade não está muito em alta por aqui no momento.

— Nunca fui minha intenção ser popular junto à Cavalaria. — Descendo de Tolley, Robert reparou nos olhares desconfiados das sentinelas, mas simplesmente ignorou. — Esperarei aqui.

Segurando os papéis, o General Barrett marchou para dentro do edifício. Robert só admitiria para si mesmo que se sentia mais confortável ao lado de Tolley, só para o caso de precisar escapar depressa. Com sua praça de armas murada, a sede da Cavalaria se assemelhava demais a uma prisão para ele. Com sorte, o general seria rápido e persuasivo, e então eles poderiam decidir o que queriam fazer com Geoffrey. E Robert, por sua vez, poderia descobrir como impedir que Lucinda destinasse sua afeição e suas lições a outra pessoa.

Capítulo 25

Ainda assim, eu morreria para fazê-la feliz.
— Victor Frankenstein, *Frankenstein*

— BIT FOI PARA A sede da Cavalaria!? — exclamou Tristan. — Voluntariamente?

Lucinda tentou recuperar o fôlego. Achava que nunca tinha conduzido o coche tão rápido, mas, mesmo que tivesse asas, teria parecido devagar demais. Robert e o pai precisavam de ajuda e haviam deixado tal tarefa sob sua responsabilidade.

— Meu pai prometeu vir para cá assim que possível. Por favor. Precisamos localizar Geoffrey.

Evelyn e Santo também tinham se juntado ao bando, e Wycliffe permanecera na casa, com todos os irmãos Carroway e Georgie. Todos estavam apinhados no salão matinal das tias, que começava a ficar um pouco lotado.

— Sugiro que nos separemos em equipes de dois — propôs Bradshaw.

— Assim, se o encontrarmos, um pode voltar para cá para avisar enquanto o outro fica de olho nele.

Dare concordou.

— Parece uma boa ideia. Wycliffe e eu, Shaw e Andrew, Santo e...

— Vocês não vão me deixar aqui — afirmou Lucinda, cruzando os braços. — Há lugares onde posso procurar também.

— Onde *nós* podemos procurar — emendou Evie.

— Eu também vou! — gritou Edward.

Dawkins bateu à porta.

— Com todo o respeito, milorde — disse o mordomo, endireitando os ombros —, mas se houver algo que eu possa fazer para ajudar, gostaria de me voluntariar. E acho que boa parte da criadagem e do pessoal dos estábulos concorda comigo.

— Independentemente do que faremos, precisamos agir rápido — ponderou Wycliffe. — Assim que Geoffrey chegar em casa, saberá que encontramos os papéis. E poderia estar a meio caminho de Bristol, a essa altura.

— Acho que não — comentou Lucinda. — Ele parecia bastante confiante de que conseguira redirecionar a suspeita de volta para Robert. Se fugisse, certamente pareceria culpado. É mais provável que esteja tentando causar mais estragos. — Lucinda empalideceu. — Ou tentando convencer a força policial de que Robert é um traidor e precisa ser morto.

— Não vamos tirar conclusões precipitadas — ponderou Tristan, embora sua expressão já séria tenha ficado ainda mais taciturna. — Certo. Dawkins, você fica aqui, para receber qualquer informação que possa chegar. Usaremos os criados e os cavalariços como mensageiros, mas acho que Georgiana deve ficar aqui.

— Vou com Evie e Lucinda — afirmou a viscondessa.

— Quero Edward comigo — disse Santo, bagunçando o cabelo do garoto.

— Mas aonde vamos? — indagou Edward.

— Eu vou ao White's — sugeriu Wycliffe —, já que metade dos Carroway foi banida do clube. E ao Society.

— Nós vasculharemos os outros clubes — prometeu Dare, dando um tapinha no braço de Andrew. — E a casa, caso ele ainda esteja lá.

— Rua Bond — sugeriu Evie, e Lucinda concordou.

Seria muito típico de Geoffrey comprar-lhe um cacareco para se desculpar com ela quando a culpa recaísse inteiramente sobre Robert. Além disso, metade da população feminina de Mayfair estaria lá àquela hora da manhã, o que significaria dezenas de ouvidos empáticos para os rumores do belo Geoffrey.

— Piccadilly — propôs Santo.

— E eu ficarei com Covent Garden — concluiu Bradshaw, colocando as luvas de cavalgada.

Eles se dirigiram aos estábulos. Enquanto Dare ajudava Georgiana a subir no cabriolé, Lucinda olhou para o jardim de rosas de Robert. Uma das mudas já estava produzindo botões. Ela sorriu. Desde que se envolvera com Robert, tinha a sensação de que também havia desabrochado.

Dare lhe ofereceu a mão para subir no veículo.

— Tomem cuidado, vocês três — alertou ele. — Geoffrey estava pronto para trair o país. Não acho que hesitaria em machucar alguma de vocês.

— Ah... — retrucou Lucinda. — Bem que ele gostaria de ter a chance.

Pegando as rédeas, ela estalou a língua para a parelha de cavalos cinza, e eles saíram trotando pela via de entrada da casa.

— Fico feliz que estejamos fazendo alguma coisa — comentou, após alguns minutos de um silêncio tenso. — Não acho que conseguiria aguentar ficar sentada esperando notícias.

Sentada na parte de trás, Evie se debruçou entre elas.

— Georgiana, adivinhe o que eu vi no Tattersalls.

Lucinda corou.

— Evie, estamos em uma missão.

— O que você viu? — perguntou Georgiana.

— Vi duas pessoas se beijando. E não apenas se beijando. Enlaçando-se um no outro, praticamente rolando pelo chão.

— Não estávamos rolando pelo chão — protestou Lucinda, enrubescendo ainda mais.

Georgie a encarou. A surpresa que brilhou em seus olhos logo deu lugar à compreensão.

— Você e Bit — disse ela lentamente.

— Eu... Eu não sei como foi acontecer. É só que ele é... Ele é extraordinário — gaguejou ela. — Muito mais do que percebe.

— Você podia ter me contado — respondeu Georgiana. — É sério?

Tão sério que ela não conseguia dormir sem sonhar com ele ou passar um único dia sem pensar nele a cada dois minutos. Tão sério que, se ele precisasse fugir do país, Lucinda iria junto — ou atrás dele.

— Acho que isso é entre mim e Robert.

— Luce, você não pode...

— Vejam, chegamos — anunciou ela, agradecendo aos céus. — Geoffrey deixou a Residência Barrett em seu capão castanho.

— Vamos com o cabriolé até o final da rua primeiro e depois retornamos a pé.

Em um primeiro momento, não avistou o cavalo de Geoffrey, Hercules, mas havia inúmeras alamedas e ruelas laterais onde um cavalheiro podia largar seu cavalo. No final da rua, elas pararam, saltando — no caso de Georgiana, descendo cautelosamente — para o chão.

Lucinda liderou o caminho pela rua comercial, com todos os sentidos alertas. Queria ser a pessoa que encontraria Geoffrey. Ele tentara destruir Robert. Ele a cortejara, a beijara e a pedira em casamento ao mesmo tempo que planejava vender informações confidenciais à França e dar início a outra guerra. Outra guerra na qual outra pessoa poderia se ferir como Robert fora ferido.

— Luce, devagar — disse Evie, atrás dela, caminhando de braços dados com Georgie.

— Não quero que ele escape — respondeu ela, olhando por cima do ombro para as amigas. Quando virou o rosto para a frente de novo, parou tão abruptamente que Evie e Georgie quase trombaram nela. — Ali — sibilou.

A cauda do casaco cinza de Geoffrey desapareceu em uma loja de doces. Recuando, as três amigas se esconderam na alameda mais próxima.

— Tem certeza de que era ele? — indagou Georgiana.

— Ah, sim.

Evie assentiu.

— Certo. Não podemos sair correndo de volta para a casa com Georgie, então vocês duas ficam aqui, e eu vou avisar Dawkins. Volto assim que possível.

Com isso, a marquesa saiu correndo pela alameda.

— Precisamos ficar de olho nele — lembrou Georgiana, retornando para a rua principal. — Se ele for embora antes que alguém chegue, teremos que iniciar a busca do zero.

Lucinda respirou fundo, tentando acalmar a palpitação nervosa do coração. Não era apenas ela que estava envolvida naquela situação. Georgiana estava a poucas semanas de dar à luz e toda aquela agitação não devia lhe fazer nada bem.

— Por que você não espera aqui e eu o sigo?

— Vamos juntas.

— Por que não caminhamos todos juntos? — sugeriu a voz de Geoffrey da entrada da alameda.

Ah, não. A primeira preocupação de Lucinda foi com Georgiana, mas, quando olhou para a viscondessa, a expressão de sua amiga era mais de raiva do que de pavor. Lucinda não deveria estar surpresa. Robert tinha garantido um lugar especial no coração de Georgie, e Geoffrey o ameaçara.

— Geoffrey — disse Lucinda, grata por sua voz soar estável. — Graças a Deus. Georgie está se sentindo um pouco zonza. Espero que você não esteja tão zangado comigo a ponto de não nos ajudar.

Assentindo, ele se aproximou delas.

— Claro que ajudarei. Aonde foi sua amiga, Lady St. Aubyn?

— Foi buscar Dare — respondeu Lucinda. — Achamos que seria mais fácil levar Georgie para casa no coche deles.

— Bem pensado. Por que não aguardamos no Dulcé Café? Assim poderemos todos nos sentar enquanto vocês aguardam os reforços.

Lucinda não gostou da forma como ele disse aquilo, mas, desde que permanecessem em público, Geoffrey provavelmente não tentaria nada vil. Ele pegou o braço de Georgiana e a conduziu de volta à rua principal.

Ela não pensou que ele tivesse acreditado em sua história nem por um segundo, mas, enquanto ele participasse do jogo, tinham tempo — e tempo era tudo de que precisavam. Pelo menos sete homens estariam a caminho em apenas alguns minutos — a menos, é claro, que algo tivesse dado errado na Cavalaria. A garganta de Lucinda se fechou ao pensar em Robert sendo preso e arrastado para uma cela escura em um dos pavimentos subterrâneos do amplo edifício.

Qualquer que tenha sido a história que Robert contara a seu pai, ele pareceu acreditar. O General Barrett, contudo, não era a única autoridade da Cavalaria. *Por favor, Robert, esteja bem*, entoava Lucinda a si mesma enquanto ficava de olho em Geoffrey. Todos precisavam sair daquela situação inteiros — à exceção, talvez, de Lorde Geoffrey Newcombe.

Independentemente do que Geoffrey havia planejado, ele as acompanhou até o café e se sentou entre as duas em uma das mesas ao ar livre. Para qualquer transeunte, deviam passar a imagem exemplar que ele pretendia — um casal apaixonado e sua acompanhante perfeitamente respeitável. Quando ele aproximou sua cadeira de Lucinda, contudo, ela precisou se esforçar para permanecer no lugar, fingindo estar contente com o resgate dele. Então, algo duro tocou sua cintura. Quando olhou para baixo, Lucinda viu o contorno distinto de uma pistola dentro do bolso do casaco dele.

— Não se mexa, Luce — murmurou ele. — Somos todos amigos aqui.

— O que você está fazendo? — sussurrou, reparando que os olhos de Georgie se arregalaram quando ela percebeu o movimento.

— Só estou esperando para ver quem virá buscá-las. Um homem precisa proteger seu patrimônio.

— Com uma pistola?

Geoffrey gesticulou para um garçom.

— Pode nos trazer chá e biscoitos?

— Imediatamente, milorde.

— Geoffrey, isso é ridículo. Ontem mesmo estávamos conversando sobre casamento.

— *Eu* estava conversando sobre casamento. Você, aparentemente, estava se divertindo às minhas custas. Minha casa foi invadida enquanto estávamos no Tattersalls, sabia?

— Foi? Minha nossa! Você reportou às autoridades?

— Sim. Por sorte, meus criados puderam fornecer uma boa descrição de um dos criminosos. — Ele voltou o olhar para Georgie. — Lamento informá-la que era seu cunhado, Robert. Obviamente, o homem enlouqueceu de vez. Apenas espero que possa ser trazido de maneira pacífica para o interrogatório. Eu odiaria que ele fosse baleado e morto como um cão vadio.

O medo de Lucinda evaporou. Subitamente, quis socar Lorde Geoffrey com muita força, aniquilando o sorriso presunçoso e confiante daquele rostinho bonito.

— Se você o machucar, não viverá para ver as grades da prisão — ameaçou ela bem baixinho.

— Minha querida, pessoas como eu não vão para a cadeia. Somos agradecidos pelo príncipe-regente pelos serviços que prestamos à Coroa, somos promovidos e fazemos nossa fortuna, exatamente como planejamos.

O General Barrett apareceu dobrando a esquina em seu cavalo, ladeado por Dare e Bradshaw. *Onde estava Robert? O que tinha acontecido com Robert?*

— Ora, ora, que interessante. Nenhum coche para nossa cara Lady Dare.

— Eles devem ter entendido errado.

— Newcombe! — berrou o general. — Afaste-se dessa mesa.

— General Barrett? O que há de errado? — exclamou Geoffrey, erguendo a sobrancelha. — Tente se acalmar, senhor. Sua filha e eu estamos apenas conversando. Tudo perfeitamente respeitável, eu lhe garanto.

As pessoas das mesas em volta começaram a cochichas umas com as outras, mas Lucinda manteve os olhos fixos no pai, desejando que ele percebesse que Geoffrey estava armado. Dare parecia zangado, mas não alarmado. Sua atenção estava voltada para a esposa, que empalidecera.

Lucinda forçou um sorriso.

— Minha nossa, papai. Parece que o senhor esperava um tiroteio ou algo assim. Como Geoffrey disse, estamos apenas conversando.

O sangue se esvaiu do rosto de Dare, e o general trincou o maxilar. Tinham entendido, graças a Deus.

— Geoffrey, você não está ganhando nada com isso — ponderou o general, a voz controlada e imperiosa. — Por que não vem conosco? Nós só queremos conversar.

— Estou bem confortável aqui, muito obrigado. Onde estaria aquele seu irmão salafrário, Dare? Ele anda espalhando algumas coisas muito feias a meu respeito.

— Está preso na sede da Cavalaria por sua causa — respondeu Tristan. — Pelo visto, agora alguém o está acusando de ter invadido sua casa. Eu gostaria que você viesse conosco para refutar essa acusação.

— Ele *invadiu* minha casa, sem dúvidas para tentar plantar os documentos que roubou da sede da Cavalaria.

O General Barrett estendeu as mãos, como que para mostrar que não estava armado.

— Geoffrey, guarde a pistola e vamos conversar.

Ao redor deles, as pessoas começaram a evacuar as mesas. Em um instante, a rua ficou cheia, e o café, vazio, apenas eles três e a pistola de Geoffrey. Ao menos ele a apontava para *ela*, ponderou Lucinda, e não para Georgiana. Aparentemente, assassinar uma viscondessa grávida era demais, até mesmo para um traidor.

— Deixe Georgiana ir — sussurrou ela. — Eu ficarei aqui.

— Gosto de estar entre duas belas damas. Você está confortável aí, não está, Lady Dare?

— Receio que o fedor que emana de você esteja me deixando zonza — rosnou Georgie. — Guarde essa maldita pistola. Se machucar uma de nós, ficará grato por só poder morrer uma vez.

— Ah, então não estamos mais sendo gentis? Que pena. Esta tarde estava sendo tão agradável.

— E ficando cada vez mais — disse a voz grave de Robert, diretamente atrás dele.

A cabeça de Geoffrey se inclinou para a frente, como se ele estivesse fazendo uma reverência. Quando Lucinda se virou para olhar, contudo, percebeu que o movimento se dera porque Robert estava empurrando seu crânio com força com o cano de uma pistola.

— Eu atirarei nela, Carroway — ameaçou Geoffrey.

Toda aquela postura aprazível desaparecera de sua voz.

— Você pode ir para a cadeia ou para o inferno, Newcombe — disse a voz fria e mortal de Robert. — Você sempre tem a chance de sair de um deles, mas a decisão é sua.

Lentamente, afastou a pistola de Lucinda.

— Georgiana, venha comigo — disse ela, mantendo o tom baixo para não assustar nenhum dos dois homens.

Dando a volta na mesa, pegou na mão da amiga, para ajudá-la a se levantar, e elas se afastaram. Em um instante, Dare posicionou-se diante delas, e o general apertou o ombro de Lucinda com força.

— Lucinda, você está ferida? — perguntou.

Ela manteve os olhos em Robert e Geoffrey, ambos imóveis como estátuas.

— Estou bem. Robert, estamos bem — garantiu ela.

— Jogue sua maldita pistola longe — rosnou Robert, entredentes.

Geoffrey obedeceu.

— Pronto, Carroway. Você venceu — ralhou ele. — Podemos tratar disso como cavalheiros.

— Não acho que possamos.

Robert não parecia considerar nada concluído. Nem sequer parecia estar respirando, de tão imóvel, focando toda a sua atenção no homem à frente.

— Não faça isso, Bit — implorou Dare, com um suspiro.

Subitamente, Lucinda percebeu o quanto Geoffrey estava encrencado. Ele cometera um pecado mortal: ameaçara as vidas de pessoas que Robert amava.

Ah, não, não, não. Lucinda deu um passo adiante, mas a mão do pai apertou seu ombro com mais força ainda.

— Fique aqui — ordenou ele.

Desvencilhando-se, Lucinda deu outro passo adiante. Robert ainda não se movera, ainda pressionava a pistola contra a cabeça de Geoffrey, apertando a arma com tanta força que as articulações de seus dedos estavam esbranquiçadas.

— Robert — disse, baixinho, chegando até a ponta da mesa e colocando as mãos sobre o tampo. — Ele vai para a prisão, assim como você disse. Você conseguiu.

O maxilar dele se contraiu.

— Ele apontou uma pistola para você — disse, a voz rouca.

— Não estou ferida.

— Ela não está ferida, Carroway. Pelo amor de Deus.

— Cale a boca, Geoffrey — ordenou Lucinda, mantendo a voz calma. — Ele não se safou de nada, Robert. Bit. — Mantendo as mãos na frente do corpo, ela deu a volta na mesa. — Se você o matar, irá para a cadeia. Não quero que você vá para a cadeia, Bit. Quero você aqui, comigo.

Geoffrey choramingou, mas, aparentemente, achava que a ameaça de Robert era real o suficiente para permanecer de boca fechada, como Lucinda mandara. Um músculo do maxilar de Robert se contraiu e, de súbito, ela percebeu como tudo ficara quieto.

— Somos só nós, Robert.

Ela colocou a mão no ombro dele, deslizando-a lentamente pelo braço estendido até cobrir sua mão com a dela.

— Eu sei, eu sei.

Respirando fundo e estremecendo, ele relaxou. Robert ergueu a mão e virou-se para que ela pudesse pegar a pistola.

Assim que o fez, Geoffrey derrubou a própria cadeira para trás com o peso do corpo. Os três desabaram no chão, em uma pilha de corpos se retorcendo, e a pistola voou para longe. Em pânico, Lucinda engatinhou para trás. Rosnando, Geoffrey ajoelhou-se no chão e arremeteu contra Robert. Ela gritou.

Robert esquivou-se para o lado, ficando entre ela e Geoffrey. Com um soco rápido e forte, fez Geoffrey cambalear novamente. Sem pausar, Robert jogou-se em cima de Geoffrey, derrubando-o com força no chão e socando o capitão no estômago, nas costelas e no rosto, de novo e de novo.

— Você não sabe o que é lutar pela sua vida, não é mesmo? — sibilou, erguendo Geoffrey pelas lapelas. — Pois está prestes a descobrir.

Ele o arremessou com força, e o outro homem deslizou pela mesa do café.

— Robert, pare!

Dare e Shaw correram até eles, um de cada lado, e arrastaram Geoffrey para longe de Robert. Assim que o deteram, Lucinda se levantou depressa e abraçou Robert. As pessoas iam comentar, fofocar, mas ela não se importava. O corpo dele tremia, mas, após um momento, ele a abraçou com força.

— Eu morreria de novo por você, Lucinda — murmurou.

— Não quero que você morra por mim. Quero que viva.

Puxando o rosto dele, ela o beijou até ele corresponder o beijo com uma paixão crescente, até seu corpo parar de tremer.

— Eu te amo — sussurrou ela contra a boca dele, sabendo que Robert não iria, não conseguiria, proferir aquelas palavras.

Então, Robert a surpreendeu.

— Eu te amo, Lucinda — sussurrou ele de volta. — Eu gostaria de poder ser o que você quer.

Ele ergueu a cabeça para encarar aqueles olhos azuis intensos.

— Você é o que eu quero, Robert. Mesmo antes de eu perceber.

— Não posso... ser como outros homens — respondeu. O calor transparecia em seus olhos, preenchendo o coração dela com seu fogo. — Posso tentar, mas eu...

— A lição número três era ter outros interesses além da aparência física — contou ela, afastando uma mecha de cabelo do olho esquerdo dele. — A lição número quatro era conseguir demonstrar respeito pelo meu pai, tanto diante dele quanto por trás. Sei que você não gosta dele, mas demonstrou mais respeito do que Geoffrey poderia sonhar em demonstrar. É você, Robert. Você é quem estive procurando. Não quero "simples". Quero você.

— Você me quer — repetiu ele. A tensão se dissipou lentamente de seu rosto. Um sorriso leve e hesitante curvou seus lábios. — Você é bem insensata.

— Não, estou finalmente sendo sensata.

Robert se abaixou e a beijou, um beijo suave como uma pluma.

— Tem certeza?

— Sim, tenho certeza.

Ele respirou fundo, seus olhos cintilando.

— Quer se casar comigo, Lucinda? Quer ficar comigo?

Ela assentiu.

— Quero me casar com você. Quero ficar com você, Robert. Eu não seria feliz em nenhum outro lugar.

— Eu acho que não conseguiria respirar sem você.

Dare apareceu ao lado do irmão.

— E ele certamente mataria as rosas sem a sua ajuda — comentou, com um brilho nos olhos muito mais significativo que o leve sorriso que estampava seu rosto.

— Sim, tem isso, também — concordou Robert, abraçando-a pela cintura ainda mais forte e erguendo-a do chão. — Você me trouxe de volta à vida.

Lucinda secou uma lágrima errante que escorrera por seu rosto. Que estranho estar chorando, sendo que se sentia tão feliz, aliviada e otimista nos braços dele.

— Acho que você me ensinou o que significa estar vivo. Então estamos quites.

O restante do exército deles também tinha chegado. Santo segurava Edward pelo braço para impedir que o garoto chutasse a cabeça de Geoffrey, que estava ajoelhado. Todos exibiam graus variados de surpresa e aprovação em seus rostos. Até mesmo o pai não parecia muito chateado. Independentemente do que eles haviam conversado, o general obviamente tinha ficado muitíssimo impressionado.

O sorriso de Robert cresceu.

— O que foi? — perguntou ela, sorrindo de volta.

— Meu joelho não dói. Você opera milagres.

— Eu o lembrarei disso quando o fizer dançar no nosso casamento.

Ele riu. Era a primeira vez que Lucinda o ouvia rindo. Aquele era, definitivamente, um som com o qual poderia se acostumar. Robert tinha dito que não poderia ser como outros homens, mas ela não considerava isso um detrimento. Ele teria seus momentos ruins, memórias sombrias, ela sabia.

Mas poderiam enfrentar isso juntos. Ela queria ajudá-lo e queria estar ao seu lado quando ele por fim conseguisse emergir plenamente da escuridão. Lucinda olhou para o lado e viu Evie e Georgiana de mãos dadas, ambas rindo e chorando.

Elas tinham conseguido. Tinham ensinado suas lições e encontrado o amor. Para uma ideia que aflorara da frustração em um dia de chuva, tudo acabara bastante bem. Lucinda olhou novamente para Robert, que, com um sorriso, deu mais um beijo suave em seus lábios. A ideia das três amigas tinha se concretizado com muito êxito, concluiu ela.

Este livro foi impresso pela BMF, em 2021, para a Harlequin. A fonte do miolo é Adobe Caslon Pro, corpo 11/15,2. O papel do miolo é pólen soft 70g/m², e o da capa é cartão 250g/m².